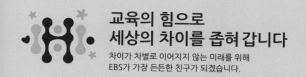

**교육의 힘으로
세상의 차이를 좁혀 갑니다**

차이가 차별로 이어지지 않는 미래를 위해
EBS가 가장 든든한 친구가 되겠습니다.

모든 교재 정보와 다양한 이벤트가 가득!
EBS 교재사이트 book.ebs.co.kr

본 교재는 EBS 교재사이트에서
eBook으로도 구입하실 수 있습니다.

KB132604

2025학년도
수능 연계교재
수능완성

사회탐구영역
세계지리

기획 및 개발

박 민
김은미
박빛나리
여운성

감수

한국교육과정평가원

책임 편집

김지현

본 교재의 강의는 TV와 모바일 APP, EBS*i* 사이트(www.ebsi.co.kr)에서 무료로 제공됩니다.

발행일 2024. 5. 20. 2쇄 인쇄일 2024. 8. 16. 신고번호 제2017-000193호 펴낸곳 한국교육방송공사 경기도 고양시 일산동구 한류월드로 281
표지디자인 ㈜무닉 내지디자인 다우 내지조판 ㈜하이테크컴 인쇄 팩컴코리아㈜ 사진 게티이미지코리아, ㈜아이엠스톡, 이미지파트너스
인쇄 과정 중 잘못된 교재는 구입하신 곳에서 교환하여 드립니다. 신규 사업 및 교재 광고 문의 pub@ebs.co.kr

정답과 해설 PDF 파일은 EBS*i* 사이트(www.ebsi.co.kr)에서 내려받으실 수 있습니다.

교재 내용 문의
교재 및 강의 내용 문의는
EBS*i* 사이트(www.ebsi.co.kr)의 학습 Q&A 서비스를
활용하시기 바랍니다.

교재 정오표 공지
발행 이후 발견된 정오 사항을
EBS*i* 사이트 정오표 코너에서 알려 드립니다.
교재 → 교재 자료실 → 교재 정오표

교재 정정 신청
공지된 정오 내용 외에 발견된 정오 사항이 있다면
EBS*i* 사이트를 통해 알려 주세요.
교재 → 교재 정정 신청

한성은 새롭다
세상엔 이롭다

한성대학교가 마주하는
도전과 기회가
글로벌 창의융합교육의
미래를 열어갑니다

HSU

트랙제 졸업생
취업률 78.1%

'방학 중 SW·AI
교육캠프 사업'
서울·경기권
최우수대학

'재학생 충원율'
최고 수준
101.1%

개교 이래 최초
외부 재정지원사업
수주 100억 원

고교교육 기여대학 지원사업
연차평가 우수 대학 선정

한성대학교 2025학년도
수 시 모 집

- **원서접수** : 2024. 9. 9.(월) ~ 9. 13.(금) 18:00
- **입시상담** : 02)760-5800

※ 자세한 사항은 입학홈페이지(https://enter.hansung.ac.kr)참고
※ 본 교재 광고의 수익금은 콘텐츠 품질개선과 공익사업에 사용됩니다.
※ 모두의 요강(mdipsi.com)을 통해 한성대학교의 입시정보를 확인할 수 있습니다.

HSU 한성대학교 HANSUNG UNIVERSITY

2025학년도
수능 연계교재
수능완성

✦✦✦

사회탐구영역
세계지리

이 책의 **차례** CONTENTS

강	제목	페이지
01	세계화와 지역 이해	4
02	세계의 기후 구분과 열대 기후	10
03	온대 기후	17
04	건조 및 냉 · 한대 기후와 지형	22
05	세계의 주요 대지형과 독특한 지형들	28
06	주요 종교의 전파와 종교 경관	35
07	세계의 인구 변천과 인구 이주	39
08	세계의 도시화와 세계 도시 체계	45
09	주요 식량 자원과 국제 이동	49
10	주요 에너지 자원과 국제 이동	56
11	몬순 아시아와 오세아니아(1)	62
12	몬순 아시아와 오세아니아(2)~(3)	66
13	건조 아시아와 북부 아프리카	70
14	유럽과 북부 아메리카	76
15	사하라 이남 아프리카와 중 · 남부 아메리카	83
16	평화와 공존의 세계	90
실전 모의고사 1회		96
실전 모의고사 2회		101
실전 모의고사 3회		106
실전 모의고사 4회		111
실전 모의고사 5회		116

이 책의 **구성과 특징** STRUCTURE

테마별 내용 정리

주제별 핵심 개념을 쉽게 이해할 수 있도록 표, 그림, 모식도 등을 활용하여 체계적이고 일목요연하게 정리하였습니다.

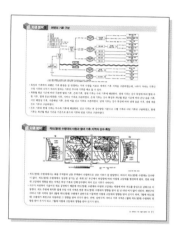

핵심 자료 분석

주제별 핵심 자료를 상세하게 분석하여 자료 분석력을 강화시킬 수 있도록 하였습니다.

수능 실전 문제

수능에 대비할 수 있는 다양한 유형의 문항들로 구성하여 응용력과 탐구력 및 문제 해결 능력을 향상시킬 수 있도록 하였습니다.

실전 모의고사

학습 내용을 최종 점검하여 실력을 테스트하고, 수능에 대한 실전 감각을 기를 수 있도록 수능 시험 형태로 구성하였습니다.

정답과 해설

정답 도출 과정과 교과의 내용을 연결하여 설명하고, 오답을 분석함으로써 유사 문제 및 응용 문제에 대한 대비가 가능하도록 하였습니다.

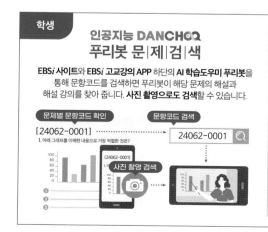

학생

인공지능 DANCHOQ
푸리봇 문|제|검|색

EBS*i* 사이트와 EBS*i* 고교강의 APP 하단의 AI 학습도우미 푸리봇을 통해 문항코드를 검색하면 푸리봇이 해당 문제의 해설과 해설 강의를 찾아 줍니다. **사진 촬영으로도 검색**할 수 있습니다.

문제별 문항코드 확인 [24062-0001]

문항코드 검색 [24062-0001]

1. 아래 그래프를 이해한 내용으로 가장 적절한 것은?

[24062-0001]

사진 촬영 검색

선생님

EBS 교사지원센터
교재 관련 자|료|제|공

교재의 문항 한글(HWP) 파일과 교재이미지, 강의자료를 무료로 제공합니다.

⬇ 한글다운로드   🖼 교재이미지   ☰ 강의자료

• 교사지원센터(teacher.ebsi.co.kr)에서 '교사인증' 이후 이용하실 수 있습니다.
• 교사지원센터에서 제공하는 자료는 교재별로 다를 수 있습니다.

세계화와 지역 이해

1 세계화와 지역화

(1) 세계화: 교통·통신의 발달에 따라 경제·사회·문화 등에서 세계가 하나의 공동체로 통합되는 현상

배경	교통·통신의 발달에 따른 시·공간적 제약 축소와 상호 의존 증가
영향	• 경제의 세계화: 지구적 차원의 협력과 분업으로 생산성 증대 및 소비 활동 확대 → 국제 무역량 증가, 지역 간 경쟁 심화 • 문화의 세계화: 세계의 다양한 문화가 활발하게 교류 → 초국적 세계 문화 형성, 문화 갈등 및 소수 문화 쇠퇴

(2) 지역화: 지역의 생활 양식이나 경제·사회·문화 활동 등이 세계적 차원에서 가치를 지니게 되는 현상

(3) 지역화 전략: 세계화에 대응하기 위해 경제적·문화적 측면에서 다른 지역과 차별화할 수 있는 계획을 마련하는 것

지리적 표시제	특정 지역의 지리적 특성을 반영한 우수 상품이 그 지역에서 생산·가공되었음을 인증하고 표시하는 제도
장소 마케팅	지역의 특정 장소를 하나의 상품으로 인식하고, 매력적으로 보일 수 있도록 이미지를 개발하는 전략
지역 브랜드화	지역의 상품과 서비스, 축제 등을 브랜드로 인식시켜 지역 이미지를 제고하는 전략

2 지리 정보와 공간 인식

(1) 서양의 세계 지도와 세계관

고대	바빌로니아의 점토판 지도	기원전 6세기경에 제작된 현존하는 가장 오래된 세계 지도, 바빌론과 그 주변 지역 및 미지의 세계를 표현함
	프톨레마이오스의 세계 지도	150년경 제작(15세기에 복원한 지도가 남아 있음), 유럽·아시아·아프리카 표현, 경선과 위선의 개념과 투영법 사용
중세	티오(TO) 지도	유럽에서 제작, 지도의 위쪽이 동쪽(에덴동산), 지도의 중심에 예루살렘 위치 → 크리스트교 세계관 반영
	알 이드리시의 세계 지도	지도의 위쪽이 남쪽, 지도의 중심에 메카 위치 → 이슬람교 세계관 반영
근대	메르카토르의 세계 지도 (1569년)	직선 형태의 경위선이 수직 교차, 아메리카 대륙 표현, 지점 간 각도 정확 → 항로가 직선으로 나타나 항해에 유용함, 경선 간격을 고정하고 위선 간격을 조정해 고위도 지역으로 갈수록 면적이 확대됨

(2) 동양의 세계 지도와 세계관

① 중국
- 송나라의 화이도, 명나라의 대명혼일도: 중화사상 반영
- 곤여만국전도(1602년): 경선과 위선 사용, 세계 인식 범위 확대 (아시아·유럽·아프리카·아메리카 등이 표현됨)

② 우리나라

혼일강리역대국도지도	조선 전기(1402년) 국가 주도로 제작된 세계 지도, 우리나라가 상대적으로 크게 표현됨, 유럽·아시아·아프리카가 표현됨
천하도	조선 중기 이후 민간에서 제작, 중화사상·도교 사상 반영

지구전후도	조선 후기(1834년) 실학자들이 목판본으로 제작, 지구전도와 지구후도로 구성, 경선·위선 사용, 아메리카 대륙이 표현됨

(3) 지리 정보 기술의 활용

① 지리 정보: 어떤 장소나 지역에 대한 정보

공간 정보	장소의 위치나 형태를 나타냄
속성 정보	장소의 자연적·인문적 특성을 나타냄
관계 정보	장소 간의 관계를 나타냄

② 지리 정보 수집

직접 조사	조사 지역을 방문, 답사하여 수집
간접 조사	지도, 문헌 등을 통한 수집
원격 탐사	• 인공위성, 항공기 등으로 먼 거리에서 측정하여 수집 • 인간이 접근하기 어려운 지역의 정보 수집 가능

③ 지리 정보 시스템(GIS)
- **의미**: 지리 정보를 수치화해 컴퓨터로 입력·분석·가공하여 필요한 결과물을 얻는 지리 정보 기술
- **특징**: 복잡한 지리 정보를 다양한 크기와 유형으로 지도화, 지리 정보의 통합·분석 용이, 합리적 공간 이용·관리에 대한 의사 결정에 활용

④ 옛 세계 지도와 오늘날 세계 지도의 지리 정보 차이

옛 세계 지도	• 주로 종이에 제한된 양의 정보만 기록 • 소수 지식인의 세계관을 반영하는 경우가 많음
오늘날의 세계 지도	• 컴퓨터를 이용한 정교한 전자 지도 제작 가능 • 다양한 형태로 가공 가능, 복사나 배포 용이

3 세계의 지역 구분

(1) 지역과 권역

지역	지리적 특성이 다른 곳과 구분되는 지표상의 공간 범위
권역	세계를 나누는 큰 규모의 공간 단위로, 세계 각 권역은 자연·인문적 특성이 어우러져 나타나며 권역의 경계에 점이 지대가 나타나기도 함

(2) 세계의 권역 구분

① 세계 권역 구분의 주요 지표

자연적 지표	위치, 지형, 기후, 식생, 수륙 분포 등 자연환경과 관련된 요소
문화적 지표	의식주, 언어, 종교 등 인간이 자연환경에 적응하며 만들어 낸 생활 양식과 관련된 요소
기능적 지표	기능의 중심이 되는 핵심지와 그 배후지로 이루어지는 권역을 설정할 수 있는 요소

② 세계의 다양한 권역 구분
- 관점에 따른 구분: 기준(대륙, 인문 요소, 지구적 쟁점 등)에 따라 다양한 권역으로 구분
- 규모에 따른 구분: 지역 연구 주제에 따라 적절한 규모로 구분

01

▶ 24062-0001

다음 자료는 세계지리 수행 평가 보고서의 일부이다. 이에 대한 설명으로 옳은 것만을 〈보기〉에서 고른 것은? (단, (가), (나)는 각각 다국적 기업의 현지화 전략, 장소 마케팅, 지리적 표시제 중 하나임.)

〈활동1: ___(가)___ 사례 조사하기〉

최근 한국 음식이 ㉠이슬람 문화권에서 큰 인기를 끌고 있습니다. 과거에는 외국에 진출한 우리나라 식품 기업들이 대부분 현지 교민이나 교포를 대상으로 제품을 판매했지만, 최근에는 현지인들을 주요 고객으로 삼아 제품을 판매하고 있습니다. 말레이시아에서 우리나라의 한 다국적 기업이 할랄 인증을 받은 '한국식 치킨'을 밥과 곁들여 먹는 식품을 출시했고, 또 다른 다국적 기업은 이슬람교의 율법에 따라 만들어진 비빔밥을 출시하면서 '할랄 식품' 시장에 본격적으로 진출하였습니다.

〈활동2: ___(나)___ 사례 조사하기〉

㉡53°28′N, 2°14′W에 위치한 영국의 맨체스터는 과거 세계적으로 영향력을 펼치던 산업 혁명의 중심지였지만, 산업의 쇠퇴로 많은 주민과 기업이 이곳을 떠나며 침체기를 겪기도 했습니다. 하지만 최근에는 문화 및 금융 산업에 투자하여 활력을 되찾고 있습니다. 산업 혁명기에 사용된 건물을 보존하면서 박물관 등으로 용도를 바꾸어 과거와 현대가 조화롭게 공존하는 도시 재생의 모범적 사례로 손꼽히기도 했습니다. 또한 스포츠 관련 시설을 적극적으로 유치하여 세계 각지의 축구 팬들이 경기를 보기 위해 찾아오고 있습니다. 침체된 지역의 이미지를 바꾸기 위해 오랜 시간 노력한 끝에, 오늘날 사람들은 맨체스터를 문화의 중심지, 금융 도시로 부르고 있습니다.

┌ 보기 ┐
ㄱ. (가)는 특정 지역의 지리적 특성을 반영한 우수 상품이 그 지역에서 생산 및 가공되었음을 인증하고 표시하는 제도이다.
ㄴ. (나)는 특정 장소를 하나의 상품으로 인식하고 매력적으로 보일 수 있도록 개발하는 전략이다.
ㄷ. ㉠은 대륙을 기준으로 지역을 구분하는 사례에 해당한다.
ㄹ. ㉡은 지리 정보 중 공간 정보에 해당한다.

① ㄱ, ㄴ　　　② ㄱ, ㄷ　　　③ ㄴ, ㄷ　　　④ ㄴ, ㄹ　　　⑤ ㄷ, ㄹ

02

▶ 24062-0002

다음은 뉴스의 한 장면이다. ㉠, ㉡에 대한 설명으로 옳은 것만을 〈보기〉에서 있는 대로 고른 것은?

영국 ○○○○에서 열리는 울트라 마라톤 대회는 42.195km를 달리는 보통의 마라톤과 달리 약 80km를 달려야 합니다. 2023년에 열린 대회에서는 엄청난 기록을 세운 선수가 탄생했는데, 반칙을 한 사실이 뒤늦게 밝혀졌습니다. 이 선수의 이동 경로와 구간별 소요 시간을 ㉠전자 지도에 표시했더니 의심스러운 정황이 포착되었습니다. ㉡위성 위치 확인 시스템(GPS)을 통해 추적한 데이터를 정밀하게 분석한 결과, 이 선수가 1.6km에 해당하는 구간을 100초 만에 통과한 기록이 있었습니다. 결국 해당 선수는 약 4km 구간을 자동차를 타고 이동했다는 사실을 인정했습니다.

┌ 보기 ┐
ㄱ. ㉠은 종이 지도보다 확대와 축소가 자유롭다.
ㄴ. ㉠은 종이 지도보다 사용자 요구에 따른 지리 정보의 수정과 추가가 어렵다.
ㄷ. ㉡의 발달로 지리 정보 시스템(GIS)의 사용 범위가 확대되었다.

① ㄱ　　　② ㄴ　　　③ ㄷ　　　④ ㄱ, ㄷ　　　⑤ ㄴ, ㄷ

03

▶ 24062-0003

(가), (나) 지도에 대한 질문에 모두 옳게 답한 학생을 고른 것은?

질문 \ 학생	갑	을	병	정	무
A 대륙은 (나)에도 표현되어 있나요?	○	○	○	○	×
D 하천의 발원지는 C에 위치하나요?	○	×	×	×	○
(가)의 B와 (나)의 E는 모두 인도양인가요?	×	×	×	○	○
(나)는 (가)보다 제작 시기가 이른가요?	○	×	○	×	○

＊○ 표시는 '예', × 표시는 '아니요'를 의미함.

① 갑 　　　　② 을 　　　　③ 병 　　　　④ 정 　　　　⑤ 무

04

▶ 24062-0004

다음은 (가)~(다) 지도에 대한 검색 결과 및 생성형 인공 지능(AI)과의 대화이다. ㉠~㉣ 중 옳은 것만을 고른 것은? (단, (가)~(다)는 각각 곤여만국전도, 혼일강리역대국도지도, 화이도 중 하나임.)

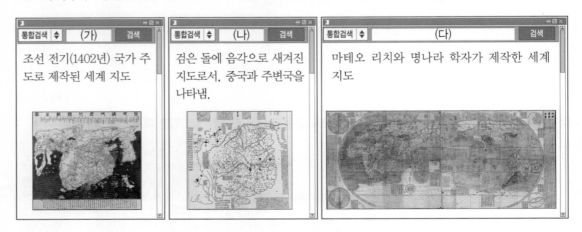

통합검색 ▼	(가)	검색
조선 전기(1402년) 국가 주도로 제작된 세계 지도

| 통합검색 ▼ | (나) | 검색 |
검은 돌에 음각으로 새겨진 지도로서, 중국과 주변국을 나타냄.

| 통합검색 ▼ | (다) | 검색 |
마테오 리치와 명나라 학자가 제작한 세계 지도

> **지오** (가)의 특징을 설명해 주세요.
>
> **AI** (가)는 주체적인 국토 인식이 반영되어 조선을 상대적으로 크게 표현하였습니다. ┈┈┈ ㉠
>
> **지오** (가)와 (나)의 공통점은 무엇인가요?
>
> **AI** (가)와 (나)는 모두 지도의 중심에 중국이 표현되어 있습니다. ┈┈┈ ㉡
>
> **지오** (가)와 (다)에 표현된 지역의 실제 범위를 비교해 주세요.
>
> **AI** (가)는 (다)보다 지도에 표현된 지역의 실제 범위가 넓습니다. ┈┈┈ ㉢
>
> **지오** (나)와 (다)의 공통점은 무엇인가요?
>
> **AI** 지도에 그려진 경선과 위선을 통해 지역의 위치를 파악할 수 있습니다. ┈┈┈ ㉣

① ㉠, ㉡ 　　② ㉠, ㉢ 　　③ ㉡, ㉢ 　　④ ㉡, ㉣ 　　⑤ ㉢, ㉣

05

▶ 24062-0005

그림은 세 지도를 구분한 것이다. (가), (나)에 들어갈 질문을 〈보기〉에서 고른 것은? (단, 세 지도는 각각 바빌로니아의 점토판 지도, 천하도, 티오(TO) 지도 중 하나임.)

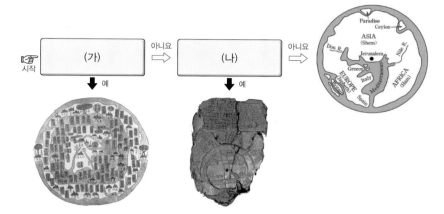

보기
ㄱ. 지도의 위쪽이 동쪽입니까?
ㄴ. 현존하는 가장 오래된 세계 지도입니까?
ㄷ. 중국 중심의 세계관이 반영되어 있습니까?

	(가)	(나)
①	ㄱ	ㄴ
②	ㄴ	ㄱ
③	ㄴ	ㄷ
④	ㄷ	ㄱ
⑤	ㄷ	ㄴ

06

▶ 24062-0006

(가)~(다) 지도의 공통적인 특징으로 옳은 것은?

(가)

▲ 메르카토르의 세계 지도

(나)

▲ 포르톨라노 해도

(다)

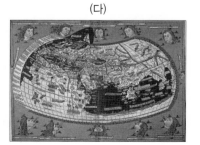

* 이 지도는 15세기에 복원된 것임.
▲ 프톨레마이오스의 세계 지도

① 지중해가 표현되어 있다.
② 아메리카 대륙이 표현되어 있다.
③ 중국 중심의 세계관이 반영되어 있다.
④ 태평양을 중심으로 대륙이 배치되어 있다.
⑤ 나침반을 이용한 항해에 활용하기 위해 제작하였다.

07

▶ 24062-0007

다음 조건을 고려하여 교육 시설 설립을 지원하고자 한다. 가장 적합한 국가를 지도의 A~E에서 고른 것은?

〈조건 1〉 평가 항목 점수는 표와 같으며, 합산 점수가 가장 큰 국가를 선정함.
〈조건 2〉 합산 점수가 같으면 평균 교육 기간이 짧은 국가를 선정함.

구분 평가 점수	평가 항목		
	기대 수명(세)	평균 교육 기간(년)	1인당 국민 총소득(GNI)*(달러)
3점	60 미만	6 미만	5,000 미만
2점	60~70	6~10	5,000~10,000
1점	70 이상	10 이상	10,000 이상

* 1인당 국민 총소득(GNI): 국민 총소득을 총인구로 나눈 것임.

항목 국가	기대 수명 (세)	평균 교육 기간 (년)	1인당 국민 총소득(GNI) (달러)
나미비아	59.3	7.2	8,634
보츠와나	61.1	10.3	16,198
알제리	76.4	8.1	10,800
에티오피아	65.0	3.2	2,361
콩고 민주 공화국	59.2	7.0	1,076

(2021년)   (UNDP)

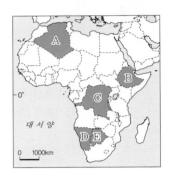

① A   ② B   ③ C   ④ D   ⑤ E

08

▶ 24062-0008

다음 자료에 대한 설명으로 옳은 것만을 〈보기〉에서 고른 것은?

천년의 이야기, 앙코르와트

앙코르와트는 캄보디아의 수도인 ㉠프놈펜(11°33′N, 104°55′E)에서 약 320km 정도 떨어진 곳에 위치한다. 12세기에 건축된 앙코르와트는 당시 힌두교의 비슈누신에게 바치는 의미로 건설되었으나, 이후 불교 사원으로 쓰였다. ㉡고온 다습한 기후와 울창한 열대 우림 속에서도 크메르 제국의 흔적을 잘 보여주고 있는 앙코르와트는 고고학적 가치를 인정받아 유네스코 세계 문화유산으로 등재되었다. 캄보디아의 ㉢인구는 2022년 기준 약 1,676만 명인데, 앙코르와트를 찾는 관광객은 연간 수백만 명에 이른다. 전 세계적인 감염병의 확산으로 한때 관광객이 급감하였으나, 최근 이동 제한 조치가 완화된 이후 관광객이 다시 늘고 있다. ㉣2023년 1월부터 5월까지 무려 34만 명이 넘는 외국인이 방문한 것으로 집계되었다.

┌─ 보기 ─┐
ㄱ. ㉠은 영국 런던보다 표준시가 빠르다.
ㄴ. ㉡은 지리 정보 중 속성 정보에 해당한다.
ㄷ. ㉢은 지리 정보 중 공간 정보에 해당한다.
ㄹ. ㉣은 주로 원격 탐사를 통해 수집된다.

① ㄱ, ㄴ   ② ㄱ, ㄷ   ③ ㄴ, ㄷ   ④ ㄴ, ㄹ   ⑤ ㄷ, ㄹ

09

▶ 24062-0009

표는 (가)~(라) 국가의 지리 정보를 나타낸 것이다. 이에 대한 설명으로 옳은 것만을 〈보기〉에서 있는 대로 고른 것은? (단, (가)~(라)는 각각 노르웨이, 미국, 오스트레일리아, 일본 중 하나임.)

구분 \ 국가	(가)	(나)	(다)	(라)
수도의 위치	38°53′N, 77°02′W	35°18′S, 149°7′E	59°56′N, 10°45′E	35°42′N, 139°42′E
인구 (만 명)	33,203	2,568	540	12,568
㉠국토 면적 (만 km²)	983	774	62	37
㉡국내 총생산 (억 달러)	233,151	15,527	4,903	50,055
국민 총생산 대비 ODA* 제공 비율 (%)	0.20	0.22	0.93	0.34

* ODA(Official Development Assistance): 정부를 비롯한 공공 기관이 개발 도상국의 경제 발전과 사회 복지 증진을 목표로 제공하는 원조를 의미함.
(2021년)
(국제 연합, 세계은행, OECD)

> **보기**
>
> ㄱ. ㉠과 ㉡은 모두 지리 정보 중 속성 정보에 해당한다.
> ㄴ. (가)는 (나)보다 인구 밀도가 낮다.
> ㄷ. (나)의 수도는 (다)의 수도보다 연중 낮 길이의 변화 폭이 크다.
> ㄹ. (가)~(라) 중 아메리카에 위치한 국가는 유럽에 위치한 국가보다 국민 총생산 대비 ODA 제공 비율이 낮다.

① ㄱ, ㄴ ② ㄱ, ㄹ ③ ㄷ, ㄹ ④ ㄱ, ㄴ, ㄷ ⑤ ㄴ, ㄷ, ㄹ

10

▶ 24062-0010

지도의 A~E에 대한 설명으로 옳은 것만을 〈보기〉에서 있는 대로 고른 것은?

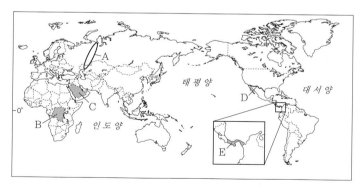

> **보기**
>
> ㄱ. A에는 아시아와 유럽을 구분하는 자연적 지표인 산맥이 위치한다.
> ㄴ. C는 유럽 문화권과 건조 문화권의 점이 지대에 해당하는 국가이다.
> ㄷ. D의 북부 지역은 남부 지역에 비해 지역 내 영어 사용자의 비율이 높다.
> ㄹ. B는 사하라 이남 아프리카, E는 중·남부 아메리카에 속한다.

① ㄱ, ㄴ ② ㄱ, ㄷ ③ ㄴ, ㄹ ④ ㄱ, ㄷ, ㄹ ⑤ ㄴ, ㄷ, ㄹ

세계의 기후 구분과 열대 기후

① 세계의 기후 지역

(1) **기후**: 특정 지역에서 장기간에 걸쳐 나타나는 대기의 평균적 상태

① 기후 요소: 기온, 강수, 바람, 습도, 일사량 등

② 기후 요인: 기후 요소의 지역적 차이를 가져오는 요인

위도	위도가 높아질수록 대체로 기온이 낮아짐
수륙 분포	육지는 바다보다 비열이 작아 동위도상에서 내륙이 해안보다 대체로 기온의 연교차가 큼
해발 고도	해발 고도가 높을수록 대체로 기온이 낮음
지형	바람받이 사면이 비그늘 사면보다 강수량이 많음
해류	한류가 흐르는 대륙 서안은 사막이 형성되기도 함

(2) **세계의 기후 분포**: 기후 요소가 비슷하게 나타나는 범위를 묶어 기후 지역으로 구분, 쾨펜의 기후 구분이 널리 이용됨

(3) **쾨펜의 기후 구분**: 기후를 잘 반영하는 식생을 지표로 수목 기후(열대·온대·냉대 기후)와 무수목 기후(건조·한대 기후)로 구분 가능함

② 열대 기후의 분포와 특징

(1) **특징**: 최한월 평균 기온 18℃ 이상, 기온의 연교차가 기온의 일교차보다 작음

(2) **구분**

열대 우림 기후(Af)	• 연중 적도(열대) 수렴대의 영향 → 일 년 내내 강수량이 많음 • 강한 일사로 인한 대류성 강수가 빈번함 • 분포: 아프리카 콩고 분지, 동남아시아의 적도 부근, 남아메리카의 아마존 분지 등
사바나 기후(Aw)	• 건기(아열대 고압대의 영향)와 우기(적도(열대) 수렴대의 영향)가 뚜렷함 • 분포: 열대 우림 기후 지역의 주변 지역(동부 아프리카, 남부 아시아, 남아메리카 일부 지역, 오스트레일리아 북부 등)
열대 몬순(계절풍) 기후(Am)	• 계절풍의 영향으로 같은 기간 열대 우림 기후보다 대체로 강수량이 많고, 긴 우기와 짧은 건기가 나타남 • 분포: 동남아시아 일대, 남아메리카 북동부 지역 등

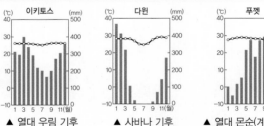

▲ 열대 우림 기후　　▲ 사바나 기후　　▲ 열대 몬순(계절풍) 기후

▲ 열대 기후의 분포

열대 고산 기후	• 저위도의 해발 고도가 높은 특정 고도에서 상춘(常春) 기후가 나타남 → 기온의 연교차가 작음 • 분포: 저위도의 고산 지대(안데스 산지, 동부 아프리카의 아비시니아고원 등)

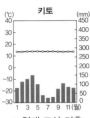

▲ 열대 고산 기후

(3) **식생 분포**

① 열대 우림: 상록 활엽수가 주를 이루며 수종이 다양함, 삼림의 밀도가 높고 나무의 키가 다양함, 열대 우림 기후·열대 몬순(계절풍) 기후 지역에 주로 분포함

② 사바나: 키가 큰 풀이 초원을 이루며 키가 작은 관목이 드문드문 분포함, 야생 동물 서식에 유리하여 사파리 관광이 발달함

③ 열대 기후 지역의 주민 생활

(1) **전통 가옥의 특징**

① 열대 우림 및 열대 몬순(계절풍) 기후 지역: 급경사 지붕(많은 강수 대비), 고상 가옥(지면의 습기 및 해충 유입 차단)

② 사바나 기후 지역: 주로 나무, 풀, 진흙 등으로 만든 집

(2) **전통 산업의 특징**

이동식 화전 농업	• 열대 우림 기후 지역, 열대 몬순(계절풍) 기후 지역에서 주로 이루어짐 • 카사바, 얌 등의 식량 작물을 재배함
유목	주로 사바나 기후 지역에서 소, 양, 염소 등을 유목함
벼농사	동남 및 남부 아시아의 열대 몬순(계절풍) 기후 지역에서 벼의 2~3기작이 이루어짐

(3) **산업의 발달**

① 플랜테이션: 열대 기후 지역에서 선진국의 자본과 기술, 원주민의 노동력이 결합된 형태로 이루어지는 대규모 상업적 농업 → 기호 작물, 원료 작물을 주로 재배

열대 우림 기후	카카오, 바나나, 천연고무, 팜나무 등을 재배
사바나 기후	커피, 사탕수수, 목화 등을 재배

② 관광 산업: 열대림 트레킹, 사파리 관광이 발달함

(4) **열대림 개발의 영향**

① 열대림의 가치: 생물 종 다양성 보존, 대기 중 이산화 탄소를 흡수하고 산소를 공급

② 열대림의 개발: 도시화, 경지 개간, 방목지 조성 등을 위한 무분별한 벌채

③ 열대림 파괴의 문제: 생물 종 다양성 감소, 지구 온난화 가속, 토양 침식 증가, 원주민의 삶터 파괴 등

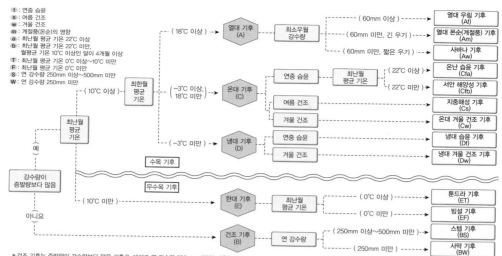

- 독일의 기후학자 쾨펜은 기후 환경을 잘 반영하는 자연 식생을 지표로 세계의 기후 지역을 구분하였는데, 나무가 자라는 기후인 수목 기후와 나무가 자라지 못하는 기후인 무수목 기후를 예로 들 수 있다.
- 최한월 평균 기온에 따라 구분한 열대 기후, 온대 기후, 냉대 기후는 수목 기후에 해당한다. 열대 기후는 강수 특징에 따라 열대 우림 기후, 열대 몬순(계절풍) 기후, 사바나 기후로 구분하였다. 온대 기후는 강수 특징과 최난월 평균 기온에 따라 온난 습윤 기후, 서안 해양성 기후, 지중해성 기후, 온대 겨울 건조 기후로 구분하였다. 냉대 기후는 강수 특징에 따라 냉대 습윤 기후, 냉대 겨울 건조 기후로 구분하였다.
- 건조 기후와 한대 기후는 무수목 기후에 해당한다. 건조 기후는 연 강수량을 기준으로 스텝 기후와 사막 기후로 구분하였고, 한대 기후는 최난월 평균 기온을 기준으로 툰드라 기후와 빙설 기후로 구분하였다.

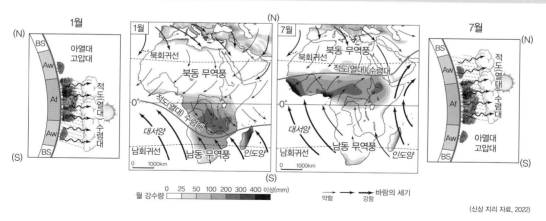

(신상 지리 자료, 2022)

- 적도(열대) 수렴대에서는 북동 무역풍과 남동 무역풍이 수렴하므로 상승 기류가 잘 발달한다. 따라서 적도(열대) 수렴대는 강수량이 많다. 적도(열대) 수렴대에서 상승한 공기는 남·북위 30° 부근에서 하강함에 따라 아열대 고압대를 형성하게 된다. 연중 아열대 고압대의 영향을 받는 지역은 하강 기류로 인해 강수량이 적어 건조 기후가 나타난다.
- 지구가 자전축이 기울어진 채로 공전하기 때문에 적도(열대) 수렴대와 아열대 고압대는 계절에 따라 적도를 중심으로 남북으로 이동한다. 적도 주변에 위치한 열대 우림 기후 지역은 연중 적도(열대) 수렴대의 영향을 받아 일 년 내내 비가 많이 내린다. 북반구의 사바나 기후 지역의 경우 1월에 적도(열대) 수렴대가 남반구로 이동하면 아열대 고압대의 영향을 받아 건기가 되며, 7월에 적도(열대) 수렴대가 북반구로 이동하면 그 영향을 받아 우기가 된다. 반면, 남반구의 사바나 기후 지역은 1월에 적도(열대) 수렴대의 영향을 받아 우기가 되고, 7월에 아열대 고압대의 영향을 받아 건기가 된다.

01

▶ 24062-0011

그래프는 대륙별 기후 지역 분포 비율을 나타낸 것이다. 이에 대한 설명으로 옳은 것은? (단, A~C는 각각 건조, 냉대, 열대 기후 지역 중 하나임.)

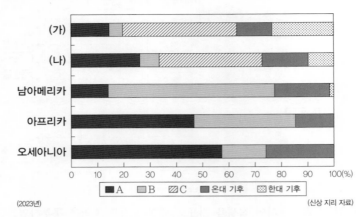

(2023년)   (신상 지리 자료)

① (가)는 유라시아, (나)는 북아메리카이다.
② (가)는 (나)보다 C의 분포 면적이 넓다.
③ A는 B보다 연 증발량 대비 연 강수량이 많다.
④ B는 C보다 플랜테이션이 발달하였다.
⑤ C는 A보다 수목 밀도가 낮다.

02

▶ 24062-0012

다음은 세계지리 수업 활동지의 일부이다. (가)~(다)에 들어갈 내용으로 가장 적절한 것은?

※ A~F 지역의 기후 차이에 영향을 미치는 주된 기후 요인을 찾아보자.

지역 간 기후 차이 비교	주된 기후 요인
A는 B보다 기온의 연교차가 작다.	(가)
D는 C보다 연 강수량이 많다.	(나)
E는 F보다 최난월 평균 기온이 낮다.	(다)

	(가)	(나)	(다)
①	지형	해류	수륙 분포
②	지형	수륙 분포	해류
③	해류	지형	수륙 분포
④	수륙 분포	지형	해류
⑤	수륙 분포	해류	지형

03

▶ 24062-0013

다음 자료를 바탕으로 (가)~(다)의 위치를 지도의 ㄱ~ㄹ에서 고른 것은? (단, A, B는 각각 1월, 7월 중 하나임.)

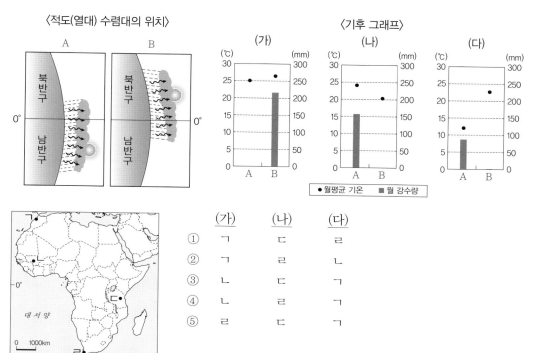

	(가)	(나)	(다)
①	ㄱ	ㄷ	ㄹ
②	ㄱ	ㄹ	ㄴ
③	ㄴ	ㄷ	ㄱ
④	ㄴ	ㄹ	ㄱ
⑤	ㄹ	ㄷ	ㄱ

04

▶ 24062-0014

그래프는 지도에 표시된 세 지역의 월 강수 편차를 나타낸 것이다. (가)~(다) 지역에 대한 설명으로 옳은 것은?

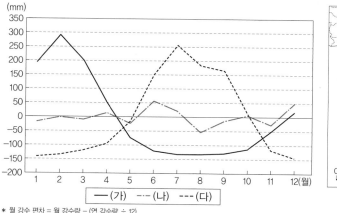

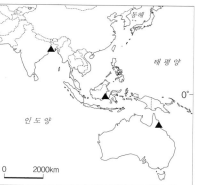

* 월 강수 편차 = 월 강수량 − (연 강수량 ÷ 12)

① (가)는 연중 적도(열대) 수렴대의 영향을 크게 받는다.
② (나)는 기온의 연교차가 기온의 일교차보다 크다.
③ (다)는 남반구에 위치한다.
④ (가)는 (나)보다 7월의 낮 길이가 길다.
⑤ (나)는 (다)보다 대류성 강수의 발생 빈도가 높다.

05

▶ 24062-0015

그림은 세계의 기후 지역을 구분한 것이다. (가)~(마)에 해당하는 기후 지역의 특징으로 옳은 것은?

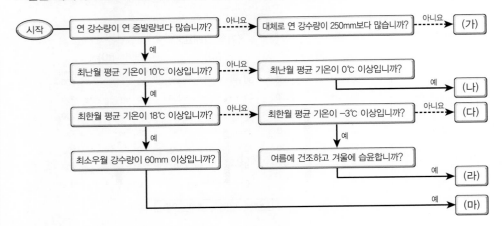

① (가)에서는 순록을 주로 유목 형태로 사육한다.
② (나)에서는 소, 양 등의 가축을 주로 기업적 방목 형태로 사육한다.
③ (다)에서는 타이가라 불리는 침엽수림이 넓게 나타나 임업이 활발하다.
④ (라)에서는 이동식 화전 농업으로 얌, 카사바 등의 식량 작물을 주로 재배한다.
⑤ (마)에서는 올리브, 오렌지 등을 재배하는 수목 농업이 활발하게 이루어진다.

06

▶ 24062-0016

다음 글의 (가), (나) 지역이 옳게 연결된 것을 지도의 A~E에서 고른 것은?

- _(가)_ 에는 테벨디(바오바브)라는 큰 나무들이 서 있다. 지름이 2~3m, 높이가 7~12m나 되는 줄기가 쭉 뻗어 올랐는데, 맨 위에는 가냘픈 가지가 펴져 있다. 이 나무는 주로 그 속이 비었으며, 짧은 우기에 비가 오면 물이 괴도록 나무 언저리에 구덩이가 파여 있다. 주민들은 비가 와서 물이 괴면 양가죽으로 만든 두레박으로 흙탕물을 퍼 올려서 이 나무의 빈속에 물을 담아 두느라고 법석을 떤다. 이 나무 속에 든 물의 양에 따라 여기 사는 사람의 수도 결정된다고 한다.
- 우리 배가 정박한 _(나)_ 의 해안은 야자나무와 바나나무, 관목들이 밀림을 이루고 있다. 이곳에는 개천을 따라 맹그로브가 무성했다. 맹그로브 숲은 조수에 따라 바닷물이 드나드는 해안에 수 킬로미터에 걸쳐 빽빽하게 두꺼운 띠를 이룬다. 맹그로브의 열매는 가지에 매달려 있는 상태에서 뿌리가 씨껍질을 뚫고 빠르게 아래로 자라난다. 그 열매가 아래로 떨어지면, 곧바로 개흙 속에서 뿌리를 뻗게 된다. 열매는 달고 맛있으며, 과즙은 음료로 만들 수도 있다.

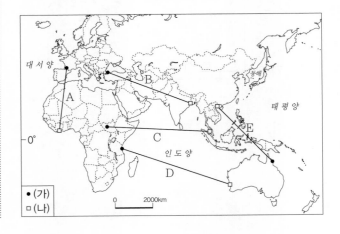

① A
② B
③ C
④ D
⑤ E

07

▶ 24062-0017

표는 지도에 표시된 세 지역의 일출 및 일몰 시각과 강수량을 나타낸 것이다. A~C 지역에 대한 설명으로 옳은 것만을 〈보기〉에서 고른 것은? (단, (가), (나) 시기는 각각 1월, 7월 중 하나임.)

구분	(가) 시기의 일출 및 일몰 시각		(나) 시기 강수량 (mm)
	일출	일몰	
A	06시 00분	18시 17분	78.7
B	06시 17분	18시 46분	22.5
C	07시 09분	17시 51분	169.3

* 일출 및 일몰 시각은 2023년 (가) 시기의 15일에 측정된 값이며, 현지 시각 기준임.

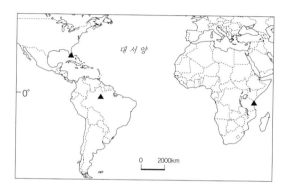

보기

ㄱ. (가) 시기에 C는 남동 무역풍이 우세하게 나타난다.
ㄴ. (가) 시기에 A와 B는 모두 우기이다.
ㄷ. (나) 시기에 평균 기온은 B가 C보다 높다.
ㄹ. (나) 시기에 정오의 태양 고도는 C가 A보다 높다.

① ㄱ, ㄴ   ② ㄱ, ㄷ   ③ ㄴ, ㄷ   ④ ㄴ, ㄹ   ⑤ ㄷ, ㄹ

08

▶ 24062-0018

그래프는 A~C 지역과 (가) 지역 간의 기후 값 차이를 나타낸 것이다. 이에 대한 설명으로 옳은 것은? (단, A~C는 각각 지도에 표시된 세 지역 중 하나임.)

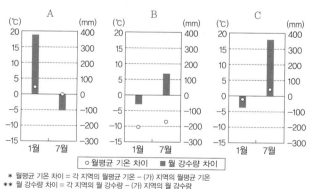
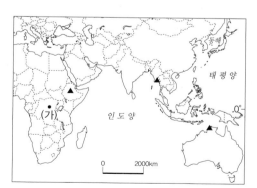

* 월평균 기온 차이 = 각 지역의 월평균 기온 − (가) 지역의 월평균 기온
** 월 강수량 차이 = 각 지역의 월 강수량 − (가) 지역의 월 강수량

① (가)는 A보다 수목 밀도가 높다.
② A는 B보다 평균 해발 고도가 높다.
③ B는 C보다 연 강수량이 많다.
④ C는 A보다 북회귀선까지의 최단 거리가 멀다.
⑤ A~C 중 7월에 아열대 고압대의 영향을 가장 많이 받는 곳은 B이다.

▶ 24062-0019

09

표의 (가), (나)에 해당하는 지역의 누적 강수량 그래프를 〈보기〉에서 고른 것은?

구분	(가)	(나)
위치	2°42′S, 111°42′E	3°14′S, 35°29′E
생태 여행	국립 공원 내에는 오랑우탄의 서식지를 보호하기 위한 시설이 있다. 오랑우탄은 보르네오섬과 수마트라섬 일부 지역에만 서식하는데, 삼림 파괴와 밀렵으로 개체 수가 급감하였다. 이곳에서는 보르네오섬의 멸종 위기에 처한 동식물을 보호하는 체험 프로그램에 참가할 수 있다.	생물 종 다양성 보존 지역에서 멸종이 우려되는 생물 종을 포함하여 많은 야생 동물을 찾아볼 수 있다. 특히 매년 얼룩말, 가젤, 누 등의 대규모 이동을 만날 수 있고, 전통적인 방목을 하며 살아가는 마사이족과 야생 동물의 공존, 칼데라인 응고롱고로 분화구의 생태적 가치 등도 배울 수 있다.

┌ 보기 ┐

ㄱ.
(mm)

ㄴ.
(mm)

ㄷ.
(mm)

* 누적 강수량은 1월부터 해당 월까지의 강수량을 합한 값임.

	(가)	(나)		(가)	(나)		(가)	(나)
①	ㄱ	ㄴ	②	ㄱ	ㄷ	③	ㄴ	ㄱ
④	ㄴ	ㄷ	⑤	ㄷ	ㄴ			

▶ 24062-0020

10

다음 글의 ㉠~㉑에 대한 설명으로 옳은 것은?

> 지난 1만 년 동안 지구상에 있는 삼림의 3분의 1이 사라졌다. 그중 1900년 이후에 사라진 면적만 1만 년 동안 사라진 면적의 절반에 달한다. ㉠삼림 파괴는 1980년대 정점에 도달한 이후 세계적으로 감소하는 추세지만 지역에 따라 편차를 보인다. 농장을 세우기 위해 삼림을 들어냈던 ㉡인도네시아의 경우 2016년 이래로 천연림의 손실량이 줄고 있다. ㉢브라질 아마존에서는 2020년 8월부터 2021년 7월까지 1만 3,000km² 면적의 우림이 소실됐는데, 이는 이전에 비해 22% 증가한 수치다.
> 한편, ㉣온실가스로 인해 지구의 평균 기온이 상승하면서 ㉤일부 수종의 분포에 변화가 나타나고 있으며, 기후 변화의 영향으로 세계 곳곳에서 산불의 규모와 강도, 빈도가 갈수록 증가하고 있다. 2019년과 2020년에 걸쳐 ㉥오스트레일리아에서 발생한 산불은 미국 플로리다주만 한 면적을 불태웠다.

① ㉠은 1980년대 이후 삼림 파괴 면적이 남아메리카보다 유럽에서 더 많은 것을 사례로 들 수 있다.
② ㉡에서는 주로 옥수수, ㉢에서는 주로 기름야자나무를 재배하기 위해 삼림을 제거했다.
③ ㉣의 대기 중 농도는 열대림의 감소로 낮아졌다.
④ ㉤의 사례로 안데스산맥에서 열대림의 분포 고도 상한선이 낮아지는 것을 들 수 있다.
⑤ ㉥의 사바나 기후 지역은 12~2월보다 6~8월에 산불로 인한 삼림 피해 면적이 넓다.

03 온대 기후

① 온대 기후의 분포와 특징

(1) **분포**: 대체로 편서풍이 부는 중위도에 분포함

(2) **특징**

① 최한월 평균 기온이 −3℃ 이상~18℃ 미만이며, 최난월 평균 기온은 10℃ 이상임

② 연 강수량이 대체로 500mm 이상이고, 연 강수량이 연 증발량보다 많음

③ 계절에 따른 일사량의 차이가 커서 사계절이 뚜렷함

④ 기후가 대체로 온화하여 농경과 인간 생활에 유리함

⑤ 기온 분포

· 기온의 연교차: 비슷한 위도의 경우 대륙 내부＞대륙 동안＞대륙 서안 순으로 큼

· 최한월 평균 기온: 북반구의 경우 대륙 서안＞대륙 동안＞대륙 내부 순으로 높음

② 온대 기후의 구분

(1) **대륙 서안**: 비열이 큰 해양의 영향을 받아 대륙 동안에 비해 기온의 연교차가 작음

서안 해양성 기후(Cfb)	· 대륙 서안의 남·북위 40°~60°에 주로 분포 · 기온의 연교차가 작고 연중 강수량이 고름
지중해성 기후 (Cs)	· 대륙 서안의 남·북위 30°~45°에 주로 분포 · 여름이 고온 건조하고 겨울이 온난 습윤함

(2) **대륙 동안**: 비열이 작은 대륙의 영향을 받아 대륙 서안에 비해 기온의 연교차가 크며, 유라시아 대륙 동안의 경우 계절풍의 영향이 큼

온대 겨울 건조 기후(Cw)	여름이 고온 다습하고 겨울이 건조함	대륙 동안의 남·북위 20°~40°에 주로 분포
온난 습윤 기후(Cfa)	연중 습윤하고 여름이 무더움	

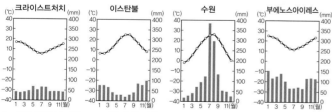

▲ 서안 해양성 기후　▲ 지중해성 기후　▲ 온대 겨울 건조 기후　▲ 온난 습윤 기후

▲ 온대 기후의 분포

③ 대륙 서안의 온대 기후

(1) **서안 해양성 기후(Cfb)**

특징	· 편서풍에 의해 연중 해양의 영향을 받음 · 여름이 서늘하고 겨울이 온화함 → 기온의 연교차가 작음 · 연중 강수가 고른 편임 → 하천의 유량 변동이 작음
주민 생활	· 연중 습윤하고 여름이 비교적 서늘하여 목초지 조성에 유리함 · 가축 사육과 사료 작물·곡물 재배가 함께 이루어지는 혼합 농업이 발달함 · 대도시가 발달한 북해 연안을 중심으로 낙농업과 화훼 농업이 발달함
분포	북·서부 유럽, 북아메리카 북서 해안, 뉴질랜드 등

(2) **지중해성 기후(Cs)**

특징	· 비슷한 위도대의 대륙 동안보다 기온의 연교차가 작음 · 여름: 아열대 고압대의 영향을 받아 건조함 · 겨울: 편서풍과 전선대의 영향으로 여름보다 강수량이 많음
주민 생활	· 가옥의 벽을 두껍게 하고 창문을 작게 만들어 외부 열기의 집안 유입을 차단하며, 일부 지역에서는 햇빛을 반사시키기 위해 벽면을 하얗게 칠하기도 함 · 올리브, 포도, 오렌지 등을 재배하는 수목 농업이 발달함 · 세계적인 휴양지가 많고, 관광 산업이 발달함
분포	지중해 연안, 미국 캘리포니아, 칠레 중부, 오스트레일리아 남서부, 아프리카 남단 등

④ 대륙 동안의 온대 기후

(1) **특징**

① 해양보다 대륙의 영향을 많이 받아 비슷한 위도대의 대륙 서안에 비해 기온의 연교차가 큼

② 계절풍의 영향으로 여름에 강수량이 많고, 강수량의 계절 차가 큼 → 하천의 유량 변동이 커 수운 교통에 불리함

(2) **구분**: 겨울철 강수량 차이를 기준으로 온대 겨울 건조 기후와 온난 습윤 기후로 구분함

온대 겨울 건조 기후(Cw)	· 여름은 고온 다습하고 겨울은 건조함 · 중국 내륙, 인도차이나반도 북부 등지에 분포함
온난 습윤 기후(Cfa)	· 연중 습윤하며, 여름에 매우 덥고 여름 강수량이 겨울 강수량보다 많음 · 중국 남동부, 일본 남서부, 미국 남동부, 남아메리카 남동부 등지에 분포함

(3) **주민 생활**

① 여름에는 열대 저기압의 영향으로 인해 풍수해, 해일 등의 피해가 발생함

② 지역에 따라 농목업의 차이가 나타남

몬순 아시아	벼농사, 차(茶) 재배 등
미국 남동부	목화 재배
남아메리카 남동부	아르헨티나(팜파스)에서 기업적 목축과 밀 농사

01

▶ 24062-0021

그래프는 지도에 표시된 세 지역의 월평균 기온과 월 강수량을 나타낸 것이다. (가)~(다) 지역에 대한 설명으로 옳은 것만을 〈보기〉에서 고른 것은?

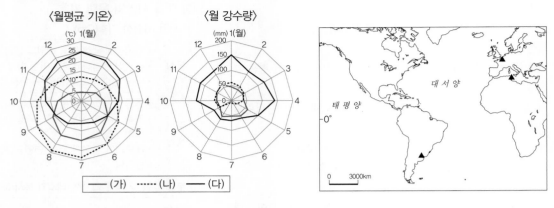

〈월평균 기온〉 〈월 강수량〉

—— (가) ······ (나) —— (다)

보기

ㄱ. (나)는 지중해 연안에 위치한다.
ㄴ. (가)는 (나)보다 여름철에 아열대 고압대의 영향을 많이 받는다.
ㄷ. (나)는 (다)보다 영국과의 시차가 작다.
ㄹ. (다)는 (가)보다 1월의 낮 길이가 짧다.

① ㄱ, ㄴ   ② ㄱ, ㄷ   ③ ㄴ, ㄷ   ④ ㄴ, ㄹ   ⑤ ㄷ, ㄹ

02

▶ 24062-0022

그래프는 지도에 표시된 세 지역의 시기별 월평균 기온과 월 강수 편차를 나타낸 것이다. (가)~(다) 지역에 대한 설명으로 옳은 것은?

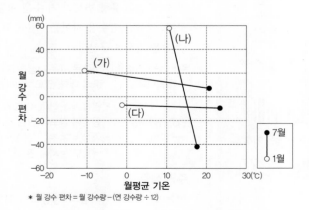 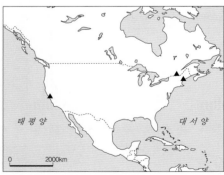

＊ 월 강수 편차 = 월 강수량－(연 강수량÷12)

① (가)는 (나)보다 기온의 연교차가 작다.
② (가)는 (다)보다 연평균 기온이 높다.
③ (나)는 (가)보다 여름 강수 집중률이 높다.
④ (다)는 (나)보다 오렌지, 포도 등을 재배하는 수목 농업이 활발히 이루어진다.
⑤ (나)는 태평양 연안, (다)는 대서양 연안에 위치해 있다.

03

▶ 24062-0023

그래프는 지도에 표시된 세 지역의 누적 강수량을 나타낸 것이다. (가)~(다) 지역에 대한 설명으로 옳은 것은?

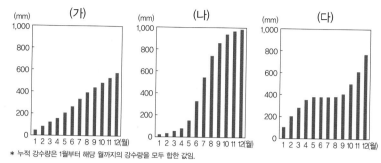

* 누적 강수량은 1월부터 해당 월까지의 강수량을 모두 합한 값임.

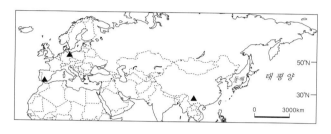

① (가)는 (가)~(다) 중 1월의 밤 길이가 가장 짧다.
② (나)는 유럽, (다)는 아시아에 위치한다.
③ (다)는 (가)보다 연평균 기온이 높다.
④ (가)는 (나)보다 계절풍의 영향을 강하게 받는다.
⑤ (나)는 (다)보다 겨울 강수 집중률이 높다.

04

▶ 24062-0024

그래프는 지도에 표시된 네 지역의 기후 특성을 나타낸 것이다. (가)~(라) 지역에 대한 설명으로 옳은 것은?

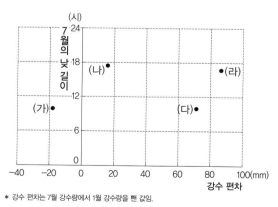

* 강수 편차는 7월 강수량에서 1월 강수량을 뺀 값임.

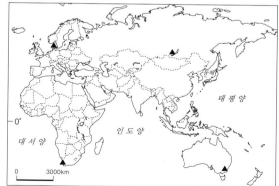

① (가)는 북반구에 위치한다.
② (라)는 겨울 강수량이 여름 강수량보다 많다.
③ (가)는 (라)보다 연평균 기온이 낮다.
④ (나)는 (라)보다 기온의 연교차가 작다.
⑤ (다)는 (나)보다 7월에 단위 면적당 일사량이 많다.

05

▶ 24062-0025

그래프는 지도에 표시된 네 지역의 기후 특성을 나타낸 것이다. (가)~(라) 지역에 대한 설명으로 옳은 것은?

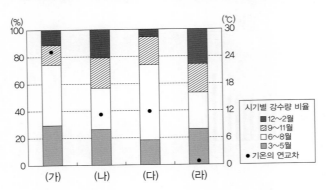
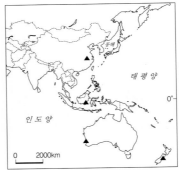

① (가)는 (나)보다 계절풍의 영향을 많이 받는다.
② (나)는 (라)보다 최다우월의 강수량이 많다.
③ (다)는 (라)보다 최한월 평균 기온이 높다.
④ (라)는 (가)보다 적도와의 최단 거리가 멀다.
⑤ (다)는 (가)~(라) 중 7월의 낮 길이가 가장 길다.

06

▶ 24062-0026

다음은 두 친구의 영상 통화 내용이다. 밑줄 친 ㉠, ㉡ 지역에 대한 설명으로 옳은 것만을 〈보기〉에서 고른 것은?

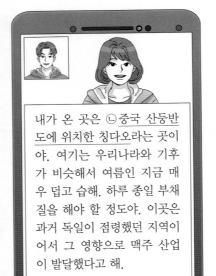

나는 지금 ㉠프랑스 남부의 몽펠리에라는 도시에 도착했어. 자동차로 오는 동안 넓게 펼쳐진 포도밭들을 많이 볼 수 있었어. 오후에는 몽펠리에의 오래된 와이너리 투어를 할 거야. 참! 이곳의 여름은 태양이 매우 뜨겁지만 우리나라처럼 습하지는 않아서 그늘에 들어가면 시원해서 신기해.

내가 온 곳은 ㉡중국 산둥반도에 위치한 칭다오라는 곳이야. 여기는 우리나라와 기후가 비슷해서 여름인 지금 매우 덥고 습해. 하루 종일 부채질을 해야 할 정도야. 이곳은 과거 독일이 점령했던 지역이어서 그 영향으로 맥주 산업이 발달했다고 해.

┌─ 보기 ┌
ㄱ. ㉠은 ㉡보다 기온의 연교차가 크다.
ㄴ. ㉠은 ㉡보다 계절풍의 영향을 많이 받는다.
ㄷ. ㉡은 ㉠보다 여름 강수 집중률이 높다.
ㄹ. ㉡은 ㉠보다 벼농사에 유리한 기후가 나타난다.

① ㄱ, ㄴ   ② ㄱ, ㄷ   ③ ㄴ, ㄷ   ④ ㄴ, ㄹ   ⑤ ㄷ, ㄹ

07

▶ 24062-0027

(가) 시기 A~C 지역의 기후 그래프로 옳은 것은? (단, (가) 시기는 1월, 7월 중 하나임.)

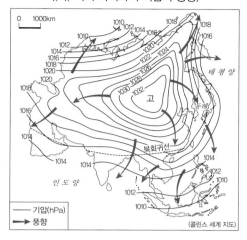

〈(가) 시기 아시아의 기압과 풍향〉

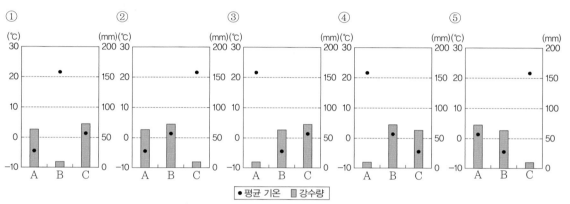

08

▶ 24062-0028

표는 네 지역의 지리 정보를 나타낸 것이다. (가)~(라) 지역에 대한 설명으로 옳은 것은?

지리 정보 \ 지역	(가)	(나)	(다)	(라)
경도	0°27′W	15°32′E	54°18′W	125°13′E
일몰 시각(2023년 7월 1일)	21시 20분	20시 24분	17시 31분	19시 24분
1월 평균 기온(℃)	5.7	12.4	23.2	−14.3
1월 강수량(mm)	59.7	116.3	119.9	4.6
7월 강수량(mm)	47.2	18.9	111.7	147.6

＊일몰 시각은 현지 시각 기준임.

(http://www.timeanddate.com)

① (나)는 여름에 열대 저기압의 영향을 빈번하게 받는다.
② (다)는 북반구에 위치한다.
③ (가)는 (나)보다 연평균 기온이 높다.
④ (나)는 (라)보다 겨울 강수 집중률이 높다.
⑤ (라)는 (가)보다 기온의 연교차가 작다.

① 건조 기후

(1) 건조 기후의 특징과 구분

특징	대체로 연 강수량 500mm 미만의 무수목 기후, 기온의 일교차가 매우 크며, 연 강수량보다 연 증발량이 많음	
구분 및 분포	사막 기후 (BW)	• 대체로 연 강수량 250mm 미만, 식생이 매우 빈약 • 유기물의 부식이 미약하고 염분이 많은 사막토가 분포함 • 아열대 고압대 지역, 대륙 내부 등에 분포함
	스텝 기후 (BS)	• 대체로 연 강수량 250~500mm, 키 작은 풀이 자라는 초원 • 유기물의 부식이 활발한 흑색토인 체르노젬 등이 분포함 • 사막 주변 지역에 분포함

(2) 건조 기후 지역의 지형

① 지형 형성 작용

- 기온 변화에 의한 암석의 팽창과 수축의 반복으로 물리적 풍화 작용 활발
- 식생이 빈약하여 바람에 의한 침식과 퇴적 작용 활발
- 간헐적인 강수에 의한 포상홍수 침식, 유수(流水)에 의한 침식과 퇴적 작용 발생

② 주요 지형

바람에 의한 지형	버섯바위	바람에 날린 모래가 바위의 아랫부분을 침식하여 형성된 버섯 모양의 바위
	삼릉석	바람에 날린 모래에 의해 침식되어 여러 개의 평평한 면(面)과 모서리가 생긴 돌
	사구	바람에 날린 모래가 퇴적되어 형성된 모래 언덕
유수에 의한 지형	와디	비가 올 때만 일시적으로 물이 흐르는 골짜기 또는 하천(건천)
	플라야호	건조 분지의 저지대(플라야)에 일시적으로 물이 고여 형성된 염호
	선상지	산지를 흐르던 하천이 평지를 만나면서 하천 운반 물질이 부채 모양으로 퇴적된 지형
	바하다	여러 개의 선상지가 연속적으로 분포하는 복합 선상지

(3) 건조 기후 지역의 주민 생활

사막 기후 지역	• 전통 가옥: 벽이 두껍고 창이 작으며 지붕은 평평한 흙벽돌집, 좁은 골목이 있음 • 전통 의복: 강한 일사와 모래바람으로부터 몸을 보호하기 위해 전신을 가리는 옷, 큰 기온의 일교차에 유리함 • 농업: 오아시스 농업, 관개 농업 → 밀, 대추야자 등을 재배 • 에너지 개발: 일사량이 풍부 → 태양광·태양열 발전소 건설 활발
스텝 기후 지역	• 전통 가옥: 유목 생활에 적합한 이동식 가옥 • 농목업: 구대륙에서는 유목 및 관개 농업 활발, 신대륙에서는 기업적 방목(소, 양) 및 대규모의 상업적 농업(밀) 활발 → 오스트레일리아에서는 스텝 지역에서 찬정 개발을 통해 얻은 용수를 양 사육에 이용함

② 냉대 및 한대 기후

(1) 냉대 기후 특징 : 최한월 평균 기온 −3℃ 미만, 최난월 평균 기온 10℃ 이상, 침엽수림(타이가)이 넓게 분포, 회백색의 포드졸 분포

냉대 습윤 기후(Df)	• 강수의 계절 차가 작은 편임 • 동부 유럽~시베리아 서부, 캐나다 등지에 분포
냉대 겨울 건조 기후 (Dw)	• 냉대 습윤 기후에 비해 겨울 강수 집중률이 낮고, 기온의 연교차가 큼 • 시베리아 동부, 중국 북동부 등지에 분포

(2) 한대 기후 특징 : 최난월 평균 기온 10℃ 미만의 무수목 기후

툰드라 기후(ET)	최난월 평균 기온 0~10℃, 북극해 주변 및 일부 고산 지대에 분포
빙설 기후 (EF)	최난월 평균 기온 0℃ 미만, 그린란드 내륙 및 남극 대륙에 분포

(3) 빙하 지형과 주빙하 지형

① 빙하 지형: 신생대 제4기 최종 빙기에 빙하로 덮여 있던 중·고위도 지역 및 고산 지대에 분포

빙하 침식 지형	빙식곡	빙하의 침식 작용으로 형성된 U자형의 골짜기
	피오르	해수면 상승으로 빙식곡이 침수되어 형성된 좁고 깊은 만
	권곡	빙식곡의 상류부에 형성된 반원형의 와지
	호른	여러 방향으로 권곡이 발달하면서 형성된 산 정상부의 뾰족한 봉우리
	현곡	본류 빙식곡으로 합류하는 지류 빙식곡
빙하 퇴적 지형	빙력토 평원	자갈, 모래, 점토가 뒤섞여 분급이 불량한 빙하 운반 물질이 쌓여 만들어진 평원 → 유기물이 부족하여 척박함
	모레인	빙하 운반 물질이 퇴적된 지형 → 퇴적물의 분급 불량, 빙하의 최대 확장 범위 추정 가능
	드럼린	빙하 운반 물질이 숟가락을 엎어 놓은 모양 또는 긴 화살촉 모양으로 퇴적된 언덕
	에스커	융빙수에 의해 형성된 제방 모양의 지형 → 모레인에 비해 퇴적물의 분급 양호

② 주빙하 지형: 빙하 주변 지역(툰드라 기후 지역 및 일부 고산 지역)에 주로 분포

솔리플럭션	영구 동토층 위의 활동층이 경사면을 따라 흘러내리는 현상
구조토	토양의 동결과 융해에 따라 지표면의 물질이 분급되어 형성된 다각형 등의 일정 패턴을 보이는 지형
습지와 호소	여름에 활동층의 얼음이 녹으면서 지표면에 많은 습지와 호소가 나타남

(4) 냉대와 한대 기후 지역의 주민 생활

냉대 기후 지역	전통 가옥으로 통나무집이 많음, 임업 발달
한대 기후 지역	• 툰드라 기후 지역: 고상 가옥 발달, 순록 유목 활발 • 빙설 기후 지역: 인간 거주에 매우 불리, 최근 자원 개발 활발

01

▶ 24062-0029

그래프는 지도에 표시된 세 지역의 월평균 기온 및 연 강수량을 나타낸 것이다. (가)~(다)에 해당하는 지역을 지도의 A~C에서 고른 것은?

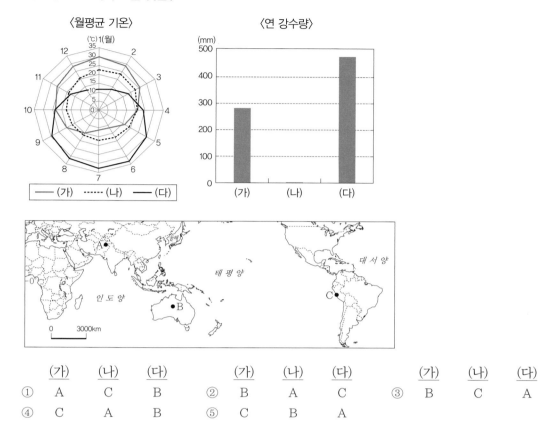

〈월평균 기온〉

〈연 강수량〉

――― (가)　------ (나)　━━ (다)

	(가)	(나)	(다)		(가)	(나)	(다)		(가)	(나)	(다)
①	A	C	B	②	B	A	C	③	B	C	A
④	C	A	B	⑤	C	B	A				

02

▶ 24062-0030

다음은 세계지리 수행 평가 보고서의 일부이다. ㉠~㉢ 중 옳은 내용만을 고른 것은?

〈세계 주요 사막의 특징 조사〉

- 조사 대상 사막: 고비 사막, 그레이트샌디 사막, 나미브 사막, 파타고니아 사막
- 조사 내용: 면적, 기온 특징, 분포 국가, 형성 원인
- 조사 결과

조사 내용　　　사막	(가)	(나)	(다)	(라)
면적(만 km²)	130.0	48.7	31.8	8.1
최고 기온(℃)	20~30	10~20	30 이상	10~20
최저 기온(℃)	0 미만	0~10	10~20	10~20
분포 국가	몽골, 중국	아르헨티나, 칠레	오스트레일리아	나미비아, 앙골라
주요 형성 원인	㉠ 바다로부터 멀리 떨어진 대륙 내부에 위치	㉡ 대륙 서안을 따라 흐르는 한류의 영향을 받는 지역에 위치	㉢ 연중 아열대 고압대의 영향을 받는 지역에 위치	㉣ 탁월풍이 부는 산지의 비그늘 지역에 위치

① ㉠, ㉡　　② ㉠, ㉢　　③ ㉡, ㉢　　④ ㉡, ㉣　　⑤ ㉢, ㉣

03

▶ 24062-0031

다음은 지리 여행 블로그의 일부이다. ㉠~㉣에 대한 설명으로 옳은 것만을 〈보기〉에서 고른 것은?

〈미국 서부 데스밸리를 찾아서〉

데스밸리에서의 여정은 단테의 '신곡' 속 지옥을 연상한다고 이름 붙은 '단테스 뷰'에서 시작되었다. 이곳에서는 해발 3,368m 의 눈 덮인 텔레스코프산과 그 아래 완만한 산록의 ㉠복합 선 상지, 그리고 분지 내부의 소금밭인 ㉡배드워터를 한눈에 조망 할 수 있었다. 배드워터에 내려가서는 메말라 갈라진 땅에 남아 있는 소금 결정들을 밟아 보았다. 곧이어 데스밸리 최고의 명소 인 '세일링 스톤'을 찾았다. '항해하는 돌'이라는 이름처럼 평평 한 ㉢레이스트랙 플라야에서 이리저리 움직이고 있는 돌들의 비밀을 찾아보고, 광활한 곡선을 그리며 바람에 따라 모습을 바 꾸는 ㉣모래 언덕인 메스키트 플랫 샌드 듄에서 데스밸리의 여 정을 마무리했다.

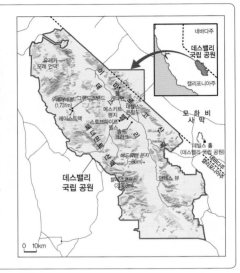

┌─ 보기 ┐
ㄱ. ㉠은 바르한이라고 부르는 퇴적 지형이다.
ㄴ. ㉡에서는 물리적 풍화 작용이 활발하다.
ㄷ. ㉢에 고이는 물은 관개용수로 활용하기 어렵다.
ㄹ. ㉣은 포상홍수에 의해 형성된 퇴적 지형이다.

① ㄱ, ㄴ   ② ㄱ, ㄷ   ③ ㄴ, ㄷ   ④ ㄴ, ㄹ   ⑤ ㄷ, ㄹ

04

▶ 24062-0032

지도의 A~D 지역에 대한 설명으로 옳은 것은?

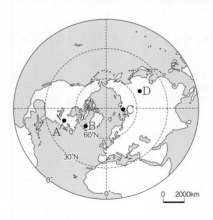

① A는 냉대 습윤 기후에 해당한다.
② B에는 침엽수림이 넓게 분포한다.
③ C는 지표면이 연중 눈과 얼음으로 덮여 있다.
④ D는 1월에 백야 현상이 나타난다.
⑤ A~D 중 기온의 연교차는 B가 가장 크다.

05

▶ 24062-0033

그래프는 세 지역의 월평균 기온과 누적 강수량을 나타낸 것이다. (가)~(다) 지역에 대한 설명으로 옳은 것은?

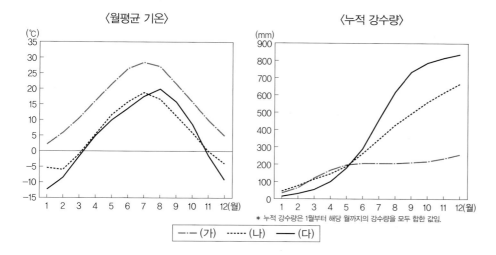

〈월평균 기온〉   〈누적 강수량〉

* 누적 강수량은 1월부터 해당 월까지의 강수량을 모두 합한 값임.

--·-- (가)   ········· (나)   ——— (다)

① (가)에는 회백색의 포드졸 토양이 넓게 분포한다.
② (나)에서는 대추야자 재배가 활발하게 이루어진다.
③ (다)는 대륙 서안에 위치한다.
④ (나)는 (다)보다 여름 강수 집중률이 높다.
⑤ (다)는 (가)보다 수목 밀도가 높다.

06

▶ 24062-0034

(가)~(라) 지형에 대한 설명으로 옳은 것만을 〈보기〉에서 고른 것은? (단, (가)~(라)는 각각 드럼린, 뷰트, 사구, 호른 중 하나임.)

┌─ 보기 ┐
ㄱ. (가)와 (나)는 퇴적 작용에 의해 형성되었다.
ㄴ. (나)와 (다)는 물리적 풍화 작용을 많이 받아 형성되었다.
ㄷ. (다)와 (라)는 지형 형성에 빙하의 영향을 많이 받았다.
ㄹ. (가)는 (라)보다 구성 물질의 평균 입자 크기가 작다.

① ㄱ, ㄴ   ② ㄱ, ㄷ   ③ ㄴ, ㄷ   ④ ㄴ, ㄹ   ⑤ ㄷ, ㄹ

07

▶ 24062-0035

그림은 빙하가 존재하던 두 지역에 발달한 지형을 모식적으로 나타낸 것이다. A~F에 대한 설명으로 옳지 않은 것은? (단, A~F는 각각 권곡, 드럼린, 모레인, 빙식곡, 에스커, 호른 중 하나임.)

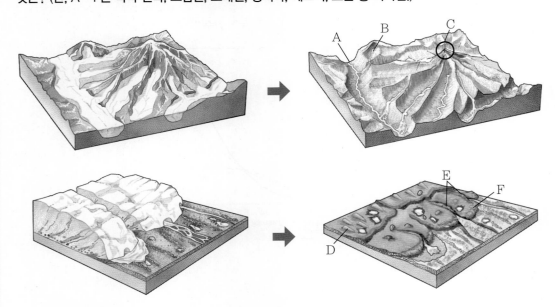

① A가 해수면 상승으로 침수되면 피오르가 형성된다.
② C는 주로 여러 개의 B가 산 정상부로 확장하면서 만들어진다.
③ D는 주로 융빙수의 퇴적 작용으로 형성된다.
④ E는 F보다 퇴적물의 분급이 양호하다.
⑤ F는 빙하에 의해 운반된 물질이 쌓여 형성된 지형이다.

08

▶ 24062-0036

다음 글의 (가), (나)에 대한 설명으로 적절하지 않은 것은? (단, (가), (나)는 각각 영구 동토층, 활동층 중 하나임.)

     (가)   은 2년 이상 연중 땅의 온도가 0℃ 이하로 유지되는 얼어붙은 땅을 말한다. 이 지층의 대부분은 수천 년 동안 얼어 있으면서 유기물 속에 많은 탄소를 가두고 있었다. 툰드라 기후 지역에는 수백 m 두께의   (가)   이 연속대의 형태로 있고, 그 위에 계절에 따라 얼고 녹기를 반복하는 수십 cm 두께의   (나)   이 있다. 이 지층은 초목이 자랄 수 있는 지층이다. 냉대 기후 지역은 연평균 기온이 높을수록   (가)   이 단속대에서 분산대의 형태로 분포하며, 최대 3m에 이르는 더 두꺼운   (나)   으로 덮여 있다.

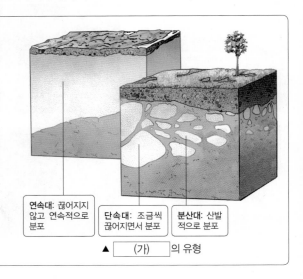

연속대: 끊어지지 않고 연속적으로 분포 / 단속대: 조금씩 끊어지면서 분포 / 분산대: 산발적으로 분포

▲   (가)   의 유형

① (가)까지 깊게 기둥을 박으면 인공 구조물의 붕괴를 방지할 수 있다.
② (가)의 분포 면적은 유라시아 대륙의 동부 지역이 서부 지역보다 넓다.
③ (나)에서는 여름에 솔리플럭션 현상이 발생한다.
④ (나)는 겨울이 짧아지고 따뜻해지면 얇아질 것이다.
⑤ 다각형의 구조토는 (나)에서 입자 크기에 따른 이동으로 형성된다.

09

▶ 24062-0037

다음 자료는 여행 다큐멘터리 방송의 일부이다. (가), (나) 여행지를 지도의 A~D에서 고른 것은?

[(가)], 소금 사막을 걷다.

지평선까지 펼쳐진 하얀 소금은 여행자들을 설레게 한다. 게다가 우기인 12월부터 3월에 방문하면 소금 사막에는 물이 고여 하늘을 비추는 거울이 되어 더욱 아름답게 변한다. 소금 사막까지 가는 기나긴 여정 중에는 화산 지대에서 뿜어내는 수증기를 볼 수 있고, 노천 온천을 만날 수도 있다. 소금 사막의 다양한 매력을 만나러 떠나보자.

[(나)], 순백의 오지를 만나다.

안데스산맥과 거센 바람이 수만 년 동안 만들어 낸 거대한 빙하를 만날 수 있다. 세계적으로 유명한 페리토 모레노 빙하는 지구 온난화에도 여전히 빙하가 생성되고 있다. 빙식곡을 따라 이동하다가 말단부에 이르러 천둥과 같은 소리와 함께 호수로 무너져 내린다. 직접 빙하 위를 걸어보며, 빙하를 온몸으로 느낄 수 있다.

	(가)	(나)
①	B	A
②	B	C
③	B	D
④	C	A
⑤	C	D

10

▶ 24062-0038

그래프는 지도에 표시된 네 지역의 (가) 시기 낮 길이, (나) 시기 평균 기온 및 연 강수량을 나타낸 것이다. A~D 지역에 대한 설명으로 옳은 것은? (단, (가), (나)는 각각 1월, 7월 중 하나임.)

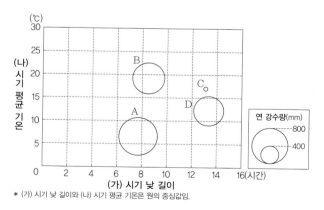

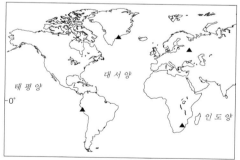

* (가) 시기 낮 길이와 (나) 시기 평균 기온은 원의 중심값임.

① B에서는 주로 유목 형태로 가축을 사육한다.

② D에서는 토양층의 융해에 대비한 고상 가옥을 볼 수 있다.

③ A는 C보다 태양광 에너지의 개발 잠재력이 크다.

④ B는 A보다 곡물 재배에 불리하다.

⑤ C는 D보다 연평균 안개 발생 일수가 많다.

① 대지형의 형성

(1) 지형 형성 작용

내적 작용	융기·침강·습곡·단층 작용, 화산 활동 등
외적 작용	하천·파랑·빙하·바람 등에 의한 침식·운반·퇴적 작용, 풍화 작용 등

(2) 판 구조 운동과 대지형 형성

① 판 구조 운동: 지각을 구성하는 판이 서로 충돌하거나 갈라지는 지각 운동이며, 판의 경계 지역은 지각이 불안정함
② 판의 경계 유형

판이 충돌하는 경계 (수렴 경계)	• 대륙판과 대륙판의 충돌 예 히말라야산맥 • 해양판과 대륙판의 충돌 예 안데스산맥
판이 갈라지는 경계 (확장 경계)	• 해양에서 판이 갈라짐 예 아이슬란드 • 대륙 내부에서 판이 갈라짐 예 동아프리카 지구대
판이 어긋나서 미끄러지는 경계 (보존 경계)	두 판이 어긋나서 수평으로 이동함 예 샌안드레아스 단층

② 세계의 주요 대지형

안정 육괴	• 시·원생대에 조산 운동을 받은 후 오랜 기간 침식을 받아 형성됨. 철광석 매장량이 많음 • 순상지, 구조 평야 등이 있으며, 주로 대륙 내부에 위치함
고기 습곡 산지	• 고생대에 조산 운동으로 형성됨 • 해발 고도가 낮고, 경사가 완만하며, 산지의 연속성이 약함 • 안정육괴 주변에 위치하며, 석탄 매장량이 많음
신기 습곡 산지	• 중생대 말~신생대에 조산 운동으로 형성됨 • 지각이 불안정하여 지진과 화산 활동이 활발함 • 해발 고도가 높고 험준하며, 산지의 연속성이 강함 • 주변 지역에 석유, 천연가스, 구리 등의 매장량이 많음

③ 화산 지형

(1) 형성과 분포

① 형성: 지하의 마그마가 용암, 화산재 등의 형태로 지표로 분출되면서 형성됨
② 분포: 판의 경계부에 주로 분포함

(2) 주요 지형

성층 화산	용암과 화산 쇄설물이 교대로 쌓여 형성된 원뿔 모양의 화산
순상 화산	유동성이 큰 현무암질 용암의 분출로 형성된 완만한 경사면의 화산
용암 돔	점성이 큰 용암이 화구에서 멀리 흐르지 못하고 돔 형태로 굳어 형성
용암 대지	유동성이 큰 현무암질 용암이 지표의 갈라진 틈을 따라 분출하여 형성된 평탄한 지형
칼데라(호)	화구가 함몰되면서 만들어진 분지(물이 고여 호수를 이루면 칼데라호가 됨)

(3) 화산 지대의 주민 생활

① 화산재가 만든 비옥한 토양을 바탕으로 농업 발달
② 구리·은·유황 채굴을 통한 광업 발달, 지열 발전 활발
③ 화산 지형·온천·간헐천을 활용한 관광 산업 발달

④ 카르스트 지형

(1) 형성과 분포

① 형성: 석회암이 용식을 받아 형성됨
② 분포: 석회암층이 분포하고, 강수량이 풍부한 습윤 기후 지역

(2) 주요 지형

돌리네	석회암이 빗물이나 지하수의 용식 작용을 받아 형성된 와지 → 돌리네가 두 개 이상 결합하여 우발레(우발라)가 됨
탑 카르스트	석회암이 차별적인 용식 및 침식 작용을 받아 남게 된 탑 모양의 봉우리
카렌	용식되지 않고 남은 석회암이 지표로 드러난 암석 기둥 또는 울퉁불퉁한 바위 모양의 지형
석회 동굴	빗물이나 지하수의 용식 작용으로 만들어진 동굴
석회화 단구	유수에 녹아 있던 탄산 칼슘이 침전되어 형성된 계단 모양의 지형

(3) 석회암 지대의 주민 생활

① 석회암 풍화토(테라로사)를 이용한 밭농사 발달
② 시멘트 공업 및 관광 산업 발달

⑤ 해안 지형

(1) 형성 원인

① 파랑·연안류·조류·바람에 의한 침식·운반·퇴적 작용
② 지반의 융기 또는 해수면 하강 → 단조로운 해안선 발달
③ 지반의 침강 또는 해수면 상승 → 복잡한 해안선 발달

리아스 해안	하천의 침식 작용으로 형성된 V자곡이 후빙기 해수면 상승으로 침수된 해안
피오르 해안	빙하의 침식 작용으로 형성된 U자곡이 후빙기 해수면 상승으로 침수된 해안

(2) 주요 지형

암석 해안	• 파랑 에너지가 집중되는 곳에 주로 발달 • 해식애, 파식대, 시 스택, 해안 단구 등 형성
모래 해안	• 파랑 에너지가 분산되는 만에 주로 발달 • 사빈, 사주, 육계도, 석호, 해안 사구 등 형성
갯벌 해안	• 주로 조류의 퇴적 작용으로 형성 • 점토의 구성 비율이 높은 갯벌 형성
산호초 해안	• 석회질의 산호충 유해가 퇴적되어 형성 • 열대·아열대의 수심이 얕은 도서 및 연안 지역에 발달

01

▶ 24062-0039

그림의 A~D에 대한 설명으로 옳은 것만을 〈보기〉에서 고른 것은?

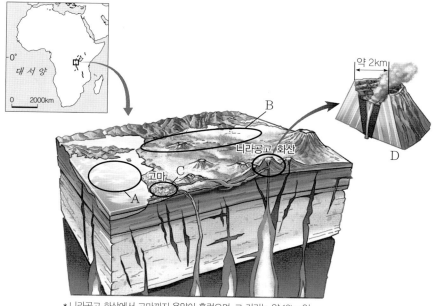

* 니라공고 화산에서 고마까지 용암이 흘렀으며, 그 거리는 약 16km임.

┌ 보기 ┐

ㄱ. A는 빙하의 작용에 의해 형성된 호수이다.

ㄴ. B는 판이 서로 갈라지는 경계에 해당한다.

ㄷ. C는 점성이 큰 용암에 해당한다.

ㄹ. D는 칼데라가 형성되는 과정을 보여준다.

① ㄱ, ㄴ   ② ㄱ, ㄷ   ③ ㄴ, ㄷ   ④ ㄴ, ㄹ   ⑤ ㄷ, ㄹ

02

▶ 24062-0040

지도의 A~D 지형에 대한 설명으로 옳은 것만을 〈보기〉에서 고른 것은?

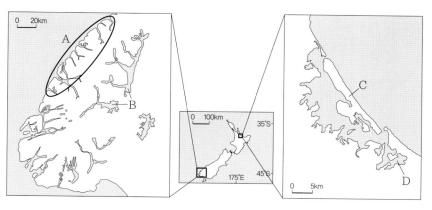

┌ 보기 ┐

ㄱ. A는 빙하의 침식으로 만들어진 계곡이 침수되어 형성되었다.

ㄴ. B는 판이 갈라지고 있는 지구대를 따라 분포하는 호수이다.

ㄷ. C는 파랑과 연안류의 퇴적 작용으로 형성된다.

ㄹ. B 호수는 D 호수에 비해 물의 염도가 높다.

① ㄱ, ㄴ   ② ㄱ, ㄷ   ③ ㄴ, ㄷ   ④ ㄴ, ㄹ   ⑤ ㄷ, ㄹ

03

▶ 24062-0041

다음 자료는 두 국가의 화폐에 관한 것이다. ㉠, ㉡에 대한 설명으로 옳은 것만을 〈보기〉에서 고른 것은?

- 유네스코 세계 자연 유산으로 등재된 할롱 베이는 3,000개 이상의 섬들이 모여 있는 곳으로, 베트남 화폐에도 그려져 있다. ㉠지폐에 나타나 있는 바위는 바다 한가운데 두 개의 바위가 마치 연인처럼 붙어있는 모습을 하고 있다.

- 중국의 화폐에 나타나 있는 타이산산(태산)은 세계 지질 공원으로 인증된 곳으로, 태산지하대열곡(地下大裂谷)에는 ㉡거대한 규모의 동굴이 있다. 이곳에서는 보트를 타고 동굴 안 수로를 따라 이동하면서 다양한 모양의 종유석과 석순을 감상할 수 있다.

┌ 보기 ┐

ㄱ. ㉠은 탑 카르스트에 해당한다.
ㄴ. ㉡은 주로 물리적 풍화 작용을 받아 형성되었다.
ㄷ. ㉠과 ㉡은 주로 석회암으로 구성되어 있다.
ㄹ. ㉠과 ㉡은 모두 한랭 건조한 기후 지역에서 잘 발달한다.

① ㄱ, ㄴ   ② ㄱ, ㄷ   ③ ㄴ, ㄷ   ④ ㄴ, ㄹ   ⑤ ㄷ, ㄹ

04

▶ 24062-0042

다음은 세계지리 수업 장면의 일부이다. 교사의 질문에 옳게 대답한 학생만을 있는 대로 고른 것은? (단, ㉠~㉣은 각각 뉴질랜드, 미국, 아이슬란드, 칠레에 속한 지역임.)

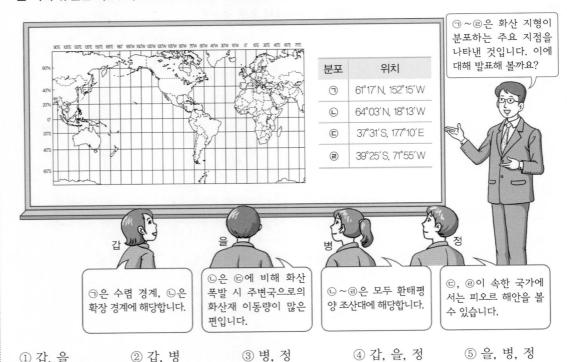

① 갑, 을   ② 갑, 병   ③ 병, 정   ④ 갑, 을, 정   ⑤ 을, 병, 정

05

▶ 24062-0043

다음 자료는 두 국가를 여행하면서 작성한 누리 소통망(SNS)의 내용이다. (가), (나)에 해당하는 국가를 지도의
A∼D에서 고른 것은?

(가)

좋아요 35개

화산과 온천이 많아 관광객들에게 인기 있
는 지역이라서 이곳을 여행 국가로 선정했
어. 먼저 수도 근처에 있는 지열 발전소를
둘러본 후 주변의 온천에서 오로라를 보면
서 온천욕을 즐기려고 해. 온천에서 판매하
는 실리카 머드팩도 구입해 올게.

(나)

좋아요 28개

빙하가 만든 아름다운 피오르를 유람선을
타고 둘러보고 싶어. 스칸디나비아를 대표하
는 수려한 경관을 가진 트롤퉁가 혓바닥 바
위에서 누리 소통망에 올릴 사진을 찍어 올
거야. 노르딕 문양이 들어간 스웨터와 이곳
의 특산물 고등어 통조림도 구입해 올게.

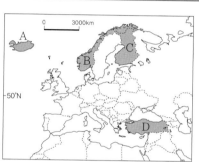

	(가)	(나)
①	A	B
②	A	C
③	C	A
④	D	B
⑤	D	C

06

▶ 24062-0044

(가)∼(다) 지역에 해당하는 판의 경계 유형을 A∼D에서 고른 것은?

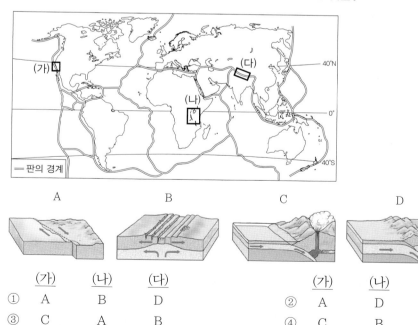

	(가)	(나)	(다)			(가)	(나)	(다)
①	A	B	D		②	A	D	B
③	C	A	B		④	C	B	D
⑤	C	D	A					

07

▶ 24062-0045

다음 자료는 세계의 대지형을 형성 시기별로 구분한 것이다. 이에 대한 설명으로 옳은 것만을 〈보기〉에서 고른 것은? (단, (가)~(다)는 각각 고기 조산대, 신기 조산대, 안정육괴만 고려함.)

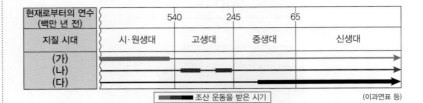

* 아이슬란드는 위의 범례 구분에 속하지 않음.

> **보기**
> ㄱ. (가)는 현재 판이 충돌하는 경계부에 위치한다.
> ㄴ. (나)는 (다)보다 평균 해발 고도가 높고 험준하다.
> ㄷ. (다)는 (나)보다 구리가 많이 매장되어 있다.
> ㄹ. A는 (나), B는 (다)에 해당한다.

① ㄱ, ㄴ   ② ㄱ, ㄷ   ③ ㄴ, ㄷ   ④ ㄴ, ㄹ   ⑤ ㄷ, ㄹ

08

▶ 24062-0046

다음은 세계의 대지형을 주제로 한 조각 퍼즐이다. (가)~(다)에 대한 설명으로 옳은 것은? (단, (가)~(다)는 각각 고기 조산대, 신기 조산대, 안정육괴 중 하나임.)

(가)

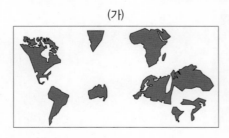

(나)

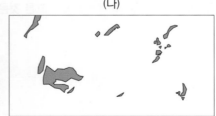

(다)

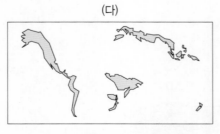

[조각 퍼즐판]

① (가)는 판의 경계부에 위치한다.
② (나)에는 로키산맥, 히말라야산맥이 포함된다.
③ (가)는 (나)보다 조산 운동을 받은 시기가 늦다.
④ (나)는 (다)보다 평균 해발 고도가 높다.
⑤ (다)는 (가), (나)보다 지진과 화산 활동이 활발하다.

09

▶ 24062-0047

지도는 세계 대지형과 지하자원의 분포를 나타낸 것이다. A~C 자원에 대한 설명으로 옳은 것은? (단, A~C는 각각 석유, 석탄, 철광석 중 하나임.)

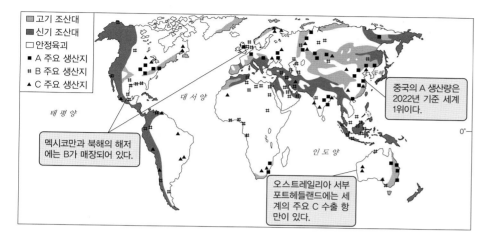

① A는 주로 고기 조산대에 매장되어 있다.
② B는 시·원생대 조산 운동의 영향으로 형성되었다.
③ C는 주로 신생대 조산 운동 과정에서 생성되었다.
④ A는 C보다 주된 형성 시기가 이르다.
⑤ A는 철광석, B는 석탄, C는 석유이다.

10

▶ 24062-0048

다음 자료의 A~E에 대한 설명으로 옳은 것은?

국내 여성 산악인 ○○○씨가 2004년 세계 7대륙 최고봉 완등에 성공했다. 7대륙 최고봉은 각 대륙(지역)에서 가장 높은 산을 의미하며, 많은 산악인의 등산 목표 중 하나이다. ○○○씨의 완등은 여성으로서는 국내 처음이며, 세계에서 열두 번째다.

〈7대륙 최고봉의 위치〉

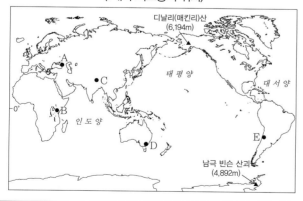

① A는 환태평양 조산대의 일부에 해당한다.
② B는 판이 충돌하는 경계에서 만들어진 화산이다.
③ C는 세계에서 해발 고도가 가장 높은 산이다.
④ D에서는 현재 화산 활동이 활발하게 일어나고 있다.
⑤ E는 판이 서로 어긋나서 미끄러지는 경계에 위치한다.

▶ 24062-0049

11

다음은 세계지리 다큐멘터리 제작 자료이다. ⑦~ⓔ에 대한 설명으로 옳은 것만을 〈보기〉에서 있는 대로 고른 것은?

〈다큐멘터리 제목: 판의 경계에서 만난 아름다운 지형 경관〉

• 장면 1 내레이션: 인도네시아의 수마트라에는 남북 길이 100km, 평균 수심 20m, 최고 수심 900m에 이르는 넓은 ⑦토바호가 있다. 그 호수 안에 길이 50~60km, 폭 30km에 달하는 ⓛ사모서섬이 있는데, 면적이 서울시와 비슷하다.

• 장면 2 내레이션: 호수 안에 섬이 있고, 또 그 섬 안에 호수가 있는 곳이 있다. 필리핀 바탕가스 지역의 ⓒ타알호가 그렇다. 필리핀의 여러 호수 중 세 번째로 넓은 타알호 안에는 ⓔ산꼭대기에 작은 호수가 있는 섬이 있다.

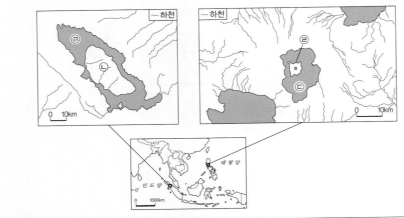

┌ 보기 ┐
ㄱ. ⑦은 화구의 함몰로 형성된 칼데라호이다.
ㄴ. ⓛ은 ⑦이 형성되기 전에 만들어졌다.
ㄷ. ⓒ은 ⑦과 형성 원인이 동일하다.
ㄹ. ⓛ과 ⓔ은 화산 활동으로 만들어진 지형이다.

① ㄱ, ㄴ
② ㄱ, ㄷ
③ ㄴ, ㄹ
④ ㄱ, ㄷ, ㄹ
⑤ ㄴ, ㄷ, ㄹ

▶ 24062-0050

12

다음 자료의 (가)~(다)에 해당하는 대지형을 그래프의 A~C에서 고른 것은? (단, (가)~(다)는 각각 고기 습곡 산지, 신기 습곡 산지, 안정육괴 중 하나임.)

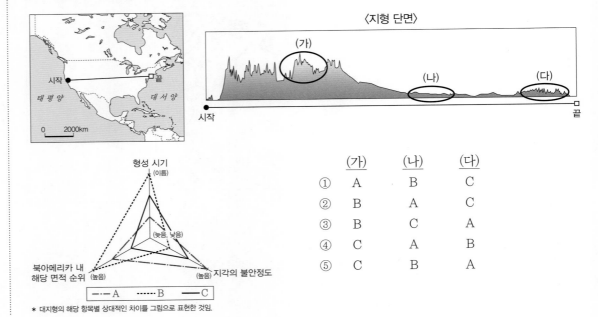

	(가)	(나)	(다)
①	A	B	C
②	B	A	C
③	B	C	A
④	C	A	B
⑤	C	B	A

* 대지형의 해당 항목별 상대적인 차이를 그림으로 표현한 것임.

주요 종교의 전파와 종교 경관

① 세계 주요 종교의 기원과 전파

(1) 보편 종교: 전 인류를 포교 대상으로 삼고 교리를 전파하는 종교

크리스트교	• 1세기 초 서남아시아의 팔레스타인 지역에서 발생 • 로마 제국의 국교가 되면서 유럽으로 확산되고, 이후 유럽의 식민 지배를 받았던 지역을 중심으로 전파됨 • 유럽, 아메리카, 오세아니아, 사하라 이남 아프리카 지역에 주로 분포
이슬람교	• 7세기 초 무함마드에 의해 사우디아라비아에서 발생 • 군사적 정복 활동과 상인들의 무역 활동에 따라 아시아 및 북부 아프리카 일대로 전파됨 • 서남·중앙·동남아시아, 북부 아프리카에 주로 분포
불교	• 기원전 6세기경 석가모니에 의해 인도 북동부에서 발생 • 인도에서 크게 번성하지 못하고, 동남아시아 및 동아시아 일대로 전파됨 • 동남 및 남부 아시아, 동아시아에 주로 분포

(2) 민족 종교: 특정 민족을 중심으로 포교되는 종교

힌두교	• 브라만교를 바탕으로 고대 인도에서 발생 • 남부 아시아(인도, 네팔)에 주로 분포
유대교	• 유대인의 민족 종교 • 유일신을 섬기고, 선민 사상이 있음

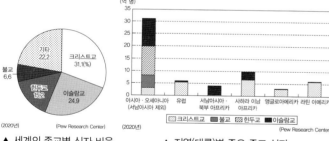

▲ 세계의 종교별 신자 비율　　　▲ 지역(대륙)별 주요 종교 신자

② 세계 주요 종교의 경관과 주민 생활

(1) 세계 주요 종교의 성지

① 크리스트교
• 예루살렘, 베들레헴 등 팔레스타인 지역: 예수의 행적이 남아 있는 장소
• 바티칸: 교황청이 입지한 가톨릭교의 중심지

② 이슬람교
• 메카: 무함마드의 탄생지로 이슬람교의 대표적인 성지, 성지 순례의 의무가 있는 곳
• 메디나: 무함마드의 묘지가 위치함

③ 불교
• 룸비니: 석가모니 탄생지
• 부다가야: 석가모니가 깨달음을 얻은 장소

④ 힌두교
• 갠지스강: 힌두교도들이 신성시하는 강으로, 강물이 영혼을 정화한다고 믿음
• 바라나시: 갠지스강 유역에 위치한 힌두교의 대표적 성지

(2) 세계 주요 종교의 경관

크리스트교	• 십자가, 종탑 등이 보편적으로 나타남 • 가톨릭교: 성당은 뾰족한 탑과 둥근 천장이 특징이고, 대체로 규모가 큼 • 개신교: 대체로 가톨릭교 성당에 비해 교회의 형태가 단순하고 작음 • 동방 정교: 교회의 장식이 화려하며, 지붕에 돔이 있음
이슬람교	• 모스크(마스지드): 중앙의 돔형 지붕과 주변의 첨탑이 특징임 • 아라베스크: 우상 숭배를 금지하는 교리에 따라 꽃, 나무 덩굴, 문자 등을 기하학적으로 배치한 문양
불교	불상을 모시는 불당, 부처의 사리가 모셔진 탑 등의 건물 경관을 보임
힌두교	사원의 외벽과 내부에 다양한 신의 모습을 그림이나 조각으로 표현

(3) 세계 주요 종교의 특징과 주민 생활

① 크리스트교
• 유일신교로, 예수를 구원자로 믿음
• 세계에서 신자가 가장 많으며, 대표적인 종파로는 가톨릭교와 개신교, 동방 정교가 있음

② 이슬람교
• 유일신교로, 경전인 쿠란의 가르침을 따름
• 신앙 실천의 5대 의무(신앙 고백, 예배, 자선 활동, 라마단(금식 기간), 성지 순례)를 지킴
• 할랄 식품을 먹으며, 술과 돼지고기를 금기시함
• 여성들은 천으로 얼굴이나 신체를 가리는 의복(니캅, 히잡, 차도르 등)을 입음
• 대표적 종파: 다수의 수니파와 소수의 시아파가 있음

③ 불교
• 윤회 사상을 중시하며, 개인의 수양과 해탈, 자비를 강조
• 살생을 금하며 육식을 대체로 금기시하나, 일부 유목 생활을 하는 주민들(몽골, 티베트)은 육식을 함
• 대표적 종파: 주로 동아시아에서 믿는 대승 불교, 주로 동남아시아와 남부 아시아에서 믿는 상좌부 불교가 있음

④ 힌두교
• 여러 신을 인정하는 다신교로, 보편 종교인 불교보다 신자가 많음
• 윤회 사상을 중시하며, 선행과 고행을 통한 수련을 중시함
• 소를 신성시하여 소고기를 먹지 않고, 카스트 제도에 기반한 생활 양식이 존재함

▶ 24062-0051

01

지도는 세 종교의 기원지와 전파 경로를 나타낸 것이다. A~C 종교의 상대적 특징으로 옳은 것은? (단, A~C 는 각각 불교, 이슬람교, 크리스트교 중 하나임.)

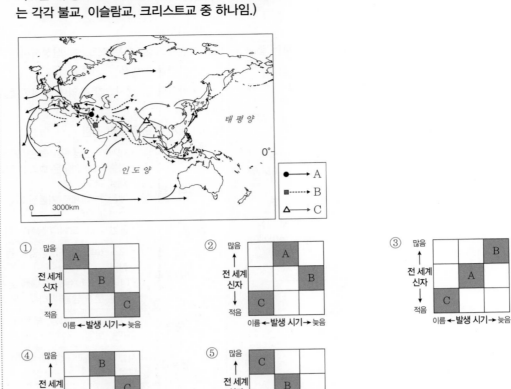

▶ 24062-0052

02

그래프는 세 종교의 지역(대륙)별 신자 비율 변화를 나타낸 것이다. 이에 대한 설명으로 옳은 것은? (단, (가)~ (다)는 각각 서남아시아·북부 아프리카, 아시아·오세아니아, 유럽 중 하나이고, A~C는 각각 이슬람교, 크리 스트교, 힌두교 중 하나임.)

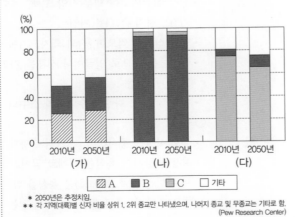

* 2050년은 추정치임.
** 각 지역(대륙)별 신자 비율 상위 1, 2위 종교만 나타냈으며, 나머지 종교 및 무종교는 기타로 함.
(Pew Research Center)

① (가)는 (다)보다 이슬람교 신자가 적다.
② A는 보편 종교, B는 민족 종교에 해당한다.
③ B는 C보다 유럽에서 신자 비율이 높다.
④ 예루살렘에는 B와 C의 성지가 있다.
⑤ 유럽에서 2010년 대비 2050년에 신자 비율이 증가할 것으로 예측되는 종교는 크리스트교이다.

03

▶ 24062-0053

그래프는 (가)~(다) 종교별 신자 상위 7개국을 나타낸 것이다. 이에 대한 설명으로 옳은 것은? (단, (가)~(다) 는 각각 불교, 이슬람교, 크리스트교 중 하나이고, A~C는 각각 나이지리아, 인도네시아, 중국 중 하나임.)

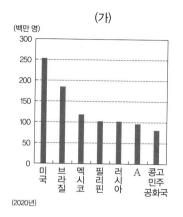
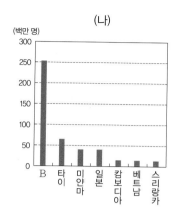
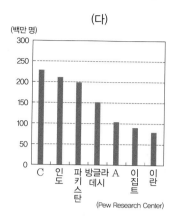

① (가)는 메카로의 성지 순례를 종교적 의무로 한다.
② (나)는 윤회 사상을 중시하며, 개인의 수양 및 해탈을 강조한다.
③ (다)의 대표적인 종교 경관으로는 불상과 불탑을 들 수 있다.
④ A의 남부 지역은 (다), 북부 지역은 (가)의 비율이 상대적으로 높게 나타난다.
⑤ B의 총인구에서 (나) 신자가 차지하는 비율은 C의 총인구에서 (다) 신자가 차지하는 비율보다 높다.

04

▶ 24062-0054

다음 자료의 (가)~(다) 종교를 그래프의 A~C에서 고른 것은? (단, (가)~(다)는 각각 불교, 이슬람교, 크리스트교 중 하나임.)

• 튀르키예(터키) 이스탄불의 '아야 소피아'는 원래 [(가)] 사원이었다. 이 사원은 동로마 제국 시대에 축조된 성당으로, 정교회를 대표하는 건축물이었다. 하지만 현재는 [(나)] 사원으로 전환되었다. 건물 둘레의 첨탑은 원래 있던 것이 아니라 모스크로 개조되면서 축조된 것이다. 또한 사원 1층에 있는 예배를 드리는 제단의 위치가 약간 틀어져 있는데, 이는 원래 예루살렘 방향으로 세워진 제단의 방향을 메카 방향으로 바꾸었기 때문이다.

• 말레이시아 페낭에 위치한 '켁록시 사원(극락사)'은 [(다)] 사원으로, 동남아시아에서 가장 큰 중국식 사원이다. [(나)] 신자 비율이 가장 높은 말레이시아에서 페낭은 화교들이 많이 거주하여 중국 문화가 많이 나타나는 지역이다. 켁록시 사원에는 7층 불탑이 있는데, 탑의 8각 아랫부분은 중국, 가운데는 타이, 꼭대기는 미얀마의 건축 양식으로 만들어져 독특한 모습을 보이고, 층마다 각기 다른 색으로 칠해진 만여 개의 부처상이 안치되어 있다.

〈세 국가의 종교별 신자 비율〉

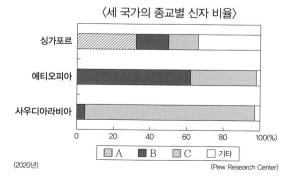

(2020년)   (Pew Research Center)

	(가)	(나)	(다)
①	A	B	C
②	A	C	B
③	B	A	C
④	B	C	A
⑤	C	B	A

05

▶ 24062-0055

다음 자료의 (가), (나) 종교에 대한 설명으로 옳은 것은?

- ○○에서는 매년 9~10월경에 [(가)] 축제인 다사인 축제가 열린다. 다사인 축제는 [(가)]에서 믿는 여러 신들 중 하나인 두르가(Durga)를 숭배하고 찬양하기 위한 축제로, 축제 기간 동안 두르가 여신에게 경건한 마음으로 기도를 올린다. 이때 ○○인들은 새 옷을 장만해 입고, 가족들이 모여 서로의 축복을 기원한다. 또한 티카(tika, 염료로 이마에 점을 찍으며 축복을 비는 것) 의식을 통해 서로서로 축복하고 덕담을 나눈다.

- ◇◇의 옛 수도인 루앙프라방은 세계 문화유산으로 등록된 도시이다. 이 국가에서 신자 비율이 가장 높은 [(나)] 사원이 많은 루앙프라방에서는 승려들의 '탁발' 행렬이 유명하다. 탁발이란 '바리때(공양 그릇)를 받쳐 들다'라는 뜻으로, 승려들이 공양과 보시로 생활을 영위하는 것을 말한다. 루앙프라방에 있는 사원의 승려들은 새벽 5시면 북소리에 맞추어 어김없이 탁발에 나선다. 사람들은 공손한 자세로 음식을 승려들에게 바치며 소원을 빈다.

① (가)는 보편 종교로 상좌부 불교와 대승 불교로 구분된다.
② (가)의 신자들은 신성하게 여기는 갠지스강에서 목욕과 기도를 한다.
③ (나)의 신자가 가장 많은 국가는 인도네시아이다.
④ (가)의 기원지는 서남아시아, (나)의 기원지는 남부 아시아에 있다.
⑤ (가)의 사원에는 불상과 불탑이, (나)의 사원에는 십자가와 종탑이 보편적으로 나타난다.

06

▶ 24062-0056

지도는 두 종교의 남부 및 동남아시아 국가 내 신자 비율을 나타낸 것이다. (가), (나) 종교에 대한 설명으로 옳은 것만을 〈보기〉에서 있는 대로 고른 것은?

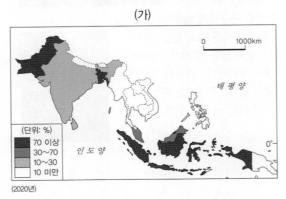

(가)

(2020년)

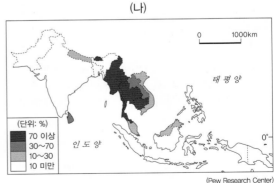

(나)

(Pew Research Center)

┌─ 보기 ┐
ㄱ. (가)는 하나의 신만을 인정하는 유일신교이다.
ㄴ. (가)는 (나)보다 전 세계 신자가 많다.
ㄷ. (가)와 (나)는 모두 인도에서 발생하였다.
ㄹ. 필리핀의 민다나오섬에서는 (가) 신자와 (나) 신자 간 갈등이 발생하였다.

① ㄱ, ㄴ   ② ㄱ, ㄹ   ③ ㄷ, ㄹ   ④ ㄱ, ㄴ, ㄷ   ⑤ ㄴ, ㄷ, ㄹ

① 세계의 인구 성장과 분포

(1) 세계의 인구 성장

① 1800년경 약 10억 명에서 2023년 약 80억 명으로 인구 급증

② 세계 인구 성장 요인: 산업 혁명 이후 생활 수준 향상, 의료 기술 발달, 위생 시설 개선 등으로 인한 사망률 감소 및 경제 발전에 따른 인구 부양력 증대

③ 최근 인구 성장 경향: 선진국보다 인구 증가율이 높은 개발 도상국을 중심으로 인구 성장

(2) 세계의 인구 분포

① 기후·지형 등 자연적 요인과 농업·공업·서비스업의 발달 수준 등 인문적 요인의 영향으로 불균등한 분포를 보임

② 인구 밀집 지역: 농업에 유리하거나 공업과 서비스업이 발달한 지역

③ 인구 희박 지역: 자연환경이 인간 거주에 불리한 지역(너무 건조하거나 추운 지역, 산악 지역 등), 경제 활동이 어렵거나 교통 발달이 미약한 지역

(3) 선진국과 개발 도상국의 인구 구조

① 연령층별 인구 구조: 대체로 선진국은 개발 도상국보다 유소년층 인구 비율이 낮고, 노년층 인구 비율이 높음 → 선진국은 개발 도상국보다 중위 연령, 노령화 지수, 노년 부양비가 높음

② 산업별 인구 구조: 대체로 선진국은 개발 도상국보다 1차 산업 종사자 비율이 낮고, 3차 산업 종사자 비율이 높음

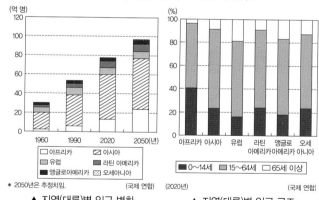

▲ 지역(대륙)별 인구 변화   ▲ 지역(대륙)별 인구 구조

② 세계의 인구 이주

(1) 인구 이주의 요인과 유형

① 인구 배출 요인: 빈곤, 낮은 임금, 일자리 부족, 교육·문화·보건 등 생활 시설의 부족 등

② 인구 흡인 요인: 높은 임금, 풍부한 일자리, 쾌적한 주거 환경 등

③ 인구 이주의 유형: 기간(일시, 영구), 동기(자발, 강제), 공간 범위(국내, 국제), 원인(경제, 종교, 정치, 환경) 등에 따라 구분

(2) 인구 이주의 특징

① 경제적 요인에 따른 국제 이주 증가

• 숙련 노동자의 이동: 선진국에서 선진국, 신흥 공업국에서 선진국으로 이주함
  예 유럽·중국·인도 → 미국 등

• 미숙련 노동자의 이동: 소득 수준이 낮고 고용 기회가 적은 개발 도상국에서 선진국이나 취업 기회가 많은 국가로 이동
  예 아프리카 → 유럽, 멕시코 → 미국, 동남 및 남부 아시아 → 서남아시아·대한민국·일본 등

② 정치적 요인에 의한 인구 이주: 내전·테러 등이 발생하는 지역에서 유출 인구가 많으며, 주로 인접한 국가로 이동함

③ 인구 이주로 인한 지역 변화

(1) 인구 이주에 따른 변화

구분	긍정적 영향	부정적 영향
인구 유출 지역	해외 이주 노동자들의 송금액 유입 → 지역 경제 활성화, 실업률 하락 등	노동자의 해외 유출 → 산업 성장 둔화, 사회적 분위기 침체, 장기적인 고용 창출의 어려움 등
인구 유입 지역	부족한 노동력 확보로 경제 활성화, 문화적 다양성 증대 등	문화적 차이에 따른 갈등 발생, 이주자의 집단 주거지 형성으로 지역 갈등 및 도시 문제 발생 등

(2) 인구 이주 사례

① 유럽으로의 인구 이주

• 저출산 및 인구 고령화로 인한 서부 및 남부 유럽의 노동력 부족으로 주로 과거 식민지 지역이나 지리적으로 가까운 지역에서 인구가 유입됨

• 난민 유입 증가: 최근 북부 아프리카와 서남아시아에서 내전으로 발생한 난민이 유럽으로 많이 이주함

• 이슬람교도 유입 증가 → 크리스트교 전통이 강한 유럽에서 문화적·종교적 갈등 발생 가능성이 높아짐

② 미국으로의 인구 이주

• 출신 지역(국가)에 따른 주요 유입 지역: 라틴 아메리카계(히스패닉)는 주로 지리적으로 인접한 미국 남서부 지역, 아시아계는 주로 태평양 연안 지역과 대도시 중심으로 정착함

• 민족(인종)별, 출신 국가별 거주지 분리 현상 발생

③ 서남아시아 산유국으로의 인구 이주

• 과정: 화석 에너지 자원 수출을 통한 자본 유입 및 경제 성장(사우디아라비아, 아랍 에미리트, 카타르 등) → 사회 간접 자본 증설 및 기간산업 성장 → 노동력 수요 증가 → 주변 아시아 국가(인도, 파키스탄 등)에서 젊은 남성 노동 인구 유입

• 최근 변화: 외국인 노동자의 이주 및 잔류 제한, 이슬람 문화 지역 출신의 노동자 비율이 높아짐

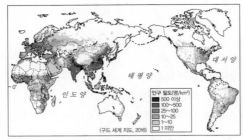
▲ 세계의 인구 밀도

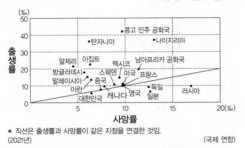
▲ 주요 국가별 출생률과 사망률

* 직선은 출생률과 사망률이 같은 지점을 연결한 것임.
(2021년)   (국제 연합)

▲ 국가별 평균 인구 증가율

* 2010~2020년 인구 증가율의 평균임.   (국제 연합)

- 세계의 인구는 불균등하게 분포한다. 세계의 인구는 남반구보다 북반구에 많이 거주하며, 해안에서 가까운 지역이나 해발 고도가 낮은 곳에 많이 거주한다. 남부 아시아·동아시아 등 몬순 아시아는 계절풍이 탁월하여 벼농사가 발달한 지역으로 농업에 유리하기 때문에 인구 밀도가 높게 나타나며, 유럽·미국 북동부 등은 산업이 발달한 지역으로 인구 밀도가 높게 나타난다. 반면, 러시아의 시베리아, 캐나다 북부 지역 등 기온이 너무 낮은 지역이나 오스트레일리아 중앙부, 북부 아프리카 등 사막이 넓게 분포하는 지역은 인간 거주에 불리하기 때문에 인구 밀도가 낮게 나타난다.

- 평균 인구 증가율이 높은 국가들은 앙골라, 콩고 민주 공화국 등의 아프리카 국가들과 오만, 아프가니스탄, 이라크 등 이슬람교 신자가 주로 분포하는 서남아시아 국가들이다. 반면, 평균 인구 증가율이 낮은 국가들은 영국, 프랑스 등 유럽 국가들과 앵글로아메리카에 속한 미국 등 경제 수준이 높은 국가들이다.

- 주요 국가별 출생률과 사망률 그래프에서 우상향하는 직선의 좌측에 있는 국가는 출생률이 사망률보다 높은 국가들이다. 인구의 자연적 증감만을 고려한다면 콩고 민주 공화국, 나이지리아, 탄자니아 등 아프리카 국가들은 인구가 빠르게 증가하는 국가들이다. 또한 직선의 우측 하단에 있는 러시아, 독일, 일본 등은 인구가 감소하는 국가들이다. 직선에 가까이 인접해 있는 국가인 영국, 중국, 프랑스 등은 인구가 정체하는 경향을 보이는 국가들이다.

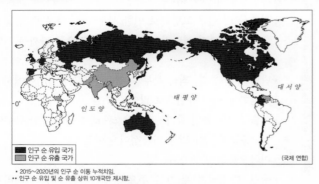
* 2015~2020년의 인구 순 이동 누적치임.
** 인구 순 유입 및 순 유출 상위 10개국만 제시함.
▲ 인구 순 유입 및 순 유출 국가

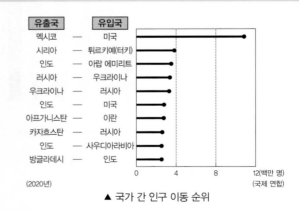
(2020년)   (국제 연합)
▲ 국가 간 인구 이동 순위

- 국가별 인구 순 유입과 순 유출을 보면 인구 순 유입이 많은 국가는 미국, 독일, 캐나다, 영국 등으로, 주로 앵글로아메리카와 유럽의 선진국에 해당한다. 반면, 인구 순 유출이 많은 국가는 베네수엘라 볼리바르, 인도, 중국 등으로, 이들은 선진국에 비해 1인당 국민 소득이 낮고 고용 기회가 적은 국가들이다. 인구의 국제 이주는 경제적 요인에 의한 경우가 많다. 따라서 선진국 비율이 높은 앵글로아메리카와 유럽은 인구 순 유입이 많고, 개발 도상국 비율이 높은 아시아, 라틴 아메리카, 아프리카는 인구 순 유출이 많다.

- 2020년을 기준으로 한 국가 간 인구 이동 자료에 따르면 인구는 대체로 인접한 국가로 이동하는 경향을 보였으며, 멕시코-미국과 같이 경제 수준이 낮은 국가에서 경제 수준이 높은 국가로 이동한 경우가 많았다. 아랍 에미리트나 사우디아라비아 등의 산유국에는 사회 간접 자본 건설을 위한 노동력 확충을 위하여 인도에서 많은 인구가 유입되었다. 한편, 시리아-튀르키예(터키), 아프가니스탄-이란, 러시아-우크라이나(우크라이나-러시아)와 같은 국가에서는 내전, 정치적 불안정 등에 의한 이동도 나타났다.

01

▶ 24062-0057

다음 자료는 인구 변천 모형을 나타낸 것이다. 이에 대한 설명으로 옳은 것은?

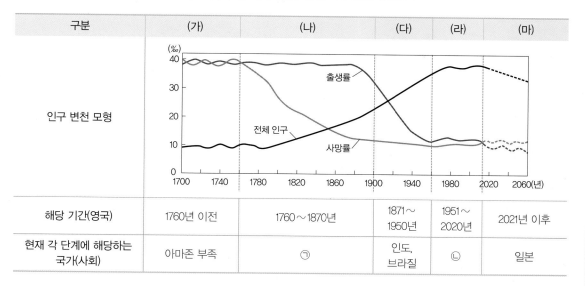

구분	(가)	(나)	(다)	(라)	(마)
인구 변천 모형					
해당 기간(영국)	1760년 이전	1760~1870년	1871~1950년	1951~2020년	2021년 이후
현재 각 단계에 해당하는 국가(사회)	아마존 부족	㉠	인도, 브라질	㉡	일본

① ㉠은 ㉡보다 경제 발전 수준이 높다.
② ㉡은 대부분의 사하라 이남 아프리카 국가에 해당한다.
③ (가) 단계는 (다) 단계보다 국가(사회) 내 유소년층 인구 비율이 높다.
④ (마) 단계는 (나) 단계보다 가구당 평균 인구가 많다.
⑤ 인구의 자연 증가율은 (나) 단계보다 (가) 단계가 높다.

02

▶ 24062-0058

그래프의 (가)~(라) 지역(대륙)에 대한 설명으로 옳지 않은 것은? (단, (가)~(라)는 각각 아시아, 아프리카, 앵글로아메리카, 유럽 중 하나임.)

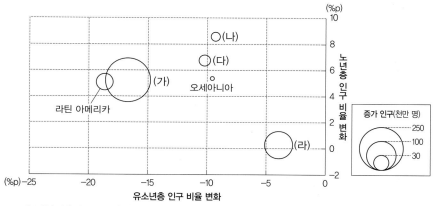

* 유소년층(노년층) 인구 비율 변화(%p) = 2020년 유소년층(노년층) 인구 비율 − 1970년 유소년층(노년층) 인구 비율
** 증가 인구 = 2020년 인구 − 1970년 인구
*** 유소년층 인구 비율 변화와 노년층 인구 비율 변화는 원의 중심값임.
(2022년)

(국제 연합)

① (가)는 (라)보다 지역(대륙) 내 유소년층 인구 비율이 낮다.
② (나)는 (다)보다 총인구가 많다.
③ (다)는 (라)보다 합계 출산율이 낮다.
④ (라)는 (나)보다 중위 연령이 낮다.
⑤ (가)는 아프리카, (라)는 아시아에 해당한다.

03

▶ 24062-0059

지도는 두 인구 지표의 상위 9개국을 나타낸 것이다. (가), (나)에 해당하는 지표로 옳은 것은?

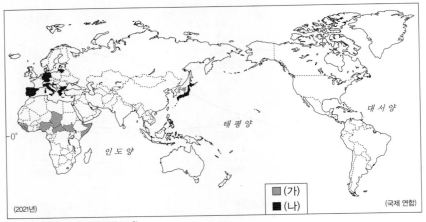

* 인구 100만 명 이상의 국가만을 대상으로 함.

	(가)	(나)
①	기대 수명	노년층 인구 비율
②	기대 수명	중위 연령
③	영아 사망률	중위 연령
④	영아 사망률	합계 출산율
⑤	노년층 인구 비율	합계 출산율

04

▶ 24062-0060

그래프는 지도에 표시된 세 국가의 인구 특성을 나타낸 것이다. (가)~(다) 국가에 대한 설명으로 옳은 것은?

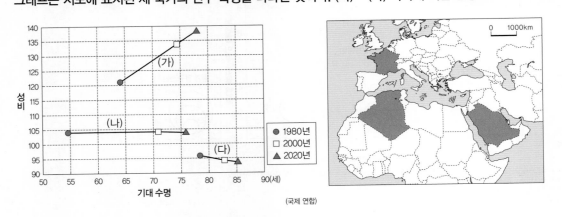

① (가)는 (다)보다 전체 이주자 중 아시아 출신 이주자 비율이 높다.
② (나)는 (가)보다 석유 수출량이 많다.
③ (다)는 (나)보다 1인당 국내 총생산이 적다.
④ (다)와 (가)에서 신자 비율이 가장 높은 종교는 같다.
⑤ (가)는 남성보다 여성이, (다)는 여성보다 남성이 많다.

05

▶ 24062-0061

그래프는 지역(대륙)별 연령대별 사망자 수 비율을 나타낸 것이다. (가)~(다) 지역(대륙)에 대한 설명으로 옳지 않은 것은? (단, (가)~(다)는 각각 라틴 아메리카, 아프리카, 유럽 중 하나임.)

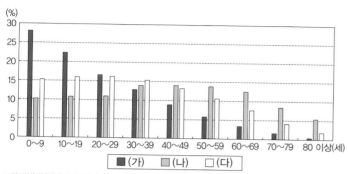

* 각 지역(대륙)별 총 사망자 수에서 해당 연령대의 사망자 수가 차지하는 비율임.
(2022년)   (국제 연합)

① (가)는 (나)보다 총인구가 많다.
② (나)는 (다)보다 지역(대륙) 내 유소년층 인구 비율이 높다.
③ (다)는 (가)보다 노령화 지수가 높다.
④ (가), (나)는 (다)보다 에스파냐어 사용 인구 비율이 낮다.
⑤ (가)는 아프리카, (나)는 유럽, (다)는 라틴 아메리카이다.

06

▶ 24062-0062

다음은 국가 간 인구 이동 상위 10위를 나타낸 것이다. (가)~(다) 국가에 대한 설명으로 옳은 것은? (단, (가)~(다)는 각각 러시아, 미국, 인도 중 하나임.)

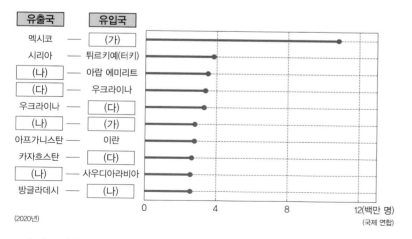

(2020년)   (국제 연합)

① (가)는 (나)보다 총인구가 많다.
② (나)는 (다)보다 인구 밀도가 높다.
③ (다)는 (가)보다 국내 총생산이 많다.
④ (가)는 아시아, (나)는 아메리카에 위치한다.
⑤ (가)-(나)의 수도 간 거리는 (나)-(다)의 수도 간 거리보다 가깝다.

▶ 24062-0063

07

그래프는 각 지역(대륙)별 인구 이주를 나타낸 것이다. (가)~(다) 지역(대륙)에 대한 설명으로 옳은 것만을 〈보기〉에서 있는 대로 고른 것은? (단, (가)~(다)는 각각 앵글로아메리카, 오세아니아, 유럽 중 하나이며, 지역(대륙) 내 이주는 제외함.)

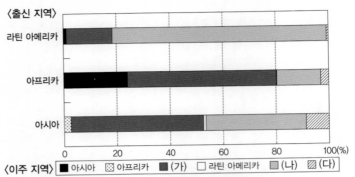

* 2020년 현재 각 지역(대륙)에 거주하는 다른 지역(대륙)으로부터의 이주민 현황을 나타낸 것임.
(2020년)   (국제 연합)

```
┌─ 보기 ┐
ㄱ. (가)는 (나)보다 총인구가 많다.
ㄴ. (나)는 (다)보다 인구 밀도가 높다.
ㄷ. (다)는 (가)보다 2차 산업 생산액이 많다.
ㄹ. (가)~(다)는 모두 인구 순 유입 지역(대륙)에 해당한다.
```

① ㄱ, ㄴ   ② ㄱ, ㄷ   ③ ㄴ, ㄹ   ④ ㄱ, ㄴ, ㄹ   ⑤ ㄴ, ㄷ, ㄹ

▶ 24062-0064

08

그래프는 두 지역(대륙)에 거주하는 국제 이주자의 출신 지역(대륙)별 비율을 나타낸 것이다. (가)~(다) 지역(대륙)에 대한 설명으로 옳은 것만을 〈보기〉에서 고른 것은? (단, (가)~(다)는 각각 라틴 아메리카, 아시아, 아프리카 중 하나임.)

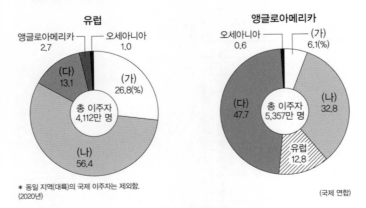

* 동일 지역(대륙)의 국제 이주자는 제외함.
(2020년)   (국제 연합)

```
┌─ 보기 ┐
ㄱ. (가)는 (나)보다 1인당 지역(대륙) 내 총생산이 많다.
ㄴ. (나)는 (다)보다 지역 내 이슬람교 신자 비율이 높다.
ㄷ. (다)는 (가)보다 도시화율이 높다.
ㄹ. 총인구는 (가)>(나)>(다) 순으로 많다.
```

① ㄱ, ㄴ   ② ㄱ, ㄷ   ③ ㄴ, ㄷ   ④ ㄴ, ㄹ   ⑤ ㄷ, ㄹ

세계의 도시화와 세계 도시 체계

① 세계의 도시화

(1) 도시와 도시화

① 도시: 현대인들의 중요한 생활 공간이자 정치·경제·사회·문화의 중심지

② 도시화의 의미: 도시 거주 인구의 증가, 도시 수의 증가 및 도시권 확대, 촌락에 도시적 요소가 확대되는 과정

③ 도시화 과정: 도시화율의 정도에 따라 초기 단계, 가속화 단계, 종착 단계로 구분함

(2) 세계의 도시화

① 세계의 도시 발달: 1950년에는 세계 인구의 약 30%가 도시에 거주 → 2020년에는 세계 인구의 약 56%가 도시에 거주, 도시의 수가 증가하고 도시의 인구 규모도 커지고 있음

② 지역(대륙)별 도시 인구 및 도시화율 변화에 차이가 있음

• 2020년 지역(대륙)별 도시화율은 앵글로아메리카>라틴 아메리카>유럽>오세아니아>아시아>아프리카 순으로 높게 나타남

• 19세기 중반까지는 유럽이나 앵글로아메리카의 선진국에서 도시화가 주로 진행되었으나, 최근에는 아시아, 라틴 아메리카 등의 개발 도상국에서 도시화가 빠르게 진행되고 있음

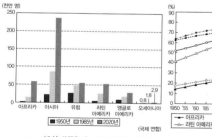

▲ 지역(대륙)별 도시 인구 변화

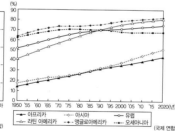

▲ 지역(대륙)별 도시화율 변화

③ 선진국과 개발 도상국의 도시화

선진국	• 산업 혁명 이후 점진적으로 진행됨 • 현재 종착 단계에 도달하여 도시화율 증가가 둔화되었고, 교외화 현상이 활발하게 나타남
개발 도상국	• 제2차 세계 대전 이후 산업화와 함께 급속하게 도시화가 진행됨 • 현재 가속화 단계를 지나고 있는 경우가 많음 • 급속한 도시화로 주택 및 기반 시설 부족, 환경 오염 등의 도시 문제 발생

② 세계 도시의 형성과 특징

(1) 세계 도시의 형성

① 세계 도시: 세계에 경제적·문화적·정치적 영향력을 행사하는 중심지로 세계의 경제 활동을 조절 및 통제함, 세계적 교통·통신망의 결절이며 세계의 자본이 집적되고 축적됨

② 등장 배경: 교통수단 및 정보 통신의 발달에 따른 경제 활동의 세계화, 경제 개방 및 국가 간 자유 무역 확대, 다국적 기업의 활발한 활동과 자본 및 금융의 국제화

③ 선정 기준: 각 도시의 경제·정치·문화·기반 시설 등의 주요 지표를 활용하여 선정됨, 선정하는 기관이나 단체에 따라 선정 기준이 다르며 이에 따라 세계 도시 순위도 달라질 수 있음

④ 주요 활용 지표

구분	주요 활용 지표
경제적 측면	다국적 기업의 본사 수, 금융 기관 수, 법률 회사 수 등
정치적 측면	국제회의 개최 수, 국제기구의 본부 수 등
문화적 측면	세계적으로 유명한 문화·예술 기관, 영향력 있는 대중 매체, 스포츠 경기 및 시설, 교육 기관 등
도시 기반 시설 측면	국제공항, 각종 편의 시설, 첨단 정보·통신 시스템의 구비 정도 등

(2) 세계 도시의 특징과 역할

① 특징: 다국적 기업의 본사 및 관련 업무 기능의 집중, 생산자 서비스업의 발달, 최신 정보·통신 네트워크와 교통 체계의 발달

② 역할: 전 세계 정치·경제 활동의 조절 및 통제 → 주요 국제기구 본부(뉴욕의 국제 연합(UN) 등) 입지, 국제회의 개최

③ 문제점

도시 내 양극화	고소득층과 저소득층의 소득 격차 및 거주지 분리 현상으로 인한 갈등
도시 간 양극화	국가 내 다른 도시와의 격차, 선진국과 개발 도상국의 세계 도시 간 격차로 인한 불균형 심화

③ 세계 도시 체계와 도시 간 상호 작용

(1) 세계 도시 체계: 도시 규모와 기능 및 영향력에 따라 형성된 세계 도시 간 계층성

(2) 세계 도시의 계층

① 일반적으로 최상위 세계 도시, 상위 세계 도시, 하위 세계 도시로 구분함

구분	사례
최상위 세계 도시	뉴욕, 런던, 도쿄
상위 세계 도시	파리, 로스앤젤레스, 브뤼셀 등
하위 세계 도시	토론토, 시드니, 서울 등

② 특징: 최상위 세계 도시로 갈수록 도시 기능이 많아지고, 영향력이 커지며, 도시 수는 적어지고, 도시 간 평균 거리는 멀어짐

(하크 세계 지도, 2015 / 현대 인문 지리학, 2012)

▲ 세계 도시 체계

01

▶ 24062-0065

그래프는 다섯 지역(대륙)의 도시화율과 도시 인구 변화를 나타낸 것이다. (가)~(마) 지역(대륙)에 대한 설명으로 옳은 것은? (단, (가)~(마)는 각각 라틴 아메리카, 아시아, 아프리카, 앵글로아메리카, 유럽 중 하나임.)

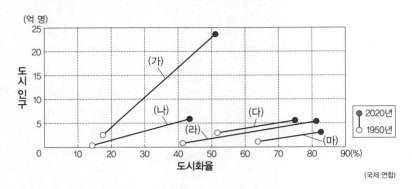

① (가)는 (마)보다 국가의 수가 적다.
② (나)는 (다)보다 평균 임금 수준이 높다.
③ 2015~2020년에 (마)로 이주한 인구는 (다)보다 (라)가 많다.
④ (나), (라)에는 모두 최상위 계층의 세계 도시가 있다.
⑤ (가)~(마) 중 1950년 촌락 인구는 (나)가 가장 많다.

02

▶ 24062-0066

그래프는 지도에 표시된 네 국가의 주요 특성을 나타낸 것이다. (가)~(라) 국가에 대한 설명으로 옳은 것은? (단, A, B는 각각 도시 인구, 촌락 인구 중 하나임.)

〈2·3차 산업 생산액 비율과 도시 및 촌락 인구〉

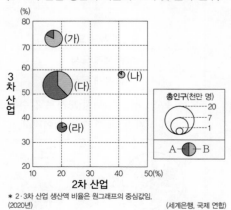

* 2·3차 산업 생산액 비율은 원그래프의 중심값임.
(2020년)
(세계은행, 국제 연합)

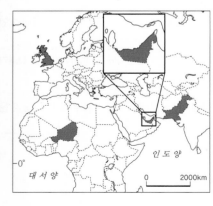

① (가)는 사헬 지대에 위치한다.
② (가)는 (나)보다 2차 산업 내 광업 비율이 높다.
③ (나)는 (다)보다 청장년층 인구의 성비가 높다.
④ (다)는 (라)보다 도시화율이 낮다.
⑤ (라)는 (가)보다 인구 밀도가 높다.

03

▶ 24062-0067

그래프는 지도에 표시된 세 국가의 도시 및 촌락 인구 변화를 나타낸 것이다. (가)~(다) 국가에 대한 설명으로 옳은 것은? (단, A, B는 각각 도시 인구, 촌락 인구 중 하나임.)

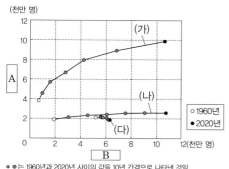

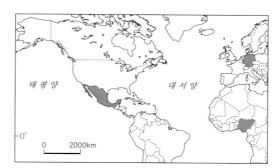

* ●는 1960년과 2020년 사이의 값을 10년 간격으로 나타낸 것임.

(국제 연합)

① (가)는 2020년에 도시 인구보다 촌락 인구가 적다.
② (나)는 사하라 이남 아프리카에 위치한다.
③ (가)는 (다)보다 2020년에 도시화율이 높다.
④ (나)는 (다)보다 도시화의 가속화 단계에 진입한 시기가 이르다.
⑤ (가)~(다) 중 1960년 대비 2020년의 총인구 증가율은 (나)가 가장 높다.

04

▶ 24062-0068

다음 자료의 (가)~(다) 국가를 표의 A~C에서 고른 것은? (단, (가)~(다)와 A~C는 각각 말리, 오스트레일리아, 프랑스 중 하나임.)

〈(가)~(다)의 국토 모양과 랜드마크〉

(가)	(나)	(다)

애버리지니라고 불리는 원주민이 있고, 대표적 랜드마크로 세계 문화유산에 등재된 오페라 하우스가 있음.	세계에서 많은 관광객이 찾는 국가로, 대표적 랜드마크로 1889년 (나) 혁명 100주년을 기념해 만들어진 에펠 탑이 있음.	사헬 지대에 위치한 국가로, 대표적 랜드마크로 세계 문화유산에 등재되어 있고 진흙 벽돌로 만들어진 젠네 모스크가 있음.

〈A~C의 도시 인구, 도시화율, 도시 및 촌락 인구 증가율〉

(단위: 천 명, %)

구분 국가	도시 인구 (2020년)	도시화율 (2020년)	도시 인구 증가율 (2015~2020년)	촌락 인구 증가율 (2015~2020년)
A	21,904	86.2	1.4	0.5
B	53,218	81.0	0.7	−1.0
C	8,907	43.9	4.9	1.6

(국제 연합)

	(가)	(나)	(다)		(가)	(나)	(다)		(가)	(나)	(다)
①	A	B	C	②	A	C	B	③	B	A	C
④	B	C	A	⑤	C	B	A				

05

▶ 24062-0069

다음 자료의 (가)~(라) 도시에 대한 설명으로 옳은 것은?

〈주요 분야별 세계 도시 순위〉

순위＼분야	경제	연구·개발	문화·교류	거주 환경	생태 환경	교통 접근성
1위	뉴욕	뉴욕	(가)	파리	(다)	(라)
2위	(가)	(가)	뉴욕	바르셀로나	코펜하겐	암스테르담
3위	취리히	(나)	파리	브뤼셀	헬싱키	파리
4위	베이징	도쿄	두바이	마드리드	시드니	뉴욕
5위	도쿄	보스턴	도쿄	밀라노	빈	프랑크푸르트

(2022년) (모리재단)

〈(가)~(라)와 관련된 단어 구름(Word Cloud)〉

(가)	(나)	(다)	(라)

* 단어 구름(Word cloud)은 지역(도시)과 관련된 핵심적인 단어들을 시각화해서 나타낸 것임.

① (가)는 태평양 연안에 위치한다.
② (다)는 앵글로아메리카에 위치한다.
③ (나)는 (가)보다 도시 발달의 역사가 길다.
④ (다)는 (라)보다 연평균 기온이 낮다.
⑤ (라)는 (가)보다 세계 도시 체계에서 상위 계층에 해당한다.

06

▶ 24062-0070

다음 자료에 대한 설명으로 옳은 것은? (단, (가)~(라)는 각각 그림의 A~D 중 하나임.)

도시	여행 정보
(가)	• 뮤지컬의 심장인 브로드웨이, 자유의 여신상 등을 탐방할 수 있음. • 9·11 추모 공원의 그라운드 제로에서 역사 교육 여행에 참여할 수 있음.
(나)	• 세계 7대 불가사의 중 하나인 코르코바두 예수상을 관람할 수 있음. • 300년 이상의 역사를 가진 삼바 축제에 참여할 수 있음.
(다)	• 힌두교의 대표적인 축제 중 하나인 디왈리 축제에 참여할 수 있음. • 수많은 영화가 제작되는 예술의 도시에서 발리우드 영화의 제작 과정을 체험할 수 있음.
(라)	• 랜드마크인 (라)타워에서 도시를 조망하고, 전통 마을인 에도 마을을 방문할 수 있음. • 유명 애니메이션의 공간적 배경을 만나고, 도심 속 공원인 신주쿠 교엔 등을 여행할 수 있음.

〈A~D의 수리적 위치와 총인구〉

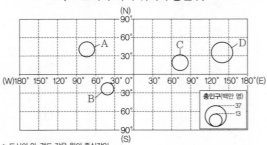

* 도시의 위·경도 값은 원의 중심값임.
(2020년) (국제 연합)

① (가)는 중·남부 아메리카에 위치한다.
② (나)에는 국제 연합(UN) 본부가 있다.
③ (다)는 (가)보다 생산자 서비스업 종사자 비율이 높다.
④ (라)는 (나)보다 세계 500대 다국적 기업의 본사 수가 많다.
⑤ (가)는 A, (나)는 C, (다)는 B, (라)는 D이다.

THEME 09 주요 식량 자원과 국제 이동

① 식량 자원의 의미와 특성

(1) **의미**: 식용이 가능하면서 인간이 생존하는 데 필요한 각종 영양소를 공급하는 것

(2) **종류**

곡물 자원	쌀, 밀, 옥수수 등
육류 자원	소고기, 양고기, 돼지고기 등
기타	각종 채소 및 과실, 임산물, 수산물 등 식용 가능한 모든 동·식물

(3) **생산**
① 곡물 자원 생산량은 옥수수가 쌀, 밀보다 많음
② 세계 가축 사육 두수는 소, 양, 돼지 중 소>양>돼지 순으로 많으며, 세계 육류 생산량은 돼지>소>양 순으로 많음(2021년 기준)

(4) **이동**: 육류의 세계 수출량은 소, 양, 돼지 중 돼지>소>양 순으로 많음(2021년 기준)

주요 곡물 수출국	국토 면적이 넓고 인구 대비 경지 면적이 넓은 국가 예 미국, 아르헨티나 등
주요 곡물 수입국	인구가 많고 인구 대비 경지 면적이 좁은 국가 예 일본, 멕시코 등

② 주요 곡물 자원의 생산과 이동

(1) **쌀**

기원지	아시아의 열대 및 아열대 지역
재배 조건	• 기후적으로 성장기에는 고온 다습하고 수확기에는 건조한 곳 • 지형적으로 충적 평야가 유리함
주요 재배지	• 아시아의 계절풍 기후 지역(가족 노동력 중심의 자급적 영농 비율이 높음) • 미국 캘리포니아 일대 및 브라질 남부(기계화된 상업적 재배 활발)
특징	인구 부양력이 높음. 국제 이동량이 적은 편임

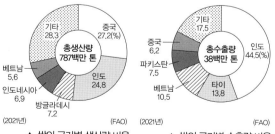

▲ 쌀의 국가별 생산량 비율   ▲ 쌀의 국가별 수출량 비율

(2) **밀**

기원지	서남아시아의 건조한 기후 지역
재배 조건	• 내한성 및 내건성이 높아 기후 적응력이 큼 • 냉대 기후 지역에서 건조 기후 지역까지 재배 범위가 넓음
주요 재배지	중국 화북 지방, 인도 펀자브 지방, 미국, 캐나다, 오스트레일리아 등
특징	• 국제 이동량이 많고 옥수수, 쌀보다 단위 면적당 생산량이 적음 • 신대륙에서 구대륙으로의 이동량이 많음

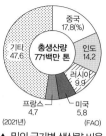

▲ 밀의 국가별 생산량 비율   ▲ 밀의 국가별 수출량 비율

(3) **옥수수**

기원지	아메리카
재배 조건	기후 적응력이 커서 다양한 기후 지역에서 재배함
주요 재배지	미국의 오대호 연안과 중서부 지역, 중국의 북부 지역, 브라질, 아르헨티나 등
특징	• 육류 소비가 늘면서 가축의 사료로 많이 이용됨 • 최근 바이오에탄올의 원료로 이용되면서 수요가 증가함

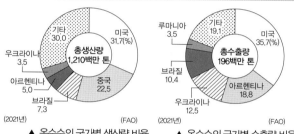

▲ 옥수수의 국가별 생산량 비율   ▲ 옥수수의 국가별 수출량 비율

③ 주요 가축의 생산과 이동

(1) **목축업의 발달**
① 인구 증가, 소득 수준 향상, 식생활 변화 등으로 축산물 소비량 증가
② 축산물의 국제 이동량이 증가함

(2) **주요 가축의 특징**

소	• 농경 사회에서 노동력을 대신하는 동물로 일찍부터 가축화되었고, 오늘날에도 일부 지역에서 농경에 이용됨 • 육류뿐만 아니라 우유, 치즈, 버터 등의 유제품을 제공함 • 아메리카, 오스트레일리아 등지에서는 대규모 목장에서 방목의 형태로 사육됨
양	• 주로 고기·젖을 얻기 위해 사육해 왔으며, 양털의 수요가 증가하면서 공업 원료로서의 가치도 높아짐 • 아시아·아프리카 등지에서는 주로 유목, 오세아니아·아메리카 등지에서는 주로 방목의 형태로 사육됨
돼지	• 유목에 적합하지 않아 주로 정착 생활을 하는 지역에서 사육됨 • 돼지고기를 금기시하는 이슬람교 신자 비율이 높은 서남아시아와 북부 아프리카에서는 거의 사육되지 않음

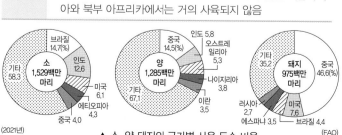

▲ 소, 양 돼지의 국가별 사육 두수 비율

▲ 주요 곡물 자원의 세계 재배 면적 변화

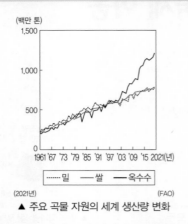

▲ 주요 곡물 자원의 세계 생산량 변화

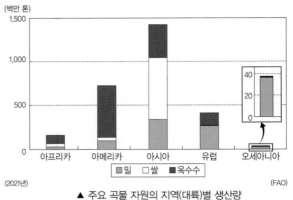

▲ 주요 곡물 자원의 지역(대륙)별 생산량

- 주요 곡물 자원의 재배 면적과 생산량은 늘어나는 추세이다. 2021년 기준 주요 곡물 자원의 재배 면적은 밀>옥수수>쌀 순으로 넓으며, 총생산량은 옥수수가 가장 많고 쌀과 밀은 비슷하다. 옥수수의 경우 육류 소비가 늘면서 가축의 사료로 많이 사용되고 있으며, 바이오에탄올의 원료로 이용되면서 재배 및 생산량이 증가하였다.
- 아프리카와 아메리카의 경우 옥수수 생산량이 지역(대륙) 내 쌀과 밀의 생산량에 비해 많은 것으로 나타난다. 특히 미국, 브라질, 아르헨티나 등이 속해 있는 아메리카는 옥수수 생산량이 세계에서 가장 많은 지역(대륙)이다.
- 아시아의 경우 세 작물 모두 생산량이 많으며, 그중 쌀의 생산량이 가장 많다. 아시아는 세계 쌀 생산량의 대부분을 차지한다.
- 유럽과 오세아니아는 밀 생산량이 지역(대륙) 내 쌀, 옥수수 생산량에 비해 많은 것으로 나타난다. 러시아가 속해 있는 유럽은 밀 생산량이 아시아에 이어 두 번째로 많다. 오세아니아는 주요 곡물 자원 생산의 대부분이 밀이다.

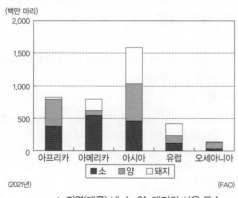

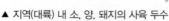

▲ 지역(대륙) 내 소, 양, 돼지의 사육 두수

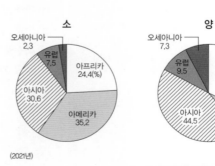

▲ 소, 양, 돼지의 지역(대륙)별 사육 두수 비율

- 2021년 기준 주요 가축의 세계 사육 두수는 소>양>돼지 순으로 많다.
- 아메리카는 지역(대륙) 내 소의 사육 두수가 다른 가축에 비해 많고, 유럽은 돼지의 사육 두수가 상대적으로 많은 편이다. 아프리카와 오세아니아는 소와 양의 사육 두수가 많다. 특히 오스트레일리아와 뉴질랜드가 속한 오세아니아는 지역(대륙) 내 양의 사육 두수가 다른 가축에 비해 많다.
- 소의 사육 두수 비율은 아메리카>아시아>아프리카>유럽>오세아니아 순으로 높다. 소는 전통 농경 사회에서 노동력을 대신하는 동물로 일찍부터 가축화되었다.
- 양의 사육 두수 비율은 아시아>아프리카>유럽>오세아니아>아메리카 순으로 높다. 양은 처음에는 고기와 젖을 얻기 위해 사육하였으나, 양털을 모직 공업의 원료로 이용하게 되면서 양털을 얻기 위한 양 사육이 증가하였다.
- 돼지의 사육 두수 비율은 아시아>유럽>아메리카>아프리카>오세아니아 순으로 높다. 아프리카의 경우 건조 기후 지역이 넓고 북부 아프리카에서 이슬람교의 영향으로 돼지고기를 금기시하므로, 소나 양에 비해 돼지의 사육 두수가 매우 적은 편이다.

01

▶ 24062-0071

다음 글의 (가), (나) 식량 작물에 대한 설명으로 옳은 것만을 〈보기〉에서 고른 것은? (단, 식량 작물은 밀, 쌀, 옥수수만 고려함.)

〈개발 도상국의 식량 문제 해결을 돕는 우리나라의 농업 기술〉

- 서아프리카에 위치한 세네갈의 주식 작물은 고온 다습한 환경에서 주로 재배되는 ⟨ (가) ⟩이다. 그러나 최근 몇 년 전까지만 해도 세네갈은 식량 자급률이 낮아 50% 이상을 수입에 의존하며 심각한 식량 부족을 겪었다. 이에 우리나라의 농업 연구 기관에서는 세네갈의 기후와 토양에 적합한 품종을 개발하여 보급하였고, 해당 품종은 많은 수확량을 보이면서 세네갈뿐 아니라 주변국에서도 관심을 받고 있다.
- 동남아시아에 위치한 캄보디아에서는 최근 소, 닭 등 가축의 집단 사육 면적이 매년 증가하고 있다. 가축의 사료 수요가 증가하면서 캄보디아는 사료용으로 가장 많이 소비되는 작물인 ⟨ (나) ⟩을/를 충분히 공급하는 데 한계에 직면해 미국 등에서 사료용 종자를 수입해왔다. 이에 우리나라는 메콩강 침수 피해에도 잘 견디면서 다른 수입 종자보다 빠른 성숙 시기를 가져 농민의 노동력 분산에도 도움이 되는 등 캄보디아의 상황에 적합한 품종을 개발하여 보급하였고, 생산량 증대를 이끌어 내며 주목을 받았다.

┌ 보기 ┐
ㄱ. (가)의 세계 최대 수출국은 미국이다.
ㄴ. (나)는 아시아의 계절풍 기후 지역에서 주로 재배된다.
ㄷ. (가)는 (나)보다 세계 총생산량이 적다.
ㄹ. (나)는 (가)보다 바이오에탄올의 원료로 많이 이용된다.

① ㄱ, ㄴ   ② ㄱ, ㄷ   ③ ㄴ, ㄷ   ④ ㄴ, ㄹ   ⑤ ㄷ, ㄹ

02

▶ 24062-0072

다음 자료의 (가)~(다) 작물에 대한 설명으로 옳은 것은? (단, (가)~(다)는 각각 밀, 쌀, 옥수수 중 하나임.)

- 크레이프는 프랑스 브르타뉴 지방에서 기원한 전통 음식으로, 비교적 기온이 낮거나 척박한 땅에서도 잘 재배되는 작물인 ⟨ (가) ⟩의 가루에 달걀, 우유 등을 섞은 반죽을 얇게 구워 만든 것이다. 여기에 고기, 치즈, 햄 등을 넣어 식사로 먹기도 하며, 단맛을 내어 디저트로 먹기도 한다.

- 토르티야는 멕시코 원주민의 주식 작물인 ⟨ (나) ⟩의 가루로 만든 얇은 빵이다. 여기에 고기, 해물, 채소 등을 얹고 살사 소스를 뿌려 싸 먹는 음식인 타코는 멕시코의 대표적인 전통 음식 중 하나이다. 멕시코 북부와 접해 있는 미국 텍사스에서는 토르티야를 기름에 튀겨 딱딱하고 휘어진 형태로 먹기도 한다.

- 라이스페이퍼는 베트남 남부의 고온 다습한 메콩강 지역에서 풍부하게 생산되는 ⟨ (다) ⟩의 소비를 위해 고안된 음식이다. 얇은 반죽을 넓게 펼쳐 말린 라이스페이퍼에 채 썬 각종 채소와 고기를 얹고 피시소스를 곁들여 만든 월남쌈은 베트남의 대표적인 음식 중 하나이다.

---

① (가)의 기원지는 아메리카이다.
② (다)의 생산량은 아메리카가 아시아보다 많다.
③ (가)는 (나)보다 가축의 사료로 이용되는 비율이 높다.
④ (나)는 (다)보다 세계 생산량 대비 수출량 비율이 낮다.
⑤ (다)는 (가)보다 단위 면적당 생산량이 많다.

03

▶ 24062-0073

그래프에 대한 설명으로 옳은 것은? (단, (가)~(다)는 각각 밀, 쌀, 옥수수 중 하나이며, A, B는 각각 아메리카, 유럽 중 하나임.)

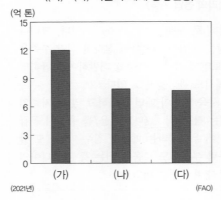

⟨(가)~(다) 작물의 세계 총생산량⟩

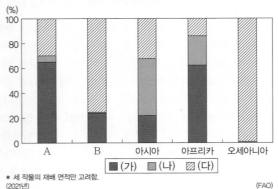

⟨(가)~(다) 작물의 지역(대륙)별 재배 면적 비율⟩

① (가)의 세계 최대 수출국은 아시아에 위치한다.
② (나)는 (다)보다 세계 재배 면적이 넓다.
③ (다)는 (나)보다 내건성과 내한성이 우수하다.
④ B는 A보다 옥수수의 생산 비율이 높다.
⑤ A는 유럽, B는 아메리카이다.

04

▶ 24062-0074

그래프는 (가)~(다) 작물의 생산 비율 상위 7개국을 나타낸 것이다. 이에 대한 설명으로 옳은 것만을 ⟨보기⟩에서 고른 것은? (단, (가)~(다)는 각각 밀, 쌀, 옥수수 중 하나이며, A, B는 각각 미국, 중국 중 하나임.)

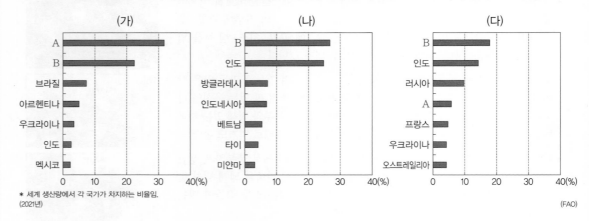

| 보기 |

ㄱ. (가)의 기원지는 서남아시아의 건조 기후 지역이다.
ㄴ. (나)는 성장기에 고온 다습하고 수확기에 건조한 기후가 재배에 유리하다.
ㄷ. B는 2021년 (다)의 세계 최대 수출국이다.
ㄹ. A는 아메리카, B는 아시아에 위치한다.

① ㄱ, ㄴ   ② ㄱ, ㄷ   ③ ㄴ, ㄷ   ④ ㄴ, ㄹ   ⑤ ㄷ, ㄹ

05

▶ 24062-0075

다음 자료는 세 지역(대륙)의 작물 수출량 및 수입량을 나타낸 것이다. 이에 대한 설명으로 옳은 것은? (단, (가)~(다)는 각각 밀, 쌀, 옥수수 중 하나이며, A, B는 각각 아메리카, 아시아 중 하나임.)

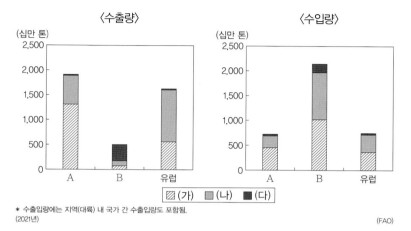

* 수출입량에는 지역(대륙) 내 국가 간 수출입량도 포함됨.
(2021년)　　　　　　　　　　　　　　　　　　　　　　　　　　(FAO)

① 유럽은 밀보다 옥수수의 수출량이 많다.
② (가)는 육류 소비가 증가하면서 가축 사료로서의 수요가 증가하고 있다.
③ (나)는 (다)보다 생산지에서 소비되는 비율이 높다.
④ 아시아는 유럽보다 (가)~(다)의 총수출량이 많다.
⑤ A는 아시아, B는 아메리카이다.

06

▶ 24062-0076

그래프의 (가)~(다) 작물을 A~C에서 고른 것은? (단, (가)~(다)와 A~C는 각각 밀, 쌀, 옥수수 중 하나임.)

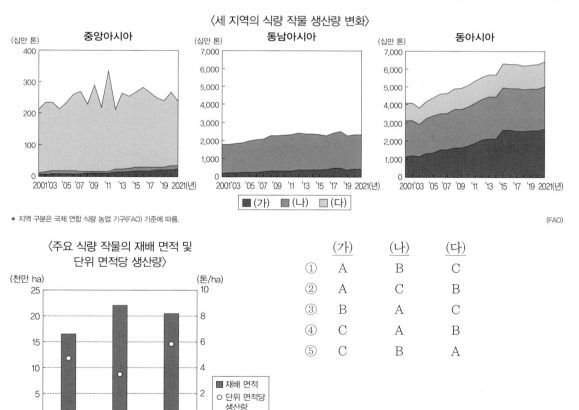

* 지역 구분은 국제 연합 식량 농업 기구(FAO) 기준에 따름.

	(가)	(나)	(다)
①	A	B	C
②	A	C	B
③	B	A	C
④	C	A	B
⑤	C	B	A

07

▶ 24062-0077

다음 글의 (가)~(다) 가축에 대한 설명으로 옳은 것만을 〈보기〉에서 고른 것은? (단, (가)~(다)는 각각 돼지, 소, 양 중 하나임.)

세계적인 기업인 S 샌드위치 전문점은 샌드위치의 재료인 빵과 채소, 고기 등을 소비자가 직접 선택하여 만들어 먹을 수 있도록 하는 독특한 시스템을 가지고 있다. 이 기업은 세계 각국으로 진출하면서 각 지역의 음식 문화를 고려한 메뉴를 선보이고 있다. 특히 주재료인 고기의 경우 특정 육류를 해당 국가에서 선호하거나 금기시하는 문화가 메뉴에 반영되어 있다. 독특한 사육 환경에서 자라 고급 육류로 취급되는 <u>(가)</u> 이/가 유명한 에스파냐의 경우 베이컨, 풀드포크, 하몬 등 <u>(가)</u> 고기로 만들어진 다양한 재료를 선보이고 있다. 인도의 경우 <u>(나)</u> 을/를 신성하게 여기는 힌두교의 영향 때문에 <u>(나)</u> 고기로 만든 스테이크 샌드위치 메뉴가 없으며, 닭고기 또는 인도의 전통 음식을 활용한 속 재료의 샌드위치를 판매하고 있다. 사우디아라비아의 경우 종교적 이유로 <u>(가)</u> 고기를 활용한 메뉴는 없지만, 이 지역의 건조한 기후에서 많이 사육되고 있는 <u>(다)</u> 고기를 활용한 메뉴가 많이 제공되고 있다.

┌─ 보기 ─
ㄱ. (가)의 젖은 주로 치즈, 버터 등의 유제품 원료로 활용된다.
ㄴ. (다)의 털은 모직 공업의 주원료로 이용된다.
ㄷ. (나)는 (다)보다 세계 총 사육 두수가 적다.
ㄹ. (다)는 (가)보다 건조 기후에 대한 적응력이 높은 편이다.

① ㄱ, ㄴ   ② ㄱ, ㄷ   ③ ㄴ, ㄷ   ④ ㄴ, ㄹ   ⑤ ㄷ, ㄹ

08

▶ 24062-0078

그래프의 (가)~(다) 가축을 A~C에서 고른 것은? (단, (가)~(다)와 A~C는 각각 돼지, 소, 양 중 하나임.)

〈(가)~(다)고기의 국가별 수출 비율〉

* 소, 돼지는 정육만 고려함.
(2021년)   (FAO)

〈지역(대륙)별 가축 사육 두수〉

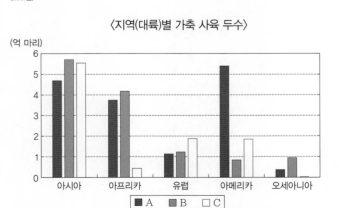

(2021년)   (FAO)

	(가)	(나)	(다)
①	A	B	C
②	A	C	B
③	B	A	C
④	B	C	A
⑤	C	A	B

09

▶ 24062-0079

그래프는 세 국가의 가축 사육 두수 비율을 나타낸 것이다. A~C 가축에 대한 설명으로 옳은 것은? (단, A~C는 각각 돼지, 소, 양 중 하나임.)

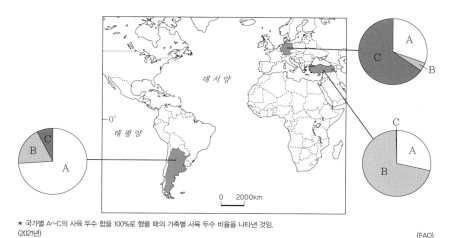

* 국가별 A~C의 사육 두수 합을 100%로 했을 때의 가축별 사육 두수 비율을 나타낸 것임.
(2021년) (FAO)

① A고기는 이슬람교 신자들이 종교적 이유로 금기시한다.
② B는 오스트레일리아에서 주로 방목의 형태로 사육된다.
③ C는 전통 농경 사회에서 노동력 대체 효과가 높다.
④ B고기는 A고기보다 세계 육류 소비량에서 차지하는 비율이 높다.
⑤ C는 B보다 건조 기후 지역에서 사육하기에 유리하다.

10

▶ 24062-0080

그래프는 아시아 내 지역별 (가)~(다) 가축의 사육 두수를 나타낸 것이다. 이에 대한 설명으로 옳은 것만을 〈보기〉에서 고른 것은? (단, (가)~(다)는 각각 돼지, 소, 양 중 하나임.)

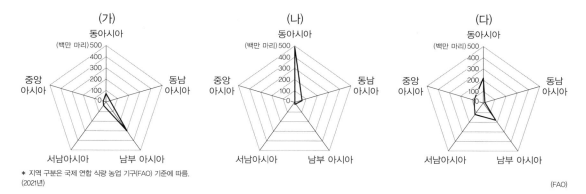

* 지역 구분은 국제 연합 식량 농업 기구(FAO) 기준에 따름.
(2021년) (FAO)

┌─ 보기 ┌
ㄱ. (가)는 아메리카의 경우 초원 지대에서 주로 기업적 방목 형태로 사육된다.
ㄴ. (나)고기는 이슬람교 신자들이 종교적 이유로 금기시한다.
ㄷ. (다)의 사육 두수가 가장 많은 국가는 브라질이다.
ㄹ. (나)는 (다)보다 유목 생활에 적합한 가축이다.

① ㄱ, ㄴ   ② ㄱ, ㄷ   ③ ㄴ, ㄷ   ④ ㄴ, ㄹ   ⑤ ㄷ, ㄹ

주요 에너지 자원과 국제 이동

① 세계 주요 에너지 자원의 소비

(1) 특징: 세계 1차 에너지 자원 소비량은 지속적으로 증가하고 있음, 석유의 소비 비율은 감소하고 있으나 신·재생 에너지의 소비 비율은 증가 추세임

(2) 세계 1차 에너지 자원별 소비량: 석유 > 석탄 > 천연가스 > 신·재생 에너지 > 수력 > 원자력 순으로 많음(2022년 기준)

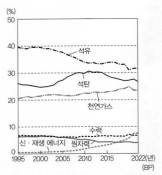

▲ 세계 1차 에너지원별 소비 비율 변화

② 주요 에너지 자원의 특징과 분포

(1) 석탄

① 특징
- 주로 산업용(제철 공업용, 발전용)으로 이용됨
- 산업 혁명기에 증기 기관의 연료로 대량 이용되기 시작함
- 주로 고기 조산대 주변에 매장되어 있으며, 편재성이 다른 화석 에너지에 비해 작은 편임
- 주요 생산국과 소비국이 대체로 일치하여 생산량 대비 국제 이동량이 적은 편임

② 국가별 생산량·순 수출량 비율 및 용도별 소비 비율

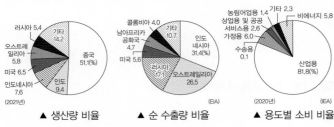

▲ 생산량 비율　　▲ 순 수출량 비율　　▲ 용도별 소비 비율

(2) 석유

① 특징
- 주로 수송용, 산업용(석유 화학 공업의 원료)으로 이용됨
- 세계 1차 에너지 소비 구조에서 차지하는 비율이 가장 높음
- 내연 기관 발명과 자동차 보급 확산으로 수요가 급증함
- 편재성이 크고, 국제 이동량이 많음

② 국가별 생산량·순 수출량 비율 및 용도별 소비 비율

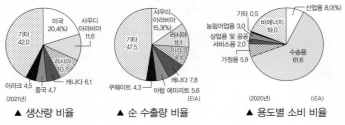

▲ 생산량 비율　　▲ 순 수출량 비율　　▲ 용도별 소비 비율

(3) 천연가스

① 특징
- 주로 산업용, 가정용으로 이용됨
- 냉동 액화 기술의 발달로 수요가 급증함
- 연소 시 대기 오염 물질 배출량과 이산화 탄소 배출량이 다른 화석 에너지에 비해 적음

② 국가별 생산량·순 수출량 비율 및 용도별 소비 비율

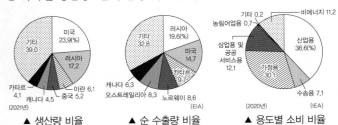

▲ 생산량 비율　　▲ 순 수출량 비율　　▲ 용도별 소비 비율

(4) 원자력

① 특징
- 적은 양의 에너지원으로 많은 양의 전력을 생산할 수 있고, 화력 발전에 비해 대기 오염 물질 및 이산화 탄소 배출량이 적음
- 방사능 누출의 위험성과 방사성 폐기물 처리 문제가 있음
- 발전소는 지반이 안정되고 냉각수가 풍부한 지역이 입지에 유리함

② 국가별 비율

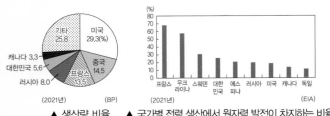

▲ 생산량 비율　　▲ 국가별 전력 생산에서 원자력 발전이 차지하는 비율

③ 신·재생 에너지의 개발과 이용

(1) 특징: 대기 오염 물질의 배출량이 적고 대부분 재생이 가능하여 고갈 가능성이 낮음, 최근 투자가 증가하고 기술이 발달하면서 생산량이 증가함

(2) 주요 신·재생 에너지의 분포 특징

수력	큰 강이 흘러 유량이 풍부하거나 높은 산지가 있어 낙차 확보에 유리한 지역, 빙하 녹은 물이 흘러 내리는 지역
풍력	일정하면서도 강한 바람이 지속적으로 부는 지역
태양광·태양열	일사량이 많은 지역
지열	판의 경계부와 같이 지열이 풍부한 지역

(3) 신·재생 에너지의 국가별 이용

▲ 수력, 풍력, 태양광·태양열의 국가별 발전량 비율

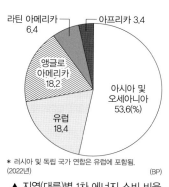

▲ 지역(대륙)별 1차 에너지 소비 비율

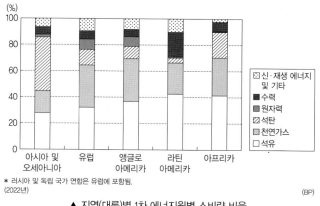

▲ 지역(대륙)별 1차 에너지원별 소비량 비율

* 러시아 및 독립 국가 연합은 유럽에 포함됨.
(2022년) (BP)

- 지역(대륙)별 1차 에너지 소비량은 2022년 기준 아시아 및 오세아니아>유럽>앵글로아메리카>라틴 아메리카>아프리카 순으로 많다. 인구가 많은 아시아 및 오세아니아의 1차 에너지 소비량 비율은 약 53.6%로 전 세계 에너지 소비량의 절반 이상을 차지하고 있으며, 경제 발전 수준이 높은 유럽과 앵글로아메리카에서도 1차 에너지 소비량 비율이 높게 나타난다. 반면, 경제 발전 수준이 낮은 라틴 아메리카와 아프리카의 1차 에너지 소비량 비율은 낮게 나타난다.
- 지역(대륙)별 1차 에너지원별 소비량 비율을 보면 아시아 및 오세아니아를 제외한 모든 지역(대륙)에서 석유의 소비량 비율이 가장 높다. 중국, 인도 등이 속한 아시아 및 오세아니아는 석탄의 소비량 비율이 가장 높게 나타난다. 러시아와 독일이 속한 유럽은 천연가스의 소비량 비율이 높게 나타나며, 브라질이 속한 라틴 아메리카는 다른 지역(대륙)에 비해 상대적으로 수력의 소비량 비율이 높게 나타난다.

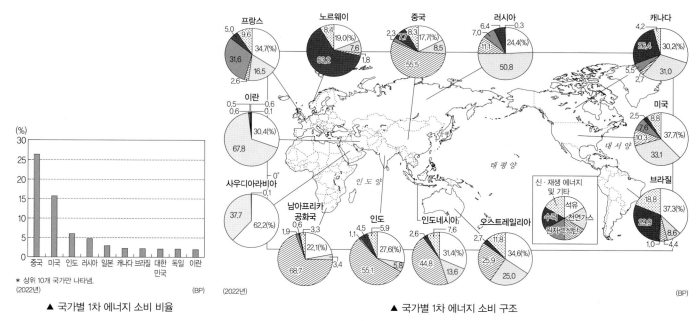

▲ 국가별 1차 에너지 소비 비율

▲ 국가별 1차 에너지 소비 구조

- 산업 규모가 크거나 인구가 많은 중국, 미국, 인도, 러시아 등은 1차 에너지 소비량이 많은 편이다. 1차 에너지 소비량 상위 10개국은 전 세계 1차 에너지 소비량의 약 66.8%를 차지하고 있다.
- 국가별로 1차 에너지 소비 구조에 차이가 나타난다. 석유는 대부분의 국가에서 일정 비율 이상을 차지하고 있으며, 석유 생산량이 많은 미국, 사우디아라비아 등은 석유의 소비량 비율이 높은 편이다. 석탄 소비 비율이 높은 국가는 석탄 생산량이 많은 중국, 인도, 오스트레일리아, 남아프리카 공화국, 인도네시아 등이 있다. 천연가스 소비 비율이 높은 국가는 천연가스 생산량이 많은 러시아, 미국, 이란 등이 있다. 또한 수력의 비율이 높은 국가는 수력 발전에 유리한 기후와 지형을 가지고 있는 노르웨이, 캐나다, 브라질 등이 있다. 한편, 프랑스는 주요 국가 중 원자력의 소비 비율이 높은 특징을 보인다.

01

▶ 24062-0081

그래프에 대한 설명으로 옳은 것은? (단, (가)~(다)는 각각 러시아, 미국, 인도 중 하나이고, A~C는 각각 석유, 석탄, 천연가스 중 하나임.)

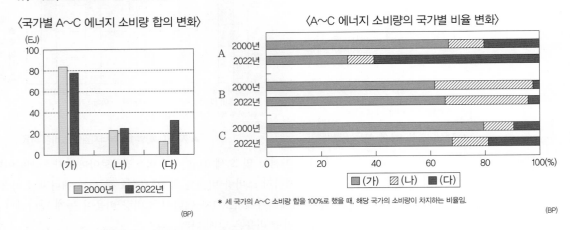

〈국가별 A~C 에너지 소비량 합의 변화〉

〈A~C 에너지 소비량의 국가별 비율 변화〉

* 세 국가의 A~C 소비량 합을 100%로 했을 때, 해당 국가의 소비량이 차지하는 비율임.

(BP)

① (가)의 국가 내 석탄 소비 비율은 2000년보다 2022년이 높다.
② (나)는 (다)보다 2022년 1인당 에너지 소비량이 많다.
③ (다)는 (나)보다 천연가스 소비량이 많다.
④ A는 B보다 연소 시 대기 오염 물질의 배출량이 적다.
⑤ B는 C보다 세계 1차 에너지 소비량에서 차지하는 비율이 높다.

02

▶ 24062-0082

지도는 두 화석 에너지 자원의 순 수출량 상위 10개국을 나타낸 것이다. (가), (나) 자원의 용도별 소비 비율을 그래프 A~C에서 고른 것은?

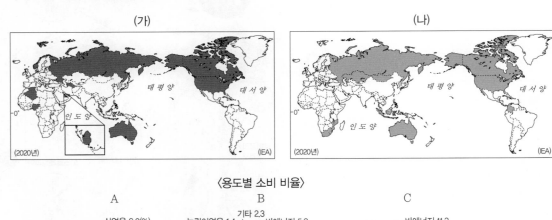

(가)

(나)

〈용도별 소비 비율〉

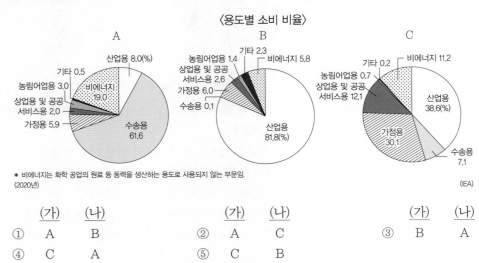

A

B

C

* 비에너지는 화학 공업의 원료 등 동력을 생산하는 용도로 사용되지 않는 부문임.
(2020년)

(IEA)

	(가)	(나)			(가)	(나)			(가)	(나)
①	A	B		②	A	C		③	B	A
④	C	A		⑤	C	B				

03

▶ 24062-0083

그래프에 대한 설명으로 옳은 것은? (단, (가)~(다)는 각각 아시아 · 오세아니아, 아프리카, 유럽 중 하나이고, A~C는 각각 석유, 석탄, 천연가스 중 하나임.)

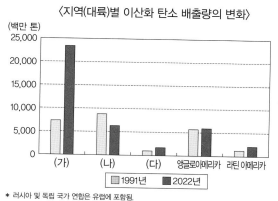

〈지역(대륙)별 이산화 탄소 배출량의 변화〉

* 러시아 및 독립 국가 연합은 유럽에 포함됨.
(BP)

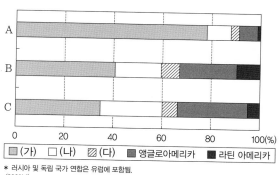

〈A~C 에너지 자원의 지역(대륙)별 생산량 비율〉

* 러시아 및 독립 국가 연합은 유럽에 포함됨.
(2022년)
(BP)

① (나)는 (가)보다 지역(대륙) 내 1차 에너지 총소비량에서 천연가스가 차지하는 비율이 높다.

② (다)는 (나)보다 1차 에너지 총소비량이 많다.

③ 아시아 · 오세아니아는 유럽보다 1991년 이산화 탄소 배출량이 많다.

④ A는 B보다 수송용으로 이용되는 비율이 높다.

⑤ C의 2022년 세계 최대 생산 국가는 (가)에 위치한다.

04

▶ 24062-0084

다음 자료의 (가)~(다) 자원에 대한 설명으로 옳은 것만을 〈보기〉에서 고른 것은? (단, (가)~(다)는 각각 석탄, 원자력, 천연가스 중 하나임.)

국내 전력 생산의 약 67%를 ⎡ (가) ⎤에 의존하고 있는 프랑스는 유럽 연합(EU)의 새로운 '그린 택소노미(Green Taxnomy)'에서 ⎡ (가) ⎤ 발전이 친환경 에너지로 분류돼야 한다고 주장하고 있다. 프랑스는 이 발전이 이산화 탄소 배출 없이도 전기를 다량 생산할 수 있어 유럽 연합의 온실가스 감축 계획을 실현하는 데 기여할 수 있다고 말하고 있다.

반면, 독일은 체르노빌이나 후쿠시마의 사례와 같이 사고 위험과 핵폐기물 문제 등을 거론하며 ⎡ (가) ⎤을/를 친환경 에너지로 분류해야 한다는 프랑스의 주장에 반대하고 있다. 독일은 러시아로부터 파이프라인으로 공급되던 ⎡ (나) ⎤이/가 러시아-우크라이나 전쟁으로 공급이 중단되어 에너지 위기를 겪었음에도 ⎡ (가) ⎤ 발전소의 가동을 일부 중단하였다. 하지만 에너지 부족 문제를 해결하기 위해 온실가스 배출량이 많은 ⎡ (다) ⎤ 화력 발전이 재개되었다. 독일은 단기적인 조치임을 강조하고 있지만, 탄소 중립을 실현하려는 유럽 연합의 정책에 역행하고 있다고 다른 국가들의 비판을 받고 있다.

┌ 보기 ┐
ㄱ. (가)는 냉동 액화 기술의 발달로 소비량이 급증하였다.
ㄴ. (다)의 세계 최대 생산국과 소비국은 모두 중국이다.
ㄷ. (가)는 (다)보다 상업적으로 이용된 시기가 늦다.
ㄹ. (다)는 (나)보다 발전 및 제철용으로 이용되는 비율이 낮다.

① ㄱ, ㄴ   ② ㄱ, ㄷ   ③ ㄴ, ㄷ   ④ ㄴ, ㄹ   ⑤ ㄷ, ㄹ

▶ 24062-0085

05

그래프는 지도에 표시된 세 국가의 1차 에너지원별 소비량을 나타낸 것이다. (가)~(라) 자원에 대한 설명으로 옳은 것은? (단, (가)~(라)는 각각 석유, 석탄, 수력, 천연가스 중 하나임.)

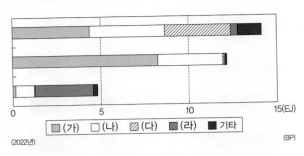

① (나)의 세계 최대 소비 국가는 중국이다.

② (가)는 (나)보다 수송용으로 이용되는 비율이 높다.

③ (나)는 (라)보다 국제 이동량이 많다.

④ (다)는 (라)보다 세계 발전량이 많다.

⑤ (가)~(라) 중 세계 1차 에너지 소비 구조에서 차지하는 비율이 가장 높은 것은 (라)이다.

▶ 24062-0086

06

다음 자료의 (가), (나) 에너지에 해당하는 것을 그래프 A~C에서 고른 것은? (단, A~C는 각각 수력, 태양광·태양열, 풍력 중 하나임.)

〈신·재생 에너지 잠재력이 풍부한 아프리카〉

아프리카는 다른 지역(대륙)에 비해 신·재생 에너지의 발전 비율은 아직 낮은 수준이지만, 신·재생 에너지 잠재력이 풍부하다. 아프리카는 국가별로 지형, 기후, 인프라 여건 등 에너지 개발 잠재 조건이 상이하기 때문에 지역에 맞는 신·재생 에너지 보급 정책을 펼칠 필요가 있다. 아래 지도는 아프리카 내 두 신·재생 에너지의 발전량 상위 5개국을 나타낸 것이다. [(가)] 발전의 경우 나일강, 콩고강 등 큰 하천이 흐르는 지역에서 발전량이 많으며, [(나)] 발전은 사하라 사막, 나미브 사막, 칼라하리 사막 등 일사량이 풍부한 지역에서 발전량이 많다.

《(가) 발전량 상위 5개국》　　《(나) 발전량 상위 5개국》

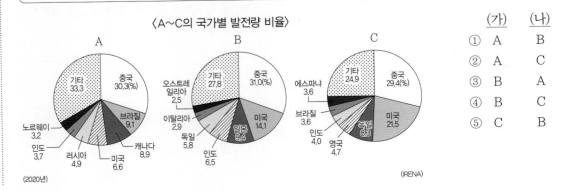

〈A~C의 국가별 발전량 비율〉

	(가)	(나)
①	A	B
②	A	C
③	B	A
④	B	C
⑤	C	B

07

▶ 24062-0087

다음 자료에 대한 설명으로 옳은 것은? (단, (가)~(다)는 각각 미국, 브라질, 중국 중 하나이며, A~C는 각각 석탄, 수력, 천연가스 중 하나임.)

〈국가별 발전량 비율〉

(단위: %)

수력		지열	
국가	비율	국가	비율
(가)	30.3	(나)	19.9
(다)	9.1	인도네시아	16.4
캐나다	8.9	필리핀	11.4
(나)	6.6	튀르키예(터키)	10.6
러시아	4.9	뉴질랜드	8.8

* 발전량 상위 5개국만 나타냄.
(2020년) (IRENA)

〈(가)~(다) 국가의 1차 에너지원별 발전량 비율〉

(단위: %)

국가 자원	(가)	(나)	(다)
A	3.2	40.8	8.6
B	63.3	19.7	3.3
C	17.0	6.6	63.8
원자력	4.7	19.4	2.2
석유	0.1	0.4	1.7
신·재생 에너지 및 기타	11.7	13.1	20.4

(2020년) (BP)

① 브라질은 중국보다 2020년 수력 발전량이 많다.
② (다)는 (나)보다 2020년 1차 에너지 소비량이 많다.
③ A는 B보다 발전 시 온실가스 배출량이 많다.
④ B는 C보다 세계 총발전량에서 차지하는 비율이 높다.
⑤ A와 C는 모두 화석 에너지에 해당한다.

08

▶ 24062-0088

그래프는 지도에 표시된 네 국가의 신·재생 에너지원별 발전 설비 용량 비율을 나타낸 것이다. A~D에 대한 설명으로 옳은 것은? (단, A~D는 각각 수력, 지열, 태양광·태양열, 풍력 중 하나임.)

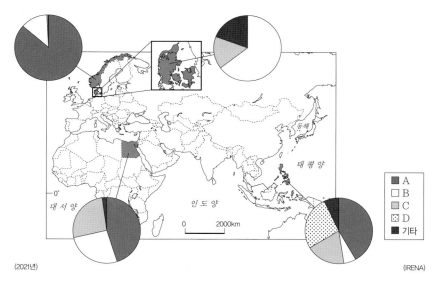

(2021년) (IRENA)

| ■ A |
| □ B |
| ▨ C |
| ⊡ D |
| ■ 기타 |

① A는 열대 기후 지역보다 건조 기후 지역이 개발 잠재력이 높다.
② B는 지각 내 축적된 열에너지가 풍부한 지역이 발전에 유리하다.
③ C는 연간 일사량이 많은 지역이 생산에 유리하다.
④ A는 C보다 상업적으로 발전이 시작된 시기가 늦다.
⑤ D는 A보다 세계 발전량에서 차지하는 비율이 높다.

THEME 11 몬순 아시아와 오세아니아 (1)

① 몬순 아시아의 자연환경

(1) 기후

① 주로 계절풍의 영향을 받음, 열대·건조·온대·냉대 기후 등이 나타남

② 계절별 풍향 및 기온·강수 특징

여름	• 풍향: 해양에서 대륙 내부로 붊(남풍 계열의 바람) • 특징: 기온이 높고 다습함
겨울	• 풍향: 대륙 내부에서 해양으로 붊(북풍 계열의 바람) • 특징: 기온이 낮고 건조함

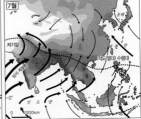

▲ 몬순 아시아의 시기별 풍향과 강수량

(2) 지형

동아시아	• 중국: 서쪽에 고원과 산지, 동쪽에 평야 분포 • 일본: 판의 충돌 경계 → 지진과 화산 활동 활발
동남아시아	• 알프스–히말라야 조산대의 산맥이 남북으로 분포 → 계절풍에 의한 지형성 강수 발생 • 메콩강 주변에 충적 평야 발달 → 벼농사 활발
남부 아시아	• 인도: 북부의 히말라야산맥, 갠지스강 주변의 충적 평야(힌두스탄 평원) 발달

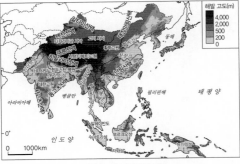

▲ 몬순 아시아의 지형

② 몬순 아시아의 농업적 토지 이용과 특징

(1) 농업적 토지 이용

쌀	• 생육 기간 동안 높은 기온과 많은 물 필요 • 주요 재배지: 계절풍의 영향을 받는 아시아의 충적 평야 지역
차	• 기온이 높고 강수량이 많으며, 배수가 양호한 지역 • 주요 재배지: 중국 창장강 이남, 인도 북동부, 스리랑카 등
커피	• 열대 및 아열대 기후 지역에서 플랜테이션 형태로 재배 • 주요 재배지: 베트남, 인도네시아 등
목화	• 무상 기간이 긴 온대 및 열대 기후 지역 • 주요 재배지: 중국 화중 지역, 인도 데칸고원 등

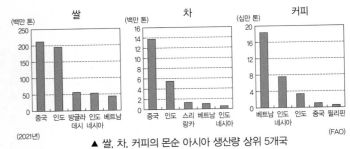

▲ 쌀, 차, 커피의 몬순 아시아 생산량 상위 5개국

(2) 지역별 농업 특징

동아시아	• 중국 남동부 지역: 벼의 2기작 가능 • 중국 북동부 지역: 밀, 옥수수 등 밭농사 • 내륙 지역: 유목, 관개 농업, 오아시스 농업
동남아시아	• 하천 주변의 충적 평야: 벼의 2기작 • 경사가 급한 산지: 계단식 논 조성 후 벼농사 • 플랜테이션 발달
남부 아시아	• 갠지스강 하류, 인도의 해안: 벼농사 • 데칸고원: 목화 재배

③ 몬순 아시아의 의식주 문화

(1) 전통 음식

동아시아	낟알의 길이가 짧고 찰기가 많은 쌀을 사용함 예 우리나라의 떡, 일본의 스시(초밥) 등
동남아시아	낟알의 길이가 길고 찰기가 적은 쌀과 향신료를 많이 사용함 예 베트남의 퍼, 인도네시아의 나시고렝 등
산지 지역	유목을 통해 얻은 고기와 젖을 이용한 음식 예 시짱(티베트) 지역의 수유차 등

(2) 전통 가옥

사합원	• 중국 화북 지역의 전통 가옥 • 겨울 추위를 막기 위한 'ㅁ'자 형태의 폐쇄적인 가옥
합장 가옥	• 일본 다설지(기후현)의 전통 가옥 • 지붕에 쌓인 눈이 쉽게 흘러내리도록 지붕의 경사를 급하게 함
고상 가옥	• 동남아시아 열대 기후 지역의 전통 가옥 • 지면의 열기와 습기를 차단하고 해충의 침입을 막기 위해 가옥의 바닥을 지면에서 띄웠으며, 호우에 대비하기 위해 지붕의 경사를 급하게 함

▲ 사합원(중국) ▲ 합장 가옥(일본) ▲ 고상 가옥(타이)

(3) 전통 의복

① 주변에서 쉽게 구할 수 있는 재료로 의복을 제작함

② 여름에는 통풍, 겨울에는 보온이 잘되는 옷을 입음

③ 지역별 전통 의복: 중국의 치파오, 인도의 사리와 도티, 베트남의 아오자이, 미얀마의 론지, 필리핀의 바롱 등

01

▶ 24062-0089

그래프는 네 지역의 기후 특성을 나타낸 것이다. 이에 대한 설명으로 옳은 것은? (단, (가)~(라)는 각각 지도에 표시된 네 지역 중 하나이고, A, B는 각각 기온의 연교차, 최난월 평균 기온 중 하나임.)

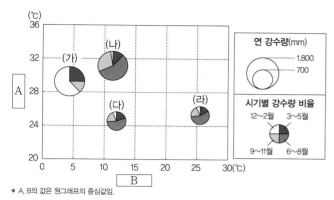

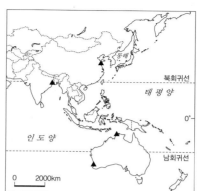

* A, B의 값은 원그래프의 중심값임.

① A는 기온의 연교차, B는 최난월 평균 기온이다.

② (가)는 7월에 적도(열대) 수렴대의 영향을 주로 받는다.

③ (나)는 (가)보다 남회귀선과의 최단 거리가 가깝다.

④ (다)는 (라)보다 7월에 밤 길이가 길다.

⑤ (라)는 (나)보다 최한월 평균 기온이 높다.

02

▶ 24062-0090

표는 몬순 아시아에 있는 네 하천의 주요 특징을 정리한 것이다. (가)~(라) 하천에 대한 설명으로 옳은 것만을 〈보기〉에서 고른 것은?

하천	길이 (km)	유역 면적 (천 km²)	주요 특징
(가)	6,380	1,959	몬순 아시아에서 가장 긴 하천으로, 시짱(티베트)고원에서 발원하여 동중국해로 유입하며, 세계 최대 용량의 수력 발전소인 싼샤댐이 있다.
(나)	5,464	980	쿤룬산맥에서 시작해 보하이해로 흘러드는 하천으로, 하천 유역의 황토 지대는 토양이 비옥해 곡창 지대를 이루고 있으며, 이를 바탕으로 고대 문명이 발생하였다.
(다)	4,425	810	시짱(티베트)고원에서 발원해 인도차이나반도를 지나 남중국해로 흘러든다. 하류에서는 '아홉 마리의 용'이라는 뜻의 콜론강으로 불리는데, 여러 물줄기가 삼각주를 지나기 때문이다.
(라)	2,510	1,621	인도 북부를 동서로 가로질러 흐르다 남동으로 방향을 바꾸어 벵골만으로 흘러든다. 하천 유역에는 시바 신의 도시로 알려진 바라나시, 영국령 인도 시절의 수도였던 콜카타 등이 있다.

*(라)의 유역 면적은 브라마푸트라강을 포함한 것임.

(2023년)

(세계 각국 요람)

> **보기**
>
> ㄱ. (다)는 힌두교 신자들이 성스럽게 여기는 하천이다.
> ㄴ. (가) 유역은 (나) 유역보다 경지 면적 중 벼농사 면적 비율이 높다.
> ㄷ. (가)는 (다)보다 유역에 위치한 국가의 수가 많다.
> ㄹ. (라)의 하구는 (나)의 하구보다 저위도에 위치한다.

① ㄱ, ㄴ   ② ㄱ, ㄷ   ③ ㄴ, ㄷ   ④ ㄴ, ㄹ   ⑤ ㄷ, ㄹ

03

▶ 24062-0091

그래프는 지도에 표시된 네 국가의 쌀, 차(茶), 커피 생산량을 비교한 것이다. (가)~(라) 국가에 대한 설명으로 옳은 것은?

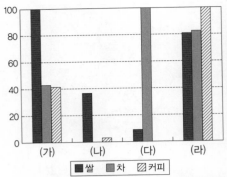

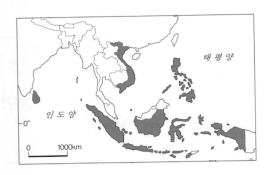

* 네 국가 중 각 작물별 생산량 최대 국가의 값을 100으로 했을 때의 상댓값임.
(국제 연합)

① (가)의 대표적 벼농사 지역으로 메콩강 삼각주가 있다.
② (나)의 전통 의상에는 '아오자이'가 있다.
③ (다)는 환태평양 조산대에 위치해 화산 활동이 활발하다.
④ (라)는 시사 군도를 둘러싼 중국과의 분쟁 당사국이다.
⑤ (나)는 (다)보다 국가 내 불교 신자 비율이 높다.

04

▶ 24062-0092

다음 자료는 여행 답사기의 일부이다. (가)~(다) 국가에 대한 설명으로 옳은 것은?

(가)	동양과 서양의 아름다움을 함께 볼 수 있는 상하이의 와이탄에서 아편전쟁으로 강제 개항된 역사의 현장과 함께 세계적으로 손꼽히는 야경을 보았다. 베이징에서는 미세먼지와 황사로 여행이 다소 힘들었지만, 자금성과 만리장성은 압도적이었다.	 ▲ 만리장성
(나)	우동의 본토로 알려진 가가와현의 전통 민가에서 탱탱한 면발의 정통 사누키 우동을 맛보았다. 내일은 이 국가의 대표적인 휴양지인 오키나와로 이동해, 전통 음식 중 하나인 '스시'를 맛볼 예정이다.	 ▲ 스시
(다)	아그라에서는 세계 문화유산에 등재된 타지마할과 아그라 요새를 보았는데, 이곳의 독특한 건축 양식과 문화를 느낄 수 있었다. 내일은 이 국가의 실리콘 밸리로 알려진 벵갈루루로 이동해 최근 이 국가의 변화 모습을 보고, 탄두리 치킨을 맛볼 예정이다.	 ▲ 타지마할

① (가)의 전통 의상에는 '사리'와 '도티'가 있다.
② (나)는 동남아시아 국가 연합(ASEAN) 회원국이다.
③ (다)의 화북 지방에는 전통 가옥인 '사합원'이 있다.
④ (가)는 (나)보다 국내 총생산이 많다.
⑤ (나)와 (다)는 모두 태평양과 접해 있다.

05

▸ 24062-0093

다음 자료는 세 국가의 주민 생활과 관련된 것이다. (가)~(다) 국가에 대한 설명으로 옳지 <u>않은</u> 것은? (단, (가)~(다)는 각각 몽골, 인도네시아, 타이 중 하나임.)

(가)	(나)	(다)

초원에서 유목을 하는 주민들은 이동식 가옥인 게르에서 생활한다. 전통 음식에는 뜨겁게 달군 돌의 열로 양고기, 감자 등을 익히는 허르헉이 있다.	무더운 기후에 음식이 쉽게 상해 볶거나 튀긴 음식이 발달했는데, 밥을 채소, 고기, 간장, 토마토소스 등과 함께 볶아 만든 나시고렝이 유명하다.	우기가 시작될 무렵 전통 축제인 송끄란이 열리고, 전통 음식으로 새우에 레몬, 샬롯, 고수, 코코넛밀크 등 다양한 향신료와 야채를 넣은 똠얌꿍이 유명하다.

① (가)는 중국, 러시아와 국경을 접하고 있다.
② (나)는 세계에서 이슬람교 신자가 가장 많다.
③ (가)는 (나)보다 화산 활동이 활발하다.
④ (나)는 (가)보다 열대 기후를 이용한 플랜테이션이 발달하였다.
⑤ (다)의 수도는 (가)의 수도보다 연 강수량이 많다.

06

▸ 24062-0094

다음은 세계지리 수업 장면이다. 발표 내용이 옳은 학생만을 있는 대로 고른 것은?

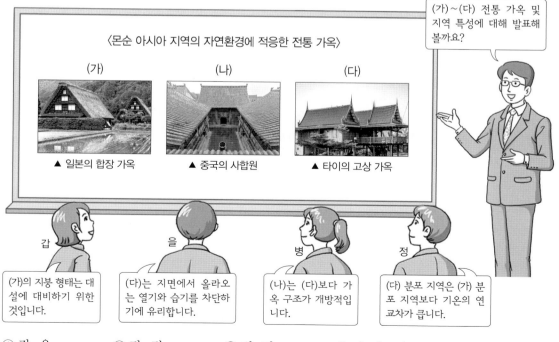

① 갑, 을　　② 갑, 정　　③ 병, 정　　④ 갑, 을, 병　　⑤ 을, 병, 정

① 주요 자원의 분포와 이동

(1) 지역별 주요 자원

중국	• 석탄, 철광석, 천연가스, 희토류 생산량이 많음 • 급격한 산업화로 자원 수요 증가
동남 및 남부 아시아	• 석유, 천연가스: 인도네시아, 말레이시아 등의 생산량이 많음 • 바나나, 커피, 천연고무: 플랜테이션을 통해 많이 생산됨
오스트레일리아	• 석탄: 동부 고기 습곡 산지에서 많이 생산됨 • 철광석: 서부 안정육괴 지역에서 많이 생산됨

(2) 주요 자원의 특징과 이동

석탄	• 산업용(제철 공업, 발전) 연료로 이용 • 인도네시아, 오스트레일리아에서 공업이 발달한 동아시아, 인도 등으로 수출됨
철광석	• 철강 등 기초 소재로 이용 • 오스트레일리아에서 제철 공업이 발달한 동아시아로 수출됨
기타 자원	• 천연고무: 타이, 인도네시아에서 동아시아로 수출됨 • 팜유: 인도네시아, 말레이시아의 수출 비율이 세계의 2/3 이상을 차지함

② 주요 국가의 산업 구조

중국	• 풍부한 지하자원과 노동력을 바탕으로 제조업이 빠르게 성장함 • 개혁·개방 정책을 통해 경제특구를 중심으로 외국 자본 유치 • 중화학 공업 발달, 첨단 산업 분야 급성장
일본	• 원료의 해외 의존도가 높아 가공 무역 발달 • 높은 기술력을 바탕으로 첨단 산업 발달 • 금융 산업 및 생산자 서비스업 발달(도쿄)
인도네시아	• 플랜테이션을 바탕으로 1차 산업 발달 • 노동 집약적 제조업 발달
인도	• 농업 및 수공업부터 정보·통신 기술 산업에 이르기까지 산업의 범위가 다양함 • 첨단 산업 발달(벵갈루루, 하이데라바드 등)
오스트레일리아	• 지하자원이 풍부하여 광업이 발달, 제조업 경쟁력은 비교적 낮음 • 철광석, 석탄, 밀, 소고기, 양모 등의 수출이 많음
뉴질랜드	• 축산물 수출이 많음 • 목재 산업, 어업, 관광 산업 등이 발달

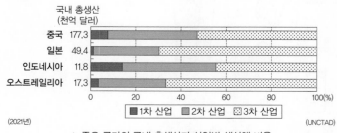

국내 총생산
(천억 달러)

중국	177.3
일본	49.4
인도네시아	11.8
오스트레일리아	17.3

■ 1차 산업 ▨ 2차 산업 ▩ 3차 산업

(2021년) (UNCTAD)

▲ 주요 국가의 국내 총생산과 산업별 생산액 비율

③ 지역 경제 협력

(1) 상호 보완성과 지리적 인접성

① 높은 상호 보완성: 지역(국가)별 지하자원의 수요 및 산업 구조의 차이가 큼
- 동아시아: 산업 발달 수준이 높고, 지하자원 수요가 많음
- 오스트레일리아: 지하자원 및 식량 자원의 생산량이 많음

② 지리적 인접성: 몬순 아시아는 지리적으로 인접한 오세아니아로부터 지하자원을 수입하고, 공업 제품을 오세아니아에 수출함

(2) 경제 협력을 위한 노력: 역내포괄적경제동반자협정(RCEP)을 체결하여 역내 국가 간 상품 무역 자유화, 서비스 및 투자 자유화를 추진함

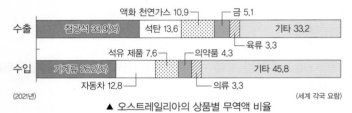

액화 천연가스 10.9 ┐ ┌ 금 5.1

수출 | 철광석 33.9(%) | 석탄 13.6 | 기타 33.2
└ 육류 3.3

석유 제품 7.6 ┐ ┌ 의약품 4.3

수입 | 기계류 26.2(%) | 기타 45.8
자동차 12.8 ┘ └ 의류 3.3

(2021년) (세계 각국 요람)

▲ 오스트레일리아의 상품별 무역액 비율

④ 민족(인종) 및 종교의 다양성과 지역 갈등

(1) 종교의 다양성

크리스트교	필리핀, 오세아니아에서 신자 비율이 높음
이슬람교	파키스탄, 방글라데시, 인도네시아, 말레이시아 등에서 신자 비율이 높음
불교	미얀마, 타이, 캄보디아, 라오스, 스리랑카 등에서 신자 비율이 높음
힌두교	인도, 네팔에서 신자 비율이 높음

(2) 지역 갈등

중국	• 다수를 차지하는 한족(漢族)과 소수 민족(소수 민족 자치구 설정)으로 구성 • 중국 정부와 소수 민족의 갈등: 시짱(티베트) 자치구, 신장 웨이우얼(신장 위구르) 자치구
동남아시아	• 필리핀 민다나오섬: 다수의 크리스트교도와 소수의 이슬람교도 간의 갈등 발생 • 미얀마: 불교 국가인 미얀마에서 이슬람교를 믿는 로힝야족에 대한 탄압이 발생함
남부 아시아	• 영국으로부터 독립 후 힌두교를 믿는 인도, 이슬람교를 믿는 파키스탄과 방글라데시, 불교를 믿는 스리랑카로 분리됨 • 카슈미르 지역: 인도(힌두교)와 파키스탄(이슬람교) 간 갈등 • 스리랑카: 신할리즈족(불교)과 타밀족(힌두교) 간 갈등
오세아니아	• 오스트레일리아: 유럽인들이 유입하면서 원주민(애버리지니)과 갈등이 발생함. 원주민을 오지로 강제 이주시키고 보호 구역을 지정함 • 뉴질랜드: 유럽인들이 유입하면서 원주민(마오리족)과 갈등이 발생함. 마오리어를 공용어로 채택하는 등 국민 통합 정책을 실시함

01

▶ 24062-0095

다음 자료에 대한 설명으로 옳은 것은? (단, A~C는 각각 석탄, 천연고무, 철광석 중 하나임.)

> (가) , (나) 은/는 모두 동남아시아 국가 연합(ASEAN) 회원국이다. (가) 은/는 동남아시아 국가 연합 회원국 중 국토 면적이 가장 넓으며 이슬람교 신자가 가장 많고, (나) 은/는 불교 신자가 가장 많으며 대표적 축제에는 송끄란이 있다. (다) 은/는 몬순 아시아와 오세아니아에서 밀 수출량이 가장 많은 국가로, 지하자원이 풍부하여 광업이 발달하였다.

〈A~C의 국가별 수출 비율〉

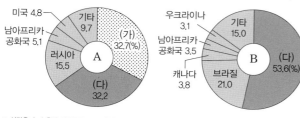

* 석탄은 순 수출량 기준으로 2020년, 철광석과 천연고무는 2021년 값임.

(IEA, OEC, FAO)

① (가)는 (다)보다 1인당 육류 소비량이 많다.
② (나)는 (가)보다 팜유 생산량이 많다.
③ A는 에너지 자원이고, B는 금속 광물 자원이다.
④ C는 B보다 세계 생산량에서 아메리카가 차지하는 비율이 높다.
⑤ (다)에서 A는 서부 지역, B는 동부 지역에서 주로 생산된다.

02

▶ 24062-0096

표는 네 국가의 수출 현황을 나타낸 것이다. (가)~(라) 국가에 대한 설명으로 옳은 것은? (단, (가)~(라)는 각각 뉴질랜드, 베트남, 스리랑카, 중국 중 하나임.)

구분\국가	주요 상품의 수출액 비율	주요 수출 상대국
(가)	기계류(46.0), 의류(10.0), 신발(6.1), 가구(4.0), 섬유 및 직물(3.5)	미국(27.4), (나) (17.4), 일본(6.8), 대한민국(6.8)
(나)	기계류(43.1), 의류(5.2), 섬유와 직물(4.3), 금속 제품(4.3), 자동차(4.2)	미국(17.2), 일본(4.9), 대한민국(4.4), (가) (4.1)
(다)	낙농품(26.5), 채소와 과일(8.0), 목재(6.8), 식용 조제품(5.9)	(나) (27.8), 오스트레일리아(13.6), 미국(11.0)
(라)	의류(42.5), 홍차(12.4), 섬유 및 직물(4.3), 타이어류(4.2)	미국(24.8), 영국(8.9), 인도(6.1), 독일(5.7)

* 괄호 안의 수치는 총수출액 대비 비율(%)임.
(2020년)

(세계 각국 요람)

① (가)는 신할리즈족과 타밀족 간에 종교 갈등이 있다.
② (가)는 (나)보다 2020년에 총무역액이 많다.
③ (다)는 (나)보다 2020년에 제조업 생산액이 많다.
④ (라)는 (다)보다 평균 임금 수준이 높다.
⑤ (다)는 남반구, (라)는 북반구에 위치한다.

▶ 24062-0097

03

그래프는 지도에 표시된 네 국가의 산업 구조를 나타낸 것이다. (가)~(라) 국가에 대한 설명으로 옳은 것은?

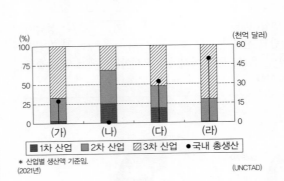

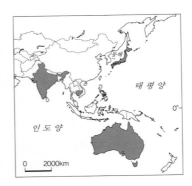

① (가)에는 첨단 산업이 발달한 벵갈루루가 있다.

② (나)의 원주민에는 애버리지니가 있다.

③ (다)는 (라)보다 도시화율이 높다.

④ (라)는 (가)보다 2차 산업 내 제조업 생산액 비율이 높다.

⑤ (가)~(라) 중 국가 내 불교 신자 비율은 (가)가 가장 높다.

▶ 24062-0098

04

그래프는 지도에 표시된 네 국가의 주요 특성을 나타낸 것이다. (가)~(라) 국가에 대한 설명으로 옳은 것은?
(단, A~C는 각각 불교, 이슬람교, 크리스트교 중 하나임.)

〈종교별 신자 비율과 총 신자〉

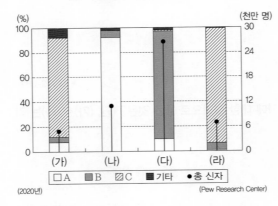

〈슬럼에 거주하는 도시 인구 비율 변화〉

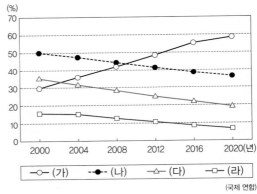

① 미얀마는 인도네시아보다 2000년에 슬럼 거주 도시 인구 비율이 높았다.

② (가)는 불교보다 이슬람교 신자가 많다.

③ (나)에서는 매년 송끄란 축제가 열린다.

④ (라)에서는 로힝야족에 대한 탄압이 있었다.

⑤ (다)는 (나)보다 2020년에 석탄 수출량이 많다.

05

▶ 24062-0099

다음 자료의 (가)~(다) 국가를 그래프의 A~C에서 고른 것은? (단, (가)~(다)와 A~C는 각각 네팔, 오스트레일리아, 중국 중 하나임.)

〈(가)~(다)의 국장(國章)*〉

(가)	(나)	(다)

방패 안에는 6개의 주를 상징하는 문양이 있고, 캥거루, 날지 못하는 새인 에뮤가 그려져 있다.	가운데에는 베이징 내성의 남문인 톈안먼(천안문)이 있다. 바깥의 벼와 밀 이삭은 농업을, 톱니바퀴는 공업을 상징한다.	국장 위에는 국기가 그려져 있고, 그 아래에는 에베레스트산이 있다. 가운데에는 국토가 하얀색으로 그려져 있다.

* 국장(國章): 한 국가를 상징하는 공식적인 부호나 휘장을 통틀어 이르는 말

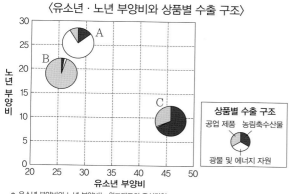

〈유소년 · 노년 부양비와 상품별 수출 구조〉

상품별 수출 구조
공업 제품 농림축수산물
광물 및 에너지 자원

* 유소년 부양비와 노년 부양비는 원그래프의 중심값임.
** 상품별 수출 구조는 농림축수산물, 광물 및 에너지 자원, 공업 제품 수출액을 100으로 했을 때의 비율임.
(2021년)　　　　　　　　　　　　　　　　　　　　　　(국제 연합, WTO)

	(가)	(나)	(다)
①	A	B	C
②	A	C	B
③	B	A	C
④	B	C	A
⑤	C	B	A

06

▶ 24062-0100

다음은 세계지리 수업 장면의 일부이다. 발표 내용이 옳은 학생을 고른 것은?

지도에 표시된 A~F 지역(국가)에 대해 발표해 볼까요?

갑: A에서는 불교를 주로 믿는 티베트족의 분리주의 운동이 있어요.

을: B는 위구르족과 중앙 정부 간에 갈등이 나타나고 있어요.

병: E는 북부 지역에서 크리스트교와 힌두교 간의 갈등이 지속되고 있어요.

정: C와 D의 주민들은 대부분 민족 종교를 신봉해요.

무: D의 로힝야족과 F의 모로족은 모두 이슬람교를 주로 믿고 있어요.

① 갑　　　② 을　　　③ 병　　　④ 정　　　⑤ 무

1 건조 아시아와 북부 아프리카의 자연환경

(1) **기후**: 대체로 연 증발량이 연 강수량보다 많고 기온의 일교차가 큰 건조 기후가 넓게 나타남, 일부 지역에서 지중해성 기후가 나타남

사막 기후	북부 아프리카 일대, 아라비아반도, 중앙아시아에 분포
스텝 기후	사막 주변에 분포, 튀르키예(터키)와 이란의 고원 지대, 중앙아시아 북부 등지에 분포
지중해성 기후	지중해 연안, 흑해 연안 등지에 분포

(2) **지형**

산지	• 높고 험준한 산지와 고원 분포 • 아틀라스산맥, 아나톨리아고원, 이란고원, 파미르고원
외래 하천과 충적 평야	• 하천 유역에 충적 평야 발달 • 나일강: 동아프리카 고원에서 발원하여 지중해로 유입, 하구에 비옥한 삼각주 발달, 이집트 문명의 발상지 • 티그리스·유프라테스강: 튀르키예(터키) 동부 산지(아나톨리아고원)에서 발원하여 페르시아만(걸프만)으로 유입, 메소포타미아 평원 발달, 메소포타미아 문명의 발상지
해안 평야	지중해 연안, 흑해 연안 등지에 부분적으로 해안 평야 발달

2 건조 아시아와 북부 아프리카의 전통적인 생활 모습

의복 문화	헐렁하고 긴 천으로 온몸을 감싸는 형태로 한낮의 뜨거운 햇볕과 강한 모래바람으로부터 피부를 보호함
음식 문화	• 빵: 밀이 주원료로 물이 적게 사용됨, 저장 및 운반에 편리 예 난, 아에쉬 등 • 고기와 유제품: 스텝 기후 지역에서 주로 소비 • 대추야자: 대표적인 농작물, 영양이 풍부하며 저장성이 뛰어남 • 케밥: 유목민의 대표적 육류 요리, 주로 양고기를 사용하고 땔감이 적게 들며 조리가 간편함
주거 문화	• 사막 기후 지역: 평평한 지붕의 흙집으로 가옥 간 간격이 좁음, 온도 조절 및 공기 정화를 위한 윈드타워(바드기르) 등 설치 • 스텝 기후 지역: 초원에서 유목을 하는 유목민의 이동 생활에 적합한 형태인 이동식 가옥(게르, 유르트)이 발달함, 이동식 가옥은 나무 뼈대와 가죽·천을 이용해 설치 및 해체가 용이함

3 건조 아시아와 북부 아프리카의 경제 활동

(1) **농목업과 대상(隊商) 무역**

농업	밀·대추야자 등을 재배하는 오아시스 농업, 외래 하천이나 지하수 또는 지하 관개 수로(카나트)를 이용한 관개 농업 발달
유목	목초지나 물을 찾아다니며 가축을 사육함
대상 무역	무리를 지어 이동하며 물건을 팔거나 교환, 지역 간 문화 및 정보 교류 역할을 함

(2) **주민 생활의 변화**

① 유목과 대상 무역의 쇠퇴: 국경 설정 및 도시화·산업화, 자원 개발, 사막화에 따른 목초지 감소 등으로 쇠퇴

② 관개 농업 지역의 확대: 관개 기술의 발달 및 자본 투입 확대로 내륙 사막까지 농업 가능, 스프링클러를 활용한 원형 경작지 확대

③ 생태 관광: 샌드보딩, 낙타 타기, 초원에서 말타기 등 체험 관광 확대

4 주요 자원의 분포 및 이동과 개발

(1) **석유와 천연가스의 분포 및 이동**: 페르시아만(걸프만) 연안(전 세계 석유 매장량의 약 50%, 세계 총 석유 생산량의 30% 이상), 북부 아프리카, 카스피해 연안 등 → 주로 송유관과 유조선을 통해 유럽, 북부 아메리카, 동아시아 등지로 수출

▲ 국가별 석유 매장량 비율   ▲ 국가별 천연가스 매장량 비율

(2) **화석 에너지 자원 개발 주체의 변화**: 선진국(영국, 미국, 네덜란드 등)의 석유 메이저 기업 중심 → 석유 수출국 기구(OPEC) 및 산유국 정부 주도의 개발

(3) **화석 에너지 자원 개발로 인한 지역 변화**: 경제 성장, 급속한 도시화, 사회 기반 시설 확충으로 외국인 노동자 유입, 산유국과 비산유국의 빈부 격차 발생, 해외 경제 의존도 심화 등

5 주요 국가의 산업 구조

(1) **주요 국가의 산업 구조 특징**

자원이 풍부한 국가	석유와 천연가스 중심의 2차 산업 발달 예 사우디아라비아, 아랍 에미리트, 카자흐스탄 등
자원이 부족한 국가	1차 산업과 3차 산업 비율이 상대적으로 높음, 최근 제조업 육성 및 관광 산업 발달 예 튀르키예(터키) 등

(2) **지역 발전을 위한 노력**: 에너지 시장의 변화(석유 가격 불안정, 비전통 석유(오일 샌드 등) 생산 증가, 전기차 상용화, 신·재생 에너지 확대 등) → 석유 이외의 경제 부문 성장 추진, 제조업 및 사회 간접 자본 육성 등 경제 구조의 다변화 추구

6 사막화의 진행

(1) **사막화 원인**: 기후 변화로 인한 장기간의 가뭄, 무분별한 벌목 및 경작지·방목지 확대, 지나친 관개로 인한 토지 염도 상승 등

(2) **사막화의 주요 발생 지역**

사헬 지대	급격한 인구 증가로 가축의 과다한 방목 및 땔감 획득을 위한 벌목 발생 → 토양 침식, 초원 황폐화
아랄해 연안	아무다리야강·시르다리야강 유역의 과도한 관개 농업으로 아랄해 면적 축소 → 호수 주변 토양 황폐화

(3) **사막화로 인한 지역 문제**: 생물 종 감소, 토양 침식 가속화로 인한 토양 황폐화, 물 부족과 기근 발생 및 수인성 질병 발생, 경작지 황폐화로 식량 생산 능력 저하 등

(4) **사막화 해결 노력**: 사막화 방지 협약(UNCCD) 채택, 각국 정부와 기업의 지원 예 거대한 녹색 장벽(Great Green Wall) 사업, 아랄해 주변의 방풍림 조성 등

01

▶ 24062-0101

그래프는 지도에 표시된 세 지역의 월 강수 편차와 기온의 연교차를 나타낸 것이다. A~C 지역에 대한 설명으로 옳은 것은?

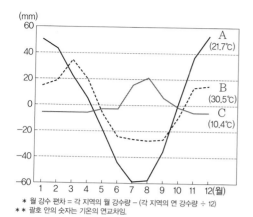

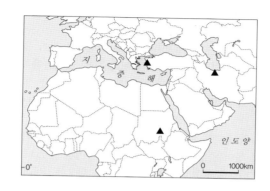

* 월 강수 편차 = 각 지역의 월 강수량 − (각 지역의 연 강수량 ÷ 12)
** 괄호 안의 숫자는 기온의 연교차임.

① A는 B보다 포도, 올리브 등의 수목 농업 발달에 유리하다.
② B는 C보다 최한월 평균 기온이 높다.
③ C는 A보다 연 강수량이 많다.
④ A~C 중 1월의 낮 길이는 A가 가장 길다.
⑤ B는 아프리카, C는 아시아에 위치한다.

02

▶ 24062-0102

표는 국가별 세계 유산을 나타낸 것이다. ㉠~㉤에 대한 설명으로 옳은 것만을 〈보기〉에서 고른 것은?

구분	아흐와르 유적	페르시아의 카나트	사랴르카 초원·호수 지역
국가	이라크	이란	카자흐스탄
유형	복합 유산	문화유산	자연 유산
가치	3곳의 고고학적 유적, 4곳의 습지로 이루어져 있다. 고고학적 유적은 ㉠티그리스강과 유프라테스강 사이의 배후 습지에서 번성하였던 도시인 수메르의 모습을 보여준다. ㉡4곳의 습지는 모두 내륙의 배후 습지로 생물 다양성 보호 지역이다.	㉢고산 지대에서 발원한 지하수가 ㉣지하수로를 따라 중력에 의해 수십 km까지 운반되게 하는 시설로 건조 기후 지역의 주민들에게 물을 공급하는 역할을 한다. 건조한 사막 지역의 문화 전통에 대한 특별한 증거이다.	㉤중앙아시아의 초원과 호수 지대로, 중앙아시아를 넘어 이동하는 물새들의 주요 휴식처이다. 초원은 절반 이상의 지역 식물 종과 많은 멸종 우려 종인 조류와 위급 종인 산양에게 주요 피난처가 된다.

┌ **보기** ┐

ㄱ. ㉠은 외래 하천으로, 대체로 남쪽에서 북쪽으로 흐른다.
ㄴ. ㉢은 신기 조산대의 일부이다.
ㄷ. ㉣은 관개용수가 증발되는 것을 줄이는 효과가 있다.
ㄹ. ㉡, ㉤은 모두 연 강수량이 연 증발량보다 많은 기후 지역에 속한다.

① ㄱ, ㄴ   ② ㄱ, ㄷ   ③ ㄴ, ㄷ   ④ ㄴ, ㄹ   ⑤ ㄷ, ㄹ

03

▶ 24062-0103

다음 글은 건조 아시아와 북부 아프리카 내 건조 기후 지역의 전통 가옥을 설명한 것이다. (가), (나) 지역의 주민 생활에 대한 설명으로 옳은 것만을 〈보기〉에서 있는 대로 고른 것은? (단, (가), (나)는 각각 사막 기후 지역, 스텝 기후 지역 중 하나임.)

- __(가)__ 에서는 흙벽돌이나 진흙의 뭉텅이를 쌓아 올려 집을 만든다. 흙벽돌은 현지에서 채굴한 점토질이 풍부한 흙을 물과 섞고 틀에 넣어 만든다. 흙벽돌을 단단하게 만들기 위해 풀과 가축의 똥을 첨가하기도 한다. 빗물로부터 벽을 보호하기 위해 벽에 나무즙을 칠하는데, 해마다 덧칠을 해야 한다. 지붕은 평평하게 만드는데, 그 위에 식량을 건조시키거나 무더운 밤에 사람들이 올라가 잠을 자기도 한다.
- __(나)__ 에서는 원형의 나무 구조에 펠트 천을 덮어 집을 만든다. 펠트 천은 양털로 만들고, 목재는 구하기가 어려워서 다른 지역에서 사 온다. 나무를 둘러서 위쪽에 창문을 만들고, 위쪽 부분을 지지하는 나무 뼈대를 줄로 묶어 완성하면 펠트 천으로 만들어진 발로 나무 뼈대를 둘러싼다. 내부에 나무 기둥을 엮어 천의 무게를 견디도록 하고, 내부의 가운데에는 화로를 배치하며, 화로 뒤쪽으로 살림살이를 배치한다.

> **보기**
>
> ㄱ. (가)의 전통 의복은 헐렁하게 늘어지는 천으로 온몸을 감싸는 형태이다.
> ㄴ. (나)의 주민들은 돼지고기를 주요 식량으로 소비한다.
> ㄷ. (가)의 전통 가옥은 (나)의 전통 가옥보다 유목 생활에 적합하다.
> ㄹ. (가), (나)는 모두 조리 과정에서 물과 땔감을 적게 사용하는 전통 음식이 발달하였다.

① ㄱ, ㄷ   ② ㄱ, ㄹ   ③ ㄴ, ㄷ   ④ ㄱ, ㄴ, ㄹ   ⑤ ㄴ, ㄷ, ㄹ

04

▶ 24062-0104

그래프는 지도에 표시된 네 국가의 주요 작물 생산량을 비교한 것이다. 이에 대한 설명으로 옳은 것은? (단, (가)~(다)는 각각 대추야자, 밀, 올리브 중 하나임.)

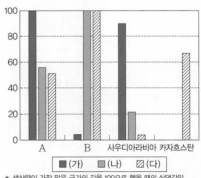

■ (가)   ▨ (나)   ▨ (다)
* 생산량이 가장 많은 국가의 값을 100으로 했을 때의 상댓값임.
(2021년)   (FAO)

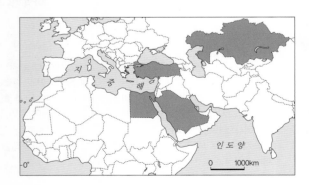

① (가)는 빵의 반죽 재료로 많이 이용된다.
② (나)는 영양이 풍부하고 저장성이 뛰어나 유목민의 주요 식량으로 이용된다.
③ (가)는 (나)보다 세계 생산량에서 서남아시아 지역이 차지하는 비율이 높다.
④ A에서의 생산량은 (나)가 (다)보다 많다.
⑤ B에서는 (나)를 주로 나일강 주변의 충적 평야에서 재배한다.

05

▶ 24062-0105

그래프는 건조 아시아와 북부 아프리카 주요 국가의 (가), (나) 화석 에너지 생산량 비율을 나타낸 것이다. 이에 대한 설명으로 옳은 것은?

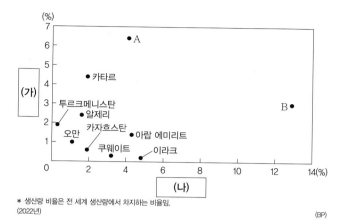

* 생산량 비율은 전 세계 생산량에서 차지하는 비율임.
(2022년)   (BP)

① (가)의 생산국은 모두 석유 수출국 기구(OPEC) 회원국이다.
② (나)의 매장량은 서남아시아 국가보다 중앙아시아 국가가 많다.
③ (가)는 (나)보다 세계 생산량에서 건조 아시아와 북부 아프리카가 차지하는 비율이 높다.
④ A는 건조 아시아와 북부 아프리카 국가 중 (가)의 수출량이 가장 많다.
⑤ A는 이란, B는 사우디아라비아이다.

06

▶ 24062-0106

표는 세 국가의 지리 정보를 나타낸 것이다. (가)~(다) 국가에 대한 설명으로 옳은 것만을 〈보기〉에서 고른 것은? (단, (가)~(다)는 각각 아랍 에미리트, 튀니지, 튀르키예(터키) 중 하나임.)

항목 \ 국가		(가)	(나)	(다)
총인구(만 명)		8,477	1,226	937
토지 이용(%)	경지	30.0	32.1	1.3
	목장·목초지	19.3	30.6	4.2
	삼림	28.7	4.5	4.5
	기타	22.0	32.8	90.0
1인당 국민 총소득(GNI)(달러)		9,040	3,300	39,410

* 총인구는 2021년, 토지 이용은 2019년, 1인당 국민 총소득(GNI)은 2020년 기준임.
(국제 연합, 세계 각국 요람)

┌ 보기 ┐
ㄱ. (가)는 (다)보다 국민 총소득(GNI)이 많다.
ㄴ. (나)는 (가)보다 농업 생산액이 많다.
ㄷ. (다)는 (나)보다 청장년층 인구의 성비가 높다.
ㄹ. (가)는 아프리카, (나)는 아시아에 위치한다.

① ㄱ, ㄴ   ② ㄱ, ㄷ   ③ ㄴ, ㄷ   ④ ㄴ, ㄹ   ⑤ ㄷ, ㄹ

07

▶ 24062-0107

그래프는 지도에 표시된 네 국가의 품목별 수출액 비율과 총수출액을 나타낸 것이다. A~D 국가에 대한 설명으로 옳은 것은?

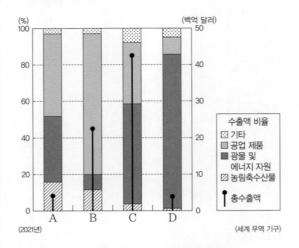

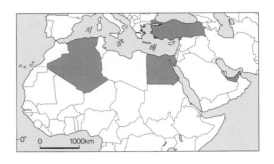

① A는 B보다 공업 제품의 수출액이 많다.
② B는 C보다 화석 에너지 자원의 수출액이 많다.
③ C는 D보다 1인당 국내 총생산이 많다.
④ D는 A보다 인구 밀도가 높다.
⑤ A는 북부 아프리카, D는 건조 아시아에 위치한다.

08

▶ 24062-0108

다음 자료의 (가), (나)에 해당하는 국가를 지도의 A~D에서 고른 것은?

《(가), (나) 국가의 경제 구조 다변화 전략》

• ___(가)___ 는 자유 무역 지대와 산업 단지를 조성하여 아시아, 아프리카, 유럽을 연결하는 중계 무역 중심 국가로 거듭나려고 한다. 석유 산업의 비중이 높은 아부다비는 재생 에너지를 중심으로 하는 도시 개발 프로젝트를 진행하고 있다. 두바이에서는 '팜 아일랜드' 인공섬 프로젝트를 중심으로 관광 산업에 투자하고 있으며, IT 산업을 중심으로 한 첨단 산업도 육성하고 있다.

• ___(나)___ 는 우라늄·금 등의 광산 개발, 석유 화학 공업 육성, 재생 에너지 개발 그리고 관광 산업 개발에 열을 올리고 있다. 매년 8백만 명의 순례자가 메카를 찾고 있는데, 2030년까지 이 순례자 수를 3천만 명으로 높이는 계획을 세웠다. 또한 고대 유적지, 홍해 휴양지 등 종교와 무관한 관광 프로그램 개발에도 힘쓰고 있으며, 미래형 신도시 '네옴 프로젝트'를 통해 첨단 산업을 육성하고 있다.

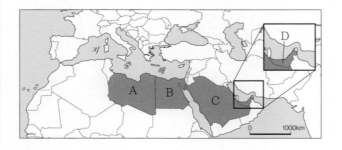

	(가)	(나)
①	A	D
②	B	A
③	B	C
④	D	A
⑤	D	C

09

▶ 24062-0109

다음 자료는 세 국가의 국장(國章)*에 관한 것이다. (가)~(다)에 해당하는 국가를 지도의 A~C에서 고른 것은?

(가)	(나)	(다)

두 개의 칼은 메카 중심의 헤자즈와 리야드 중심의 네지드 지역의 통일을 상징하고, 그 위에 올려진 초록색 야자나무는 성장과 인내를 의미한다.	가운데에는 파미르고원에서 떠오르는 태양, 왕관, 별이 그려져 있다. 왼쪽에는 목화, 오른쪽에는 밀이 장식된 것은 이 국가의 농업 특징을 반영한다.	파란색 방패 안에는 유대인의 전통 촛대가 그려져 있으며, 이 촛대를 하얀색 올리브 가지가 양쪽에서 감싸고 있다. 올리브 가지는 평화를 의미한다.

＊국장(國章): 한 국가를 상징하는 공식적인 부호나 휘장을 통틀어 이르는 말

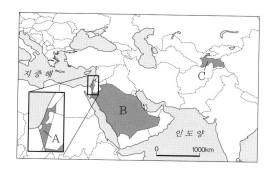

	(가)	(나)	(다)
①	A	B	C
②	A	C	B
③	B	A	C
④	B	C	A
⑤	C	B	A

10

▶ 24062-0110

다음은 세계지리 수업 장면의 일부이다. 교사의 질문에 옳게 대답한 학생만을 고른 것은?

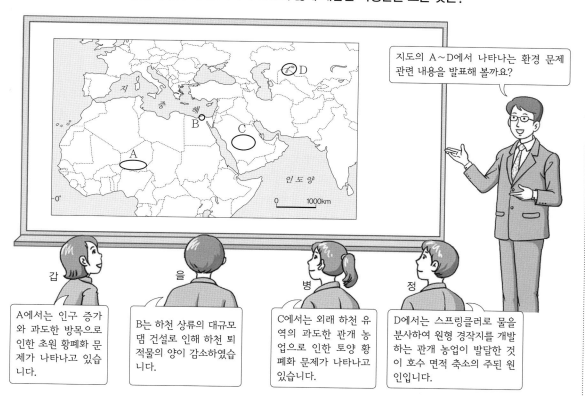

지도의 A~D에서 나타나는 환경 문제 관련 내용을 발표해 볼까요?

갑: A에서는 인구 증가와 과도한 방목으로 인한 초원 황폐화 문제가 나타나고 있습니다.

을: B는 하천 상류의 대규모 댐 건설로 인해 하천 퇴적물의 양이 감소하였습니다.

병: C에서는 외래 하천 유역의 과도한 관개 농업으로 인한 토양 황폐화 문제가 나타나고 있습니다.

정: D에서는 스프링클러로 물을 분사하여 원형 경작지를 개발하는 관개 농업이 발달한 것이 호수 면적 축소의 주된 원인입니다.

① 갑, 을 ② 갑, 병 ③ 을, 병 ④ 을, 정 ⑤ 병, 정

① 유럽과 북부 아메리카의 공업

(1) 유럽 주요 공업 지역의 형성과 변화

전통 공업 지역	석탄·철광석이 풍부한 원료 산지를 중심으로 발달 → 자원 고갈 및 자원의 해외 의존도 증가, 공업 시설 노후화 등으로 쇠퇴 ⑩ 랭커셔·요크셔(영국), 루르·자르(독일) 등
해운·하운 교통 발달 지역	주요 에너지 자원이 석탄에서 석유, 천연가스로 변화 → 원료 수입, 제품 수출에 유리한 곳을 중심으로 발달 ⑩ 카디프·미들즈브러(영국), 됭케르크(프랑스) 등
첨단 산업 지역	대도시와 그 주변 지역, 연구소와 대학이 인접한 지역을 중심으로 발달, 산업 클러스터 형성 ⑩ 소피아 앙티폴리스(프랑스), 시스타 사이언스 시티(스웨덴), 오울루 테크노폴리스(핀란드) 등

(2) 북부 아메리카 주요 공업 지역의 형성과 변화

① 북부 아메리카의 주요 공업 지역

캐나다	미국과 국경을 접하고 있는 남동부를 중심으로 자동차, 전기·전자 공업 발달
미국	• 뉴잉글랜드: 미국 내에서 역사가 가장 오래된 공업 지역 • 중부 대서양 연안: 넓은 소비 시장, 풍부한 노동력, 편리한 교통 등을 바탕으로 기계, 제철 공업이 발달 • 오대호 연안: 풍부한 철광석과 석탄, 편리한 수운을 바탕으로 제철, 자동차, 기계 공업이 발달 • 멕시코만 연안: 석유 화학 및 우주 산업, 첨단 산업 등이 발달 • 태평양 연안: 항공, 반도체, 전자 공업이 발달
멕시코	미국과 국경을 접하고 있는 북부 지역에 공업 발달

② 북부 아메리카 공업 지역의 변화

전통 공업 지역의 쇠퇴	• 철광석 등 자원의 해외 의존도 증가, 신흥 공업국의 성장에 따른 산업 구조 변화 • 공업 구조의 변화: 중화학 공업(철강, 화학 등)에서 첨단 산업(컴퓨터, 항공·우주 등) 중심으로 전환
공업 중심지의 이동	• 북동부의 러스트 벨트에서 남부 및 서부의 선벨트로 이동 • 선벨트의 공업 입지 조건: 온화한 기후, 풍부한 석유와 천연가스, 인구 유입으로 인한 노동력 증가, 지방 정부의 지원 등

② 유럽과 북부 아메리카의 도시 특색

(1) 현대 도시의 내부 구조

도심	• 접근성과 지가가 높음 • 중심 업무 지구가 발달하고, 인구 공동화 현상이 나타남 • 낙후된 도심 환경을 개선하는 도심 재활성화가 나타남
주변 지역	지가가 낮고, 주거 기능이 발달함

(2) 유럽과 북부 아메리카의 대도시권 형성

① 대도시권 형성: 대도시의 통근·통학권, 상권 등이 확대되어 주변 지역과 기능적으로 연결
② 메갈로폴리스 발달: 연속적으로 분포하는 대도시권이 광역화되면서 연결되어 하나의 거대 도시권을 형성함
　⑩ 미국 북동부(보스턴~워싱턴 D.C.), 영국(런던~리버풀) 등

(3) 유럽 주요 도시의 내부 구조 특징

① 도심과 주변 지역 간 건물의 높이 차이가 작은 편이며, 좁고 복잡한 도로망이 발달함
② 경제력 및 민족(인종)에 따른 거주지 분리 현상이 나타남

도심	역사적 건축물이 많고, 고소득층 거주 지역이 형성되어 있음
도심 주변 지역	주로 저소득층 이민자 거주 지역이 형성됨
외곽 지역	교외화 현상으로 새로운 상업 및 업무 지구가 형성되거나 주거 지역이 형성됨

(4) 북부 아메리카 주요 도시의 내부 구조 특징

① 도심에서 외곽으로 갈수록 건물의 높이가 점차 낮아지는 경관이 비교적 잘 나타남
② 경제력 및 민족(인종)에 따른 거주지 분리 현상이 나타남

도심	중심 업무 지구가 형성되어 고층 빌딩이 많음
도심 주변 지역	저소득층 및 소수 민족(인종)의 거주 지역 형성
외곽 지역	쾌적한 환경을 선호하는 고소득층의 고급 주택지 형성

③ 낙후된 도시 내부 지역을 재개발하는 도시 재생 사업이 활발함

③ 유럽과 북부 아메리카의 지역 통합 및 분리 운동

(1) 유럽 연합(EU)의 형성

① 회원국 간 노동력, 자본, 상품의 자유로운 이동이 가능한 단일 시장 형성
② 단일 화폐인 유로화 사용(유로존 국가)
③ 유럽의 정치적 통합을 위한 유럽 의회 구성, 독자적인 입법·행정·사법 체계를 갖춤
④ 과제: 서부 유럽과 동부 유럽의 경제적 격차, 대규모 난민 유입에 따른 문화적 갈등 등

(2) 북부 아메리카의 지역 통합

① 북아메리카 자유 무역 협정(NAFTA) 체결: 미국의 자본과 기술, 캐나다의 자원과 자본, 멕시코의 노동력이 결합되어 국제 경쟁력 강화
② 2020년 재협상을 통해 미국·멕시코·캐나다 협정(USMCA)으로 명칭 변경
③ 과제: 미국 제조업의 국외 이전에 따른 일자리 감소, 멕시코 경제의 미국 의존도 증가 등

(3) 유럽과 북부 아메리카의 분리 운동

유럽	지역 정체성이 강한 국가, 지역 간 경제적 차이가 큰 국가, 문화(언어) 갈등이 나타나는 국가에서 분리주의 운동이 활발함 
북부 아메리카	캐나다 퀘벡주(州)의 분리 독립 운동: 과거 프랑스계의 정착이 활발하였던 지역으로, 프랑스어 사용 인구가 많음

01

▶ 24062-0111

다음 글은 유럽 공업 지역에 관한 것이다. ㉠, ㉡이 속해 있는 공업 지역을 지도의 A~C에서 고른 것은? (단, A~C는 각각 전통 공업 지역, 첨단 산업 지역, 해운·하운 교통 발달 지역 중 하나임.)

〈유럽 공업 지역의 변화〉

'광부들'이라는 별명의 축구 구단 연고지로 유명한 독일의 ㉠겔젠키르헨은 루르 지역 중심부에 위치한 도시로, 과거 석탄 및 철강 산업이 발달하였다. 그러나 1950년대 말 루르 지역의 공업이 쇠퇴하면서 인구가 지속적으로 감소하고 환경 오염 문제가 증가하였다. 겔젠키르헨은 이를 극복하기 위한 정책을 추진하였고, 태양 에너지 산업 및 연구를 위한 공업 단지 조성, 태양 에너지 활용 친환경 주거 단지 개발 등을 통해 친환경 도시로 탈바꿈하고 있다.

한편, 붉은빛 벽돌로 건축한 건물이 많아 '장미 도시'라는 애칭을 지닌 프랑스의 ㉡툴루즈는 대학과 연구 기관이 많은 교육 도시이고, 대서양과 지중해를 잇는 운하가 있으며, 풍부한 문화유산을 가진 도시이다. 현재 툴루즈는 항공·우주 산업이 발달한 대표적인 첨단 산업 지역으로 자리매김하였다. 세계 주요 항공기 회사의 본사가 입지해 있으며, 수많은 항공·우주 관련 기업과 연구 센터의 전문가들이 고용되어 일하고 있다.

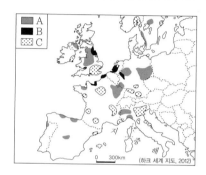

	㉠	㉡
①	A	B
②	A	C
③	B	A
④	B	C
⑤	C	A

02

▶ 24062-0112

그래프는 지도에 표시된 세 주(州)의 제조업 업종별 생산액을 나타낸 것이다. 이에 대한 설명으로 옳은 것만을 〈보기〉에서 고른 것은? (단, A, B는 각각 기계류, 컴퓨터 및 전자 제품을 나타냄.)

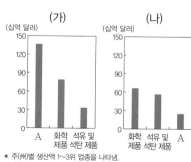

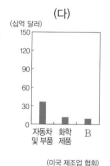

* 주(州)별 생산액 1~3위 업종을 나타냄.
(2022년)

(미국 제조업 협회)

| 보기 |

ㄱ. (가)에는 샌프란시스코, 로스앤젤레스가 위치한다.
ㄴ. (나)는 오대호의 수운을 바탕으로 공업이 성장하였다.
ㄷ. (가)는 선벨트, (다)는 러스트 벨트에 속한다.
ㄹ. A는 기계류, B는 컴퓨터 및 전자 제품에 해당한다.

① ㄱ, ㄴ ② ㄱ, ㄷ ③ ㄴ, ㄷ ④ ㄴ, ㄹ ⑤ ㄷ, ㄹ

03

▶ 24062-0113

(가), (나)가 속한 공업 지역을 지도의 A~D에서 고른 것은?

(가) 이곳의 명칭은 이 지역에 발달한 첨단 산업인 반도체에 들어가는 재료의 이름과 이 지역에 펼쳐진 산타클라라 계곡을 합해 만들어졌다. 많은 컴퓨터, IT 기업들이 이 지역에 본사를 두고 있으며, 최근 세계적인 컴퓨터 및 휴대폰 운영 체제 회사가 이곳에 새로운 업무용 건물을 세워 이곳의 랜드마크가 되었다. 이외에도 세계적인 전자 기기 기업, 모바일 콘텐츠 기업 등도 이곳에 사무 공간을 마련하고 있다.

(나) 이곳은 유럽에서 성공적인 정보 통신 기술 클러스터로 여겨진다. 해당 국가의 수도에 자리 잡은 이곳은 세계적인 무선 이동 통신 및 컴퓨터 분야의 기업들이 진출해 있다. 또한 다수의 연구소들이 첨단 기술을 연구하고 있으며, 세계적으로 사용하고 있는 근거리 무선 통신 기술은 이곳에서 탄생한 대표적인 기술이다.

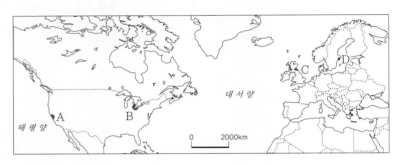

	(가)	(나)
①	A	C
②	A	D
③	B	C
④	B	D
⑤	C	D

04

▶ 24062-0114

(가), (나) 지역에 대한 설명으로 옳은 것만을 〈보기〉에서 있는 대로 고른 것은? (단, (가), (나)는 각각 개선문 일대, 라 데팡스 중 하나임.)

〈프랑스 파리의 두 지역 모습〉

▲ (나)에서 바라본 (가)의 모습

▲ (가)에서 바라본 (나)의 모습

┌ 보기 ┐
ㄱ. (가)는 신흥 업무 지구로 건설되었다.
ㄴ. (가)의 시가지는 (나)의 시가지보다 형성 시기가 늦다.
ㄷ. (가), (나) 모두 도시 내 주변(외곽) 지역에 위치한다.

① ㄱ   ② ㄷ   ③ ㄱ, ㄴ   ④ ㄴ, ㄷ   ⑤ ㄱ, ㄴ, ㄷ

05

▶ 24062-0115

지도는 북부 아메리카의 주요 공업 지역을 나타낸 것이다. A~E 지역에 대한 설명으로 옳지 <u>않은</u> 것은?

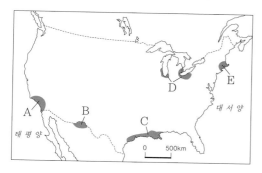

① A에는 영화 산업이 발달하였다.

② B에서는 저렴한 노동력을 이용해 생산한 제품을 인접 국가에 수출한다.

③ C는 인근에 매장된 석유를 기반으로 공업이 발달하였다.

④ D는 오대호의 수운을 바탕으로 공업이 발달하였다.

⑤ E는 A보다 공업 발달의 역사가 짧다.

06

▶ 24062-0116

다음 자료의 (가), (나) 도시를 지도의 A~D에서 고른 것은?

- ____(가)____에는 삼각형 모양의 건축물이 있다. 뾰족하고 긴 삼각형의 땅 위에 꽉 차게 지어진 독특한 모습은 도시의 도로망 건설과 관련이 있다. 이 건축물이 위치한 ____(가)____ 중북부의 맨해튼 지역은 19세기에 대대적으로 격자망 도로가 건설되었다. 이때 일부 도로가 기존 도로였던 대각선 방향의 브로드웨이와 교차되면서 삼각형의 땅들이 생겨났고, 그중 한 곳에 이 건축물이 세워졌다. 현재 이곳은 도시의 명소로 자리 잡아 많은 사람들이 찾고 있다.

- ____(나)____에는 대포알 모양의 건축물이 있다. 높이가 약 180m에 이르는 이 고층 건축물은 템스강 북쪽에 위치한 금융 중심가 '시티 오브 ○○'에 지어졌다. ____(나)____은/는 도심의 대다수 건물들이 5층 내외로 도시 경관 보호를 위해 건물의 높이 제한을 두고 있었지만, 도시 이미지의 변화를 위해 이 건축물의 건축이 승인되었다. 이 건축물은 빅 벤, 타워 브리지 등과 함께 이 도시의 상징 중 하나로 여겨지며 사람들의 눈길을 끌고 있다.

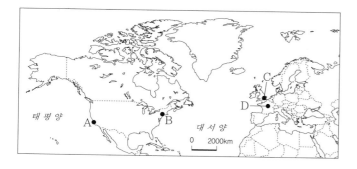

	(가)	(나)
①	A	C
②	A	D
③	B	C
④	B	D
⑤	C	A

07

▶ 24062-0117

그래프는 두 경제 블록의 역내외 수출액 및 수입액을 나타낸 것이다. (가), (나)에 대한 설명으로 옳은 것은? (단, (가), (나)는 각각 동남아시아 국가 연합(ASEAN), 유럽 연합(EU) 중 하나임.)

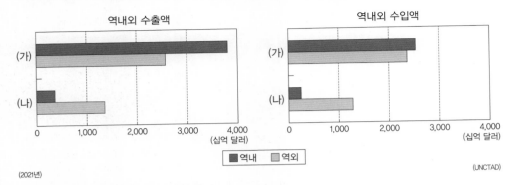

(2021년)   (UNCTAD)

① (나)는 단일 화폐를 사용한다.
② (가)는 (나)보다 회원국 수가 적다.
③ (가)는 (나)보다 역내 생산 요소의 이동이 자유롭다.
④ (나)는 (가)보다 정치·경제적 통합 수준이 높다.
⑤ (나)는 (가)보다 1인당 역내 총생산이 많다.

08

▶ 24062-0118

그래프는 미국·멕시코·캐나다 협정(USMCA)의 각 회원국별 유입 인구 변화를 나타낸 것이다. (가)~(다) 국가에 대한 설명으로 옳은 것은? (단, (가)~(다)는 각각 미국·멕시코·캐나다 협정(USMCA)의 회원국 중 하나임.)

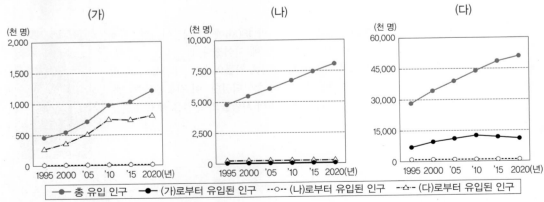

* 그래프는 누적 유입 인구를 나타냄.   (국제 연합)

① (나)에는 마킬라도라가 발달하였다.
② (가)는 (다)보다 석유 생산량이 많다.
③ (다)는 2020년 (가)와의 인구 이동에서 인구 순 유출이 나타나고 있다.
④ (가)와 (나)는 국경을 맞대고 있다.
⑤ (다)는 (가)보다 1인당 국내 총생산이 많다.

09

▶ 24062-0119

지도의 A~E 국가에 대한 설명으로 옳은 것만을 〈보기〉에서 있는 대로 고른 것은?

┌─ 보기 ┐
ㄱ. A의 스코틀랜드는 본국으로부터 분리 독립 움직임이 있었다.
ㄴ. C에서 사용하는 공용어로 프랑스어와 네덜란드어가 있다.
ㄷ. B와 D는 모두 유럽 연합(EU) 회원국이다.
ㄹ. C와 E는 모두 국가 내 북부와 남부의 경제적 격차가 크다.
└─────────────────────────────────────┘

① ㄱ, ㄴ 　② ㄱ, ㄷ 　③ ㄴ, ㄷ 　④ ㄱ, ㄴ, ㄹ 　⑤ ㄴ, ㄷ, ㄹ

10

▶ 24062-0120

다음 글의 (가), (나) 지역에 대한 설명으로 옳은 것만을 〈보기〉에서 고른 것은?

┌─────────────────────────────────────┐
　 (가) 은/는 피레네산맥 남쪽에 위치한 지역으로, 소속 국가인 ○○국과는 민족과 문화적 특성이 달라 수차례 분리 독립을 주장해왔다. 바르셀로나를 주도로 삼고 있는 이 지역은 ○○국의 축구 리그 소속 클럽 중 수도를 연고지로 하는 클럽과 함께 인기가 많은 축구 클럽의 연고지이기도 하여 많은 사람들이 이 지역의 분리 독립에 주목하고 있다.
　 한편, (가) 의 분리 독립 운동은 (나) 의 자치권 확대 운동에도 영향을 주었다. 알프스산맥 이남의 평원 일대에서 명칭이 유래한 (나) 은/는 □□국의 롬바르디아주, 베네토주 등을 중심으로 한 지역이다. 과거 이 지역은 19세기 수많은 도시 국가들이 있었던 □□국이 통일되는 과정에서 전쟁을 통해 수복되었고, 국가 전역의 많은 군인들이 희생되어 당시 나폴리 중심의 남부 지역 주민들에게 불만의 대상인 지역이었다. 최근 (나) 은/는 경제적인 이유로 다른 지역과의 갈등이 나타나면서 자치권 확대를 주장하고 있다.
└─────────────────────────────────────┘

┌─ 보기 ┐
ㄱ. (가)는 바스크이다.
ㄴ. (가)에서는 지역의 독자적인 언어가 사용된다.
ㄷ. (나)는 소속 국가의 남부 지역과 민족 구성이 다르다.
ㄹ. (가)와 (나)는 모두 소득 수준이 국가 내 다른 지역에 비해 높은 편이다.
└─────────────────────────────────────┘

① ㄱ, ㄴ 　② ㄱ, ㄷ 　③ ㄴ, ㄷ 　④ ㄴ, ㄹ 　⑤ ㄷ, ㄹ

11

▶ 24062-0121

지도의 A~C 국가에 대한 설명으로 옳은 것만을 〈보기〉에서 있는 대로 고른 것은?

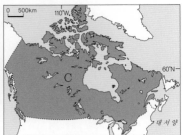

┌ 보기 ┐
ㄱ. B의 수도에는 유럽 연합(EU) 본부가 있다.
ㄴ. B는 프랑스어를 주로 사용하는 지역의 소득 수준이 국가 내 다른 지역에 비해 높다.
ㄷ. C는 인접국과 마킬라도라 프로그램을 통해 외국인 투자를 유치하였다.
ㄹ. A와 C에서는 모두 분리 독립 움직임이 있다.

① ㄱ, ㄴ ② ㄱ, ㄹ ③ ㄴ, ㄷ ④ ㄱ, ㄷ, ㄹ ⑤ ㄴ, ㄷ, ㄹ

12

▶ 24062-0122

다음 자료는 누리 소통망(SNS) 화면의 일부이다. (가), (나) 도시에 대한 설명으로 옳은 것만을 〈보기〉에서 고른 것은?

👤 geo_prince

❤ 좋아요 35개

오늘 [(가)]을/를 여행했습니다. 이 도시의 상징인 에펠 탑. 정말 아름답지 않나요?
루브르 박물관과 샹젤리제 거리를 둘러보며 세계 문화 예술의 중심 도시답다는 생각을 했습니다.
이곳엔 세계 주요 국제기구의 본부도 많이 있다고 해요. 내일은 미리 예약한 국제기구 본부 견학을 갈 예정입니다.

#프랑스 #에펠 탑

👤 I_like_geo

❤ 좋아요 40개

오늘 [(나)]을/를 여행했어요. 오대호 연안에 자리잡은 도시의 모습이 웅장하죠?
이 도시는 오대호와 미시시피강을 이어주는 내륙 수운 교통과 함께 성장하였고, 미국의 주요 도시로 자리 잡았습니다.
도심을 중심으로 동심원 모양으로 발달한 도시 구조로도 유명해요. 내일은 이 도시의 유명한 스카이라인을 구경할 예정이에요.

#미국 #오대호

┌ 보기 ┐
ㄱ. (나)는 최상위 계층의 세계 도시이다.
ㄴ. (가)는 (나)보다 도시 발달의 역사가 길다.
ㄷ. (나)는 (가)보다 도심의 건물 평균 층수가 많다.
ㄹ. (가), (나)는 모두 해당 국가의 수도이다.

① ㄱ, ㄴ ② ㄱ, ㄷ ③ ㄴ, ㄷ ④ ㄴ, ㄹ ⑤ ㄷ, ㄹ

① 중·남부 아메리카의 도시화 및 도시 구조의 특징

(1) 도시화 특징

① 도시 발달: 고대 문명이 발달하였던 고원과 산지에 고산 도시 발달, 유럽과 연결성이 좋은 대서양 연안 지역을 중심으로 도시 발달

▲ 중·남부 아메리카의 도시화율

② 도시화 특징
- 경제 발전 수준에 비해 도시화율이 높고, 급속한 도시화로 도시 과밀화 현상이 나타남
- 수위 도시에 인구가 집중하면서 종주 도시화 현상 발생

(2) 도시 구조 특징

① 식민지 경험이 반영되어 원주민의 전통문화 요소와 유럽인이 전파한 문화 요소가 혼합된 이중적인 도시 구조가 나타남

② 유럽의 식민 통치를 위한 도시 내부 구조 발달: 격자형 도로망을 갖춘 도심에 광장을 조성하고, 광장 주변에 행정 기관과 종교 시설을 배치함

③ 사회적 지위, 민족(인종)에 따른 거주지 분리: 고소득층의 유럽계는 주로 쾌적한 주거 환경을 갖춘 도심 또는 해안에 거주하고, 저소득층의 원주민과 아프리카계는 주로 도시 주변부에 거주함

(3) 도시 문제

① 급속한 도시화로 기존의 주거 지역이 과밀화되고, 도시 외곽 지역까지 도시가 무분별하게 확장됨

② 소수의 대도시로 인구가 집중하면서 각종 사회 기반 시설 부족, 범죄, 환경 문제 등 각종 도시 문제 발생

② 중·남부 아메리카의 문화 및 민족(인종) 분포

(1) 문화

① 종교: 에스파냐, 포르투갈의 식민지 지배와 함께 유럽 문화의 전파가 이루어져 크리스트교(가톨릭교) 신자 비율이 높음

② 언어: 에스파냐어와 포르투갈어(브라질) 사용자 비율이 높음

(2) 민족(인종) 분포 특성

원주민	안데스 산지와 아마존강 유역에 주로 분포하고, 볼리비아, 페루 등에서 분포 비율이 높음
유럽계	기후가 온화한 아르헨티나, 우루과이, 브라질 남동부 해안을 중심으로 분포
아프리카계	플랜테이션이 발달한 자메이카와 브라질 북동부 해안을 중심으로 분포
혼혈	멕시코, 칠레 등에서 분포 비율이 높음

③ 사하라 이남 아프리카의 지역 분쟁과 저개발

(1) 지역 분쟁의 배경과 주요 분쟁 지역

① 다양한 민족과 언어가 분포하며, 고유의 문화를 가진 부족 중심의 사회가 발달함

② 종교의 다양성: 부족 중심의 토속 신앙이 발달하였으나, 이슬람교와 크리스트교의 유입으로 종교 구성이 다양해짐

③ 유럽 열강이 각 부족 사회의 영역과 상관없이 임의로 국경선 획정

④ 주요 분쟁 지역

나이지리아	북부의 이슬람교와 남부의 크리스트교 간 갈등
수단-남수단	주로 이슬람교를 믿으며 아랍어 사용자가 많은 수단과 주로 크리스트교를 믿으며 영어 사용자가 많은 남수단 간 갈등
르완다, 부룬디	유럽으로부터 독립 후 부족 간 갈등
남아프리카 공화국	인종 차별 정책(아파르트헤이트)의 여파로 인한 인종 갈등과 인종 간 빈부 격차

(2) 저개발의 배경

① 높은 인구 증가율에 비해 경제 기반이 취약하여 식량난이 심각함, 절대 빈곤층이 많아 기아 문제 발생

② 보건 의료 시설과 인력이 부족하여 말라리아 등 각종 질병에 취약하며, 교육의 기회도 적음

③ 도로·철도 등의 사회 기반 시설이 부족하고, 1차 생산품 중심의 산업 구조로 선진국의 투자에 의존하는 경제 구조를 가진 국가가 많음

④ 자원 개발을 둘러싼 과제

(1) 지역별 자원 개발

사하라 이남 아프리카	• 석유, 천연가스: 나이지리아, 앙골라 등 • 석탄: 남아프리카 공화국 등 • 구리, 코발트: 콩고 민주 공화국, 잠비아 등 • 다이아몬드: 보츠와나 등
중·남부 아메리카	• 석유, 천연가스: 베네수엘라 볼리바르, 멕시코, 볼리비아 등 • 구리: 칠레 등 • 철광석: 브라질 등

(2) 자원 이용과 분배 문제

① 외국 자본에 대한 의존도가 높고, 자원 개발 이익이 소수 집단에 집중됨

② 특정 자원에 대한 수출 의존도가 높아 국제 자원 가격 변동에 따라 국가 경제가 불안해질 가능성이 높음

③ 커피, 카카오, 바나나 등 상품 작물 중심의 플랜테이션이 발달한 국가에서는 다국적 기업 중심의 불공정한 무역 구조가 나타남

(3) 자원 개발에 따른 환경 문제: 농장 조성과 자원 개발로 인해 열대림 파괴, 토양 침식, 수질 오염 등이 발생함

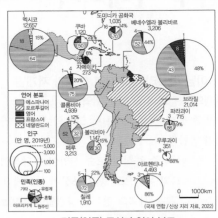

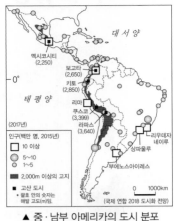

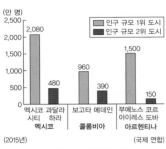

▲ 민족(인종) 구성과 언어 분포　　▲ 중·남부 아메리카의 도시 분포　　▲ 종주 도시화 현상

- 중·남부 아메리카는 라틴계 유럽인이 식민지를 건설하면서 그 영향으로 대부분의 나라에서 에스파냐어와 포르투갈어를 사용한다. 또한 이로 인해 국가별로 민족(인종) 구성이 다양하다. 유럽인이 진출한 이후 부족한 노동력을 보충하기 위해 아프리카에서 많은 노예를 이주시켰는데, 이러한 과정을 거치면서 아메리카 원주민, 유럽계, 아프리카계 간에 혼혈이 이루어졌다. 국가별 민족(인종) 구성을 보면 혼혈의 비율은 멕시코, 칠레 등에서 특히 높고, 원주민의 비율은 안데스 산지에 위치한 볼리비아, 페루 등에서 높으며, 유럽계의 비율은 기후가 온화한 아르헨티나, 우루과이 등에서 높다.
- 중·남부 아메리카의 도시들은 안데스산맥, 멕시코고원 등 해발 고도가 높은 지역과 태평양, 대서양 연안을 중심으로 발달하였다. 원주민은 일찍부터 고산 기후가 나타나는 고원과 산지를 중심으로 고대 문명을 꽃피웠고, 고산 지역을 중심으로 멕시코시티, 보고타, 키토, 라파스 등의 고산 도시가 발달하였다. 유럽계는 식민 통치 과정에서 식민지의 지하자원과 플랜테이션 작물을 유럽으로 운송하기 편리하거나 인간 거주에 유리한 해안에 도시를 건설하였다. 이로 인해 태평양 연안의 산티아고, 리마, 대서양 연안의 부에노스아이레스, 상파울루, 리우데자네이루 등의 도시가 발달하였다.
- 중·남부 아메리카는 도시화의 진행 속도가 빨라 많은 농촌 인구가 소수의 대도시로 이주하면서 과도시화 현상이 나타나게 되었다. 이로 인해 멕시코시티, 보고타, 부에노스아이레스처럼 수위 도시에 과도한 인구가 집중되는 종주 도시화 현상이 나타나고 있다.

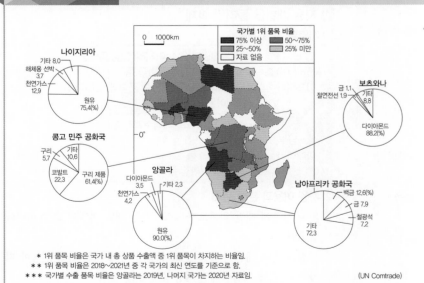

* 1위 품목 비율은 국가 내 총 상품 수출액 중 1위 품목이 차지하는 비율임.
** 1위 품목 비율은 2018~2021년 중 각 국가의 최신 연도를 기준으로 함.
*** 국가별 수출 품목 비율은 앙골라는 2019년, 나머지 국가는 2020년 자료임.

(UN Comtrade)

- 사하라 이남 아프리카에서는 앙골라의 원유(약 90.0%), 보츠와나의 다이아몬드(약 88.2%), 나이지리아의 원유(약 75.4%) 등과 같이 한 나라의 경제가 특정 품목의 생산이나 수출에 의존하는 경우가 많다. 이러한 경제 구조는 기술과 자본이 부족한 개발도상국에서 주로 나타나는데, 과거 식민지의 유산이라 할 수 있다. 주로 특정 자원에 의존하는 경우가 많기 때문에 경쟁국의 생산 및 판매 가격에 영향을 받아 가격 변동이 크며, 선진국의 다국적 기업들의 통제를 받는다. 따라서 이러한 경제 구조가 나타나는 국가는 대외 의존성이 심화되고, 국제 자원 가격 변동에 따라 국가 경제가 좌지우지되는 문제가 발생한다.
- 사하라 이남 아프리카에는 다양한 자원이 매장되어 있다. 나이지리아는 아프리카의 주요 석유 생산 및 수출국이다. 보츠와나는 다이아몬드 생산량 세계 2위이며, 남아프리카 공화국은 아프리카에서 석탄의 생산량과 수출량이 가장 많다. 잠비아에서 콩고 민주 공화국으로 이어지는 '코퍼 벨트'에서는 구리가 많이 생산된다.

01

▶ 24062-0123

다음 자료는 중·남부 아메리카의 인구 및 도시 특성을 나타낸 것이다. 이에 대한 설명으로 옳지 않은 것은? (단, A~C는 각각 리우데자네이루, 보고타, 부에노스아이레스 중 하나이고, (가), (나)는 각각 브라질, 아르헨티나 중 하나임.)

〈인구 천만 명 이상 대도시 분포〉

〈국가별 인구 및 도시화율〉

① C에는 불량 주택 지구인 '파벨라'가 있다.
② B가 속한 국가는 A가 속한 국가보다 도시화율이 높다.
③ A와 B는 모두 해당 국가의 수도이다.
④ (나)는 (가)보다 인구 천만 명 이상 대도시가 많다.
⑤ 인구 천만 명 이상 대도시는 해안 지역이 고산 지역보다 많다.

02

▶ 24062-0124

(가)~(다) 도시에 대한 설명으로 옳은 것만을 〈보기〉에서 고른 것은? (단, (가)~(다)는 각각 멕시코시티, 부에노스아이레스, 산티아고 중 하나임.)

- ___(가)___ 은/는 남북으로 좁고 긴 형태의 국토를 가진 국가의 수도이다. 도심의 아르마스 광장에는 관공서와 국립 박물관, 대성당 등이 있다. 이 도시는 여름에 덥고 건조하며 겨울에는 서늘하고 습윤한 기후 특징으로 인해 인근에서는 포도를 많이 재배하고 있다.
- ___(나)___ 의 5월 광장에는 대통령궁과 옛 시청, 대성당이 자리 잡고 있다. 이 도시는 라틴 아메리카에서 두 번째로 국토 면적이 넓고 유럽계 비율이 전체 국민의 80%가 넘는 국가의 수도로, 유럽계 이주민들이 모여 살던 보카 항구는 탱고의 발상지로 유명하다.
- ___(다)___ 에는 대성당과 대통령 집무실인 국립 궁전 등이 위치한 소칼로 광장이 있고, 광장을 중심으로 격자망 도로가 나타난다. 이 도시는 과거 아스테카 문명의 중심 도시인 테오티우아칸 등의 고대 유적지가 유명하다.

┌ 보기 ┐
ㄱ. (나)는 해당 국가의 수위 도시이자 종주 도시이다.
ㄴ. (가)는 (다)보다 해발 고도가 높다.
ㄷ. (다)가 속한 국가는 (가)가 속한 국가보다 총인구가 많다.
ㄹ. (다)가 속한 국가는 (나)가 속한 국가와 국경을 접하고 있다.

① ㄱ, ㄴ   ② ㄱ, ㄷ   ③ ㄴ, ㄷ   ④ ㄴ, ㄹ   ⑤ ㄷ, ㄹ

▶ 24062-0125

03

그래프는 (가)~(다) 국가의 민족(인종) 구성을 나타낸 것이다. 이에 대한 설명으로 옳은 것은? (단, (가)~(다)는 각각 지도에 표시된 세 국가 중 하나이고, A, B는 각각 원주민, 유럽계 중 하나임.)

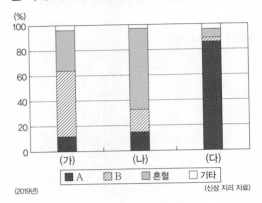

(2019년) (신상 지리 자료)

① B의 조상들은 잉카, 아스테카 등 고대 문명을 발달시켰다.
② A는 B보다 중·남부 아메리카에 정착한 시기가 이르다.
③ B는 A보다 브라질의 민족(인종) 구성에서 차지하는 비율이 높다.
④ 멕시코는 페루보다 국가 내 민족(인종) 구성에서 원주민이 차지하는 비율이 높다.
⑤ (나)는 남반구, (다)는 북반구에 위치한다.

▶ 24062-0126

04

다음 자료의 (가), (나) 도시를 지도의 A~D에서 고른 것은?

(가) 안데스산맥의 고원 지대에 위치한 '세계에서 가장 높은 곳에 위치한 수도'인 이 도시는 에스파냐어로 '평화'라는 뜻을 가지고 있다. 이 도시는 원래 '추키아고'라고 불리는 원주민 거주지였는데, 에스파냐 식민지 시절에 포토시에서 나오는 은을 다른 국가로 옮겨 가기 위한 상업의 중계지로 번창하였다. 커다란 분지인 이 도시는 분지 중앙의 낮은 부분이 고층 건물들이 즐비한 도심이며, 이곳에 고소득층 주거 지역이 형성되어 있고, 해발 고도가 높은 외곽과 경사지를 따라서는 저소득층 주거 지역이 형성되어 있다. 시가지의 위와 아래는 약 700m의 고도 차이가 있어 케이블카가 도시 내 주요 교통수단으로 이용되고 있다.

▲ 도시 내 주요 교통수단인 케이블카

(나) 포르투갈어로 '1월의 강'을 뜻하는 이 도시는 세계 3대 미항으로 꼽히는 아름다운 해변과 열정적인 카니발 축제, 거대 예수상으로 대표되는 코르코바두가 유명하다. 하지만 산자락에 파벨라라고 불리는 빈민촌이 늘어선 것이 이 도시의 또 다른 모습이다. 일자리를 찾아 대도시로 온 빈민들이 뒤섞이면서 형성된 파벨라가 올림픽 개막식에 등장하였다. 층층이 성냥갑처럼 쌓아 올린 무대가 파벨라를 형상화한 것으로, 어둡고 부정적인 이미지인 파벨라를 아름답고 다채로운 모습으로 세계인들에게 알렸다.

▲ 불량 주택 지구인 파벨라의 모습

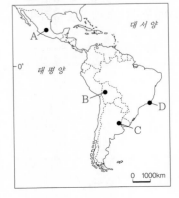

	(가)	(나)
①	A	C
②	A	D
③	B	A
④	B	C
⑤	B	D

05

▶ 24062-0127

다음 자료에 대한 설명으로 옳은 것만을 〈보기〉에서 있는 대로 고른 것은?

아프리카는 오래전부터 부족 중심의 ㉠토속 신앙이 발달하였으나, (가)와 (나)의 유입으로 종교 구성이 다양해졌다. 대체로 아프리카의 남쪽으로 갈수록 (가), 북쪽으로 갈수록 (나)가 우세하다. 이 두 종교의 점이 지대에서는 두 종교 간 분쟁이 발생하기도 한다. 그 대표적인 사례가 ㉡나이지리아와 수단·남수단이다. 나이지리아의 경우 북부와 남부 지역의 우세한 종교가 달라 갈등이 지속되고 있다. 또한 ㉢남수단의 경우 ㉣수단과 종교 및 문화적 배경이 달라 갈등이 지속되다가 2011년 독립했는데, 분리 독립 이후에도 에너지 자원의 매장량이 풍부한 접경 지대를 놓고 분쟁이 계속되고 있다.

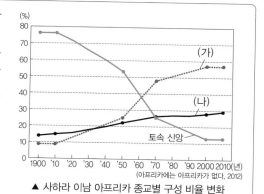

▲ 사하라 이남 아프리카 종교별 구성 비율 변화

| 보기 |

ㄱ. ㉠은 전통 부족 사회의 문화 형성에 큰 영향을 주었다.
ㄴ. ㉡의 북부는 크리스트교, 남부는 이슬람교가 우세하다.
ㄷ. ㉢은 (나) 신자보다 (가) 신자가 많다.
ㄹ. ㉣은 국토가 사헬 지대에 걸쳐 있다.

① ㄱ, ㄴ
② ㄱ, ㄷ
③ ㄴ, ㄹ
④ ㄱ, ㄷ, ㄹ
⑤ ㄴ, ㄷ, ㄹ

06

▶ 24062-0128

다음 자료는 두 국가 국기의 역사에 관한 것이다. (가), (나)에 해당하는 국가를 지도의 A~C에서 고른 것은?

- ⬚(가)⬚ 은/는 벨기에로부터 독립한 직후 빨강, 노랑, 초록의 세로형 삼색과 국기 중앙에 공화국을 상징하는 'R'이 들어가 있는 국기를 사용하였다. 그러나 1990년 이 국가는 끔찍한 내전의 참극을 겪게 되었는데, 후투족과 투치족 간의 유혈 분쟁으로 많은 사람이 목숨을 잃었다. 내전이 끝난 후 초기 국기가 내전의 참상을 연상시킨다는 이유로 종래의 국기를 폐지하고, 새 국기를 채택하였다. 새롭게 채택된 국기는 파랑색, 노란색, 초록색의 삼색기로, 오른쪽 상단에 노란색의 태양이 그려진 게 특징이다.

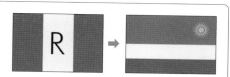

- ⬚(나)⬚ 의 초기 국기에는 백인이 아닌 다른 인종의 상징은 전혀 들어가지 않았다. 주황색은 네덜란드를 상징하고, 흰색 띠에는 영국인과 보어인을 대표하는 상징물이 들어갔다. 이는 소수의 백인이 다수의 유색 인종을 차별하는 정책(아파르트헤이트)이 심했던 시기에 제작된 것이었다. 인종 차별 정책이 폐지된 현재의 국기에는 인종 화합의 염원을 담아 6개 색상으로 표현되어 있고, 국기의 Y자는 두 갈래의 길이 하나로 합쳐지듯 각자 다른 길을 걸어온 사람들이 이제는 번영을 위해 합심하리라는 국민의 염원을 담고 있다.

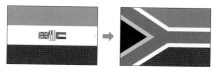

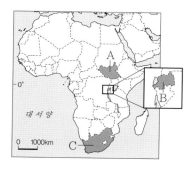

	(가)	(나)
①	A	B
②	A	C
③	B	A
④	B	C
⑤	C	A

07

▶ 24062-0129

그래프는 지도에 표시된 세 국가의 농림어업 부가 가치 비율과 인구 만 명 당 의사 수, 총인구를 나타낸 것이다. (가)~(다) 국가에 대한 설명으로 옳은 것은?

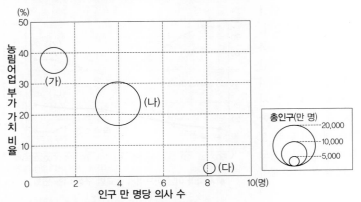

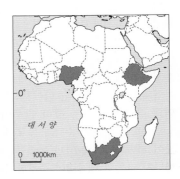

* 인구 만 명당 의사 수의 경우 (가)는 2020년, (나)와 (다)는 2021년 자료임.
** 농림어업 부가 가치 비율, 총인구는 2021년 자료임.
*** 인구 만 명당 의사 수, 농림어업 부가 가치 비율은 원의 중심값임.

(국제 연합, 세계은행)

① (가)는 남반구에 위치한다.
② (나)는 대서양과 인도양에 모두 접해 있다.
③ (가)는 (나)보다 석유 생산량이 많다.
④ (나)는 (다)보다 인구 밀도가 높다.
⑤ (다)는 (가)보다 커피 생산량이 많다.

08

▶ 24062-0130

다음 자료는 세 국가의 상품별 수출액과 주요 지리 정보를 나타낸 것이다. 이에 대한 설명으로 옳은 것은? (단, (가)~(다)와 A~C는 각각 멕시코, 아르헨티나, 칠레 중 하나임.)

〈상품별 수출액〉

(2021년) (WTO)

〈지리 정보〉

구분	A	B	C
총인구 (백만 명)	45.3	19.5	126.7
도시화율(%)	92.2	87.8	81.0
국토 면적 (만 km²)	278.0	75.6	196.4
수도의 위치	34°60′S, 58°40′W	33°45′S, 70°65′W	19°42′N, 99°14′W

(2021년) (국제 연합, The World Factbook)

① (가)와 (다)는 국경을 접하고 있다.
② (나)는 (가)보다 국가 내 민족(인종) 구성에서 혼혈이 차지하는 비율이 높다.
③ (다)는 (나)보다 도시 인구가 많다.
④ A는 C보다 상품 수출액 중 공업 제품이 차지하는 비율이 높다.
⑤ B는 A보다 구리 생산량이 많다.

09

▶ 24062-0131

지도는 사하라 이남 아프리카와 중·남부 아메리카 내 자원별 생산량 상위 3개국을 나타낸 것이다. (가)~(다) 자원에 대한 설명으로 옳은 것은? (단, (가)~(다)는 각각 구리, 석유, 커피 중 하나임.)

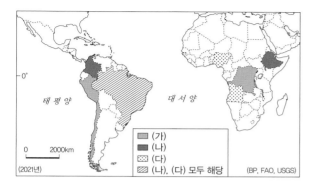

① (가)는 주로 신기 습곡 산지 주변에 분포한다.
② (나)는 수송용으로 많이 이용되는 에너지 자원이다.
③ (다)의 세계 최대 수출국은 아프리카에 위치한다.
④ (나)는 (가)보다 기후가 생산량에 미치는 영향이 작다.
⑤ (가)는 석유, (나)는 커피, (다)는 구리이다.

10

▶ 24062-0132

그래프는 세 국가의 품목별 수출액 비율을 나타낸 것이다. (가)~(다) 국가에 대한 설명으로 옳은 것만을 〈보기〉에서 고른 것은? (단, (가)~(다)는 각각 나이지리아, 보츠와나, 콜롬비아 중 하나임.)

* 상위 3개 품목 외에는 기타 처리함.
(2020년)
(UN Comtrade)

┌ 보기 ┐
ㄱ. (가)는 (나)보다 총인구가 적다.
ㄴ. (나)는 (다)보다 수도의 해발 고도가 높다.
ㄷ. (다)는 (가)보다 국가 내 이슬람교 신자 비율이 낮다.
ㄹ. 보츠와나는 콜롬비아보다 국가 총수출액에서 수출액 1위 품목이 차지하는 비율이 높다.

① ㄱ, ㄴ   ② ㄱ, ㄷ   ③ ㄴ, ㄷ   ④ ㄴ, ㄹ   ⑤ ㄷ, ㄹ

① 경제의 세계화와 세계 무역 기구

(1) 경제의 세계화

① 배경: 교통과 정보·통신 기술의 발달로 인적·물적 교류가 활발해짐, 세계 무역 기구(WTO) 출범, 다국적 기업의 성장과 영향력 확대

② 영향

긍정적 영향	국제 분업 확산으로 자원 이용의 효율성 향상, 무역 장벽 완화 또는 철폐로 기업의 제품 판매 및 소비 시장 확대, 소비자의 상품 선택 기회 증가 등
부정적 영향	산업 기반이 미약한 개발 도상국 생산자의 다국적 기업 종속 심화, 경쟁력이 약한 산업 부문의 약화 및 쇠퇴 등

(2) 세계 무역 기구(WTO)

① 1995년 출범, 공산품과 더불어 농산물과 서비스업에서도 자유 무역을 추진함

② 무역 분쟁 조정 및 해결을 위한 법적 권한과 구속력의 행사가 가능함

② 주요 경제 블록의 형성

(1) 경제 블록의 의미와 형성 배경

① 의미: 지리적으로 인접하고 경제적 상호 의존도가 높은 국가들이 공동의 이익을 위해 구성하는 배타적인 경제 협력체

② 형성 배경: 다자주의를 표방하는 세계 무역 기구의 단점 보완

(2) 경제 블록의 유형

			4단계 단일 통화, 회원국의 공동 의회 설치와 같은 정치적·경제적 통합
		3단계 회원국가 간 생산 요소의 자유로운 이동 가능	초국가적 기구 설치·운영
	2단계 역외국에 대해 공동 관세율을 적용		역내 공동 경제 정책 수행
1단계 회원국 간 관세 철폐 중심		역내 생산 요소 자유 이동 보장	역내 생산 요소 자유 이동 보장
	역외 공동 관세 부과	역외 공동 관세 부과	역외 공동 관세 부과
역내 관세 철폐	역내 관세 철폐	역내 관세 철폐	역내 관세 철폐
[자유 무역 협정]	[관세 동맹]	[공동 시장]	[완전 경제 통합]

(산업통상자원부, 2017)

(3) 주요 경제 블록

유럽 연합 (EU)	회원국 간의 상품·자본·노동력의 자유로운 이동 보장, 역내 관세 철폐 및 다수의 국가가 유로화 사용, 2020년 영국이 탈퇴함
미국·멕시코·캐나다 협정 (USMCA)	미국, 멕시코, 캐나다 간의 자유 무역 협정, 구 북아메리카 자유 무역 협정(NAFTA)을 개정하여 2020년에 발효됨
동남아시아 국가 연합 (ASEAN)	싱가포르, 인도네시아, 타이, 필리핀 등 동남아시아 10개국으로 구성, 회원국 간의 기술 및 자본 교류와 자원의 공동 개발을 추진함
남아메리카 공동 시장 (MERCOSUR)	브라질, 아르헨티나, 우루과이, 파라과이 등으로 구성, 역내 관세 철폐와 역외 공동 관세 부과 등 공동의 경제 정책 시행을 목적으로 함

③ 지구적 환경 문제

(1) 지구적 규모의 환경 문제

구분	원인(발생)	영향
지구 온난화	화석 에너지 사용 증가에 따른 온실가스(이산화 탄소, 메테인 등) 배출량 증가, 삼림 면적 감소 등	해수면 상승으로 해안 저지대 침수, 이상 기후에 따른 가뭄·홍수·폭염·한파 피해 증가 등
오존층 파괴	염화 플루오린화 탄소(CFCs) 사용량 증가	자외선 투과량 증가로 피부암·백내장 발병률 증가, 식물 성장 저해
사막화	장기간 가뭄, 과도한 방목 및 개간, 관개 농업 확대 등	토양 황폐화, 생물 종 감소, 기근 등
열대림 파괴	무분별한 벌목, 농경지 및 목장 확대, 자원 개발, 도로 건설 등	생물 종 감소 및 서식지 파괴, 지구 자정 능력 약화, 토양 침식 심화 등
산성비	황산화물과 질소 산화물 등의 대기 오염 물질이 수증기 또는 비와 만나 발생	삼림 고사, 호수 산성화, 건축물 부식, 오염 물질의 이동으로 인한 주변국과의 분쟁 등
쓰레기 섬	해양으로 유입된 쓰레기가 해류를 따라 이동하면서 거대한 쓰레기 섬 형성	쓰레기 섬은 대부분 플라스틱이나 비닐로 구성되어 있으며, 해양 환경을 파괴함

(2) 환경 문제 해결을 위한 노력

① 국가 간 주요 환경 협약

람사르 협약(1971년)	철새 및 물새 서식지로서 중요한 습지 보호
런던 협약(1972년)	폐기물의 해양 투기로 인한 해양 오염 방지
몬트리올 의정서(1987년)	염화 플루오린화 탄소(CFCs)와 같은 오존층 파괴 물질의 사용 규제
사막화 방지 협약(1994년)	사막화 피해를 받고 있는 국가에 대한 재정적·기술적 지원
교토 의정서(1997년)	선진국 중심으로 온실가스 감축 목표 제시(2020년 만료), 탄소 배출권 거래제 도입
파리 협정(2015년)	선진국과 개발 도상국 모두 온실가스 감축에 동참하도록 규정, 국가별로 자발적인 기후 변화 대응 목표 설정 및 이행 추구

② 비정부 기구(NGO)의 노력: 전 지구적 환경 문제 해결을 위한 세계적인 연대 도모 ⑩ 그린피스, 지구의 벗 등

④ 세계 평화와 정의를 위한 국제 사회의 노력

(1) 세계 분쟁의 주요 원인: 영역이나 자원의 소유권을 둘러싼 분쟁, 민족 및 문화적 차이(종교, 언어 등)로 인한 분쟁 등

(2) 영토 분쟁: 국경선이 명확하게 설정되지 않은 지역, 민족이나 종교가 다른 소수 민족이 분리·독립하려는 지역 등에서 나타남

(3) 평화를 위한 노력

① 국제 연합: 국제 사법 재판소, 국제 연합 평화 유지군, 유엔 안전 보장 이사회, 유엔 난민 기구 등을 통해 무력 분쟁 및 갈등, 난민 문제에 대응하고 있음

② 비정부 기구(NGO): 인류의 존엄과 공공의 이익을 추구하는 시민들의 자발적인 조직 ⑩ 국경 없는 의사회, 국제 사면 위원회(국제 앰네스티) 등

01

▶ 24062-0133

다음 글의 ㉠~㉣에 대한 설명으로 옳은 것만을 〈보기〉에서 있는 대로 고른 것은?

> **㉠경제의 세계화 이면, 우주에서도 보이는 아타카마 사막의 '쓰레기 옷더미'**
>
> ㉡다국적 기업 ◇◇사는 미국 ㉢뉴욕에 위치한 본사에서 매달 새롭게 출시할 제품의 디자인을 결정한 뒤, 인도에서 생산된 면직물과 이탈리아에서 구입한 가죽을 방글라데시의 수도 ㉣다카에 위치한 생산 공장으로 보내 표준화된 생산 공정에 따라 의류를 제조한다. 이렇게 생산된 의류는 세계 여러 지역으로 이동하여 판매되지만, 상당수는 소비자에게 선택받지 못하고 버려진다. 그렇게 버려진 의류는 소각되거나 개발 도상국으로 수출된다.
>
> 2023년 칠레의 아타카마 사막에 위치한 '세계의 쓰레기 옷더미'가 위성에서 관측되었다. 칠레는 중·남부 아메리카에서 가장 많은 중고 의류를 수입하는 나라로, 수입된 의류의 대부분은 아타카마 사막에 버려진다. 의류는 대부분 화학 처리가 되어 있어 자연적으로 분해되기까지 많은 시간이 걸린다. 옷에서 흘러나온 화학 물질이 토양과 지하수를 오염시켜 생태계에 악영향을 미치기도 한다. 유엔 환경 계획(UNEP)은 "의류 폐기물은 재활용률이 매우 낮으며, 2050년에는 세계 탄소 배출량의 4분의 1이 패션 산업에서 발생될 것"이라고 경고했다.

┌─ 보기 ┐
ㄱ. ㉠으로 인해 국제 무역액이 감소하였다.
ㄴ. ㉠은 교통과 정보 통신 기술의 발달로 촉진되었다.
ㄷ. ㉡은 국제 분업을 통해 제품을 생산하고 있다.
ㄹ. ㉢은 ㉣보다 주민의 평균 소득 수준이 높다.

① ㄱ, ㄴ　　② ㄱ, ㄷ　　③ ㄴ, ㄹ　　④ ㄱ, ㄷ, ㄹ　　⑤ ㄴ, ㄷ, ㄹ

02

▶ 24062-0134

(가)~(다) 경제 블록의 상대적 특징으로 옳은 것만을 〈보기〉에서 고른 것은? (단, (가)~(다)는 각각 동남아시아 국가 연합, 미국·멕시코·캐나다 협정, 유럽 연합 중 하나임.)

(가) 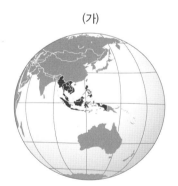　　(나) 　　(다)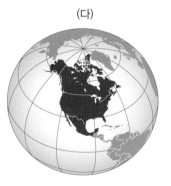

┌─ 보기 ┐
ㄱ.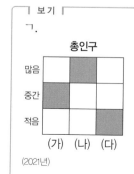
ㄴ.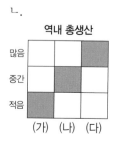
ㄷ.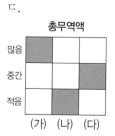
ㄹ.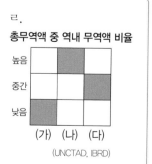

① ㄱ, ㄴ　　② ㄱ, ㄷ　　③ ㄴ, ㄷ　　④ ㄴ, ㄹ　　⑤ ㄷ, ㄹ

03

▶ 24062-0135

(가), (나) 경제 블록에 해당하는 것을 그림의 A~D에서 고른 것은?

- 유럽 국가 간 협력을 강화하고 통합을 이루기 위해 1950년대에 설립된 유럽 석탄 철강 공동체(ECSC)는 여러 단계를 거쳐 [(가)](으)로 발전하였다. [(가)]은/는 2023년 기준 27개국이 참여하고 있다.
- [(나)]은/는 1994년 출범한 북아메리카 자유 무역 협정(NAFTA)을 개정하여 2020년 7월에 발효되었다. [(나)]은/는 회원국 간 자유 무역과 더불어 경제 협력을 강화하고 지속 가능한 발전을 촉진하는 것을 목표로 한다.

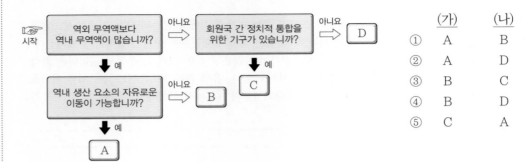

	(가)	(나)
①	A	B
②	A	D
③	B	C
④	B	D
⑤	C	A

04

▶ 24062-0136

다음 자료에 대한 설명으로 옳은 것만을 〈보기〉에서 있는 대로 고른 것은? (단, (가), (나)는 각각 지도에 표시된 지역에서 체결된 환경 협약 중 하나임.)

- [(가)]은/는 교토 의정서를 대체하기 위해 새롭게 체결된 기후 변화 협약이다. [(가)]은/는 온실가스 감축을 위한 노력뿐만 아니라 기후 변화에 대한 적응의 중요성을 강조하며 포괄적인 범위의 국제 협력을 강조하였다. 또한 종료 시점을 규정하지 않아 기후 변화에 대해 지속 가능한 대응이 가능할 것으로 전망된다.
- 1980년대 중반, 남극 상공의 심각한 ㉠오존층 파괴 현상으로 인해 오존층 보호의 필요성에 대한 인식이 확산되었다. 나아가 ㉡오존층 파괴 물질의 배출을 억제하기 위해 1987년 [(나)]이/가 채택되었다. 이러한 국제 사회의 노력에 힘입어 최근 오존층이 회복되고 있다는 연구 결과가 발표되었다.

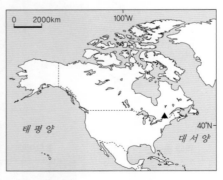

┌ 보기 ┐
ㄱ. (가)는 선진국과 개발 도상국 모두 온실가스 감축에 참여하도록 규정하였다.
ㄴ. (가)는 (나)보다 협약이 체결된 시기가 이르다.
ㄷ. ㉠은 자외선이 지표에 도달하는 것을 줄여준다.
ㄹ. ㉡의 예로 염화 플루오린화 탄소(CFCs)가 있다.

① ㄱ, ㄴ   ② ㄱ, ㄷ   ③ ㄴ, ㄹ   ④ ㄱ, ㄷ, ㄹ   ⑤ ㄴ, ㄷ, ㄹ

05

▶ 24062-0137

다음 자료의 (가) 현상에 대한 설명으로 옳은 것은?

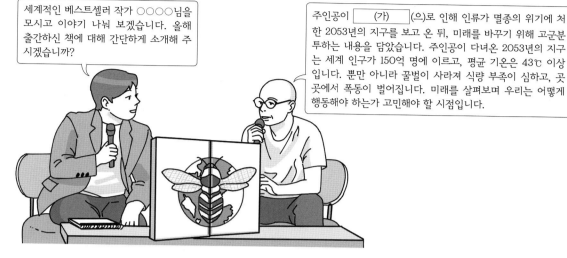

세계적인 베스트셀러 작가 ○○○○님을 모시고 이야기 나눠 보겠습니다. 올해 출간하신 책에 대해 간단하게 소개해 주시겠습니까?

주인공이 ___(가)___ (으)로 인해 인류가 멸종의 위기에 처한 2053년의 지구를 보고 온 뒤, 미래를 바꾸기 위해 고군분투하는 내용을 담았습니다. 주인공이 다녀온 2053년의 지구는 세계 인구가 150억 명에 이르고, 평균 기온은 43℃ 이상입니다. 뿐만 아니라 꿀벌이 사라져 식량 부족이 심하고, 곳곳에서 폭동이 벌어집니다. 미래를 살펴보며 우리는 어떻게 행동해야 하는가 고민해야 할 시점입니다.

① (가)로 시베리아 영구 동토층 범위가 확대되었다.
② 삼림을 조성하는 것은 (가)의 해결에 도움이 된다.
③ (가)로 인해 북극해 일대의 해수 염도가 높아졌다.
④ 국제 사회는 (가)의 해결을 위해 런던 협약을 체결하였다.
⑤ (가)가 지속되면 안데스산맥 고산 식물의 평균 분포 고도가 낮아질 것이다.

06

▶ 24062-0138

다음 글의 ㉠~㉣에 대한 설명으로 옳은 것만을 〈보기〉에서 고른 것은?

세계 170여 개국이 ㉠플라스틱 폐기물로 인한 오염에 대응하기 위해 국제 협약 마련에 박차를 가하고 있다. 중국을 비롯한 주요 플라스틱 배출국은 플라스틱 재활용 및 폐기물 정화 작업을 주요 해결책으로 제시하였다. 반면 ㉡유럽 연합(EU) 등 55개국은 플라스틱 생산량과 유해 원료에 대한 제한 조치가 필요하다고 주장하였다. ㉢경제 협력 개발 기구(OECD)의 발표에 따르면 화석 연료로 생산된 플라스틱은 2019년 기준 전 세계 탄소 배출량의 약 3.4%를 차지하며, 2060년에는 현재의 약 3배 수준으로 증가할 것으로 예상된다. 한편, 국제 사회는 2021년 ㉣유해 폐기물의 국가 간 이동을 규제하는 ○○ 협약을 개정하여 폐플라스틱을 수출입 통제 대상 폐기물에 추가하였다.

┌─ 보기 ┐
ㄱ. ㉠은 해양 생태계 파괴의 원인이 된다.
ㄴ. ㉡은 역내 생산 요소의 자유로운 이동을 보장하는 경제 블록이다.
ㄷ. ㉢은 시민들이 자발적으로 조직한 비정부 기구(NGO)에 해당한다.
ㄹ. ㉣은 프랑스 파리에서 체결된 국제 협약이다.

① ㄱ, ㄴ   ② ㄱ, ㄷ   ③ ㄴ, ㄷ   ④ ㄴ, ㄹ   ⑤ ㄷ, ㄹ

07

▶ 24062-0139

다음 글에 대한 설명으로 옳은 것만을 〈보기〉에서 고른 것은? (단, (가), (나)는 모두 아프리카에 위치한 국가임.)

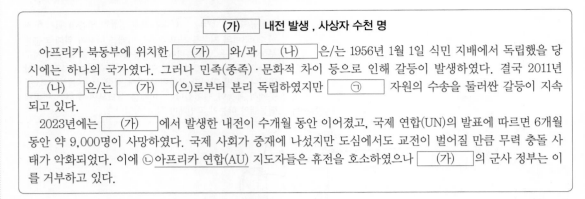

| (가) | 내전 발생 , 사상자 수천 명 |

아프리카 북동부에 위치한 (가) 와/과 (나) 은/는 1956년 1월 1일 식민 지배에서 독립했을 당시에는 하나의 국가였다. 그러나 민족(종족)·문화적 차이 등으로 인해 갈등이 발생하였다. 결국 2011년 (나) 은/는 (가) (으)로부터 분리 독립하였지만 ㉠ 자원의 수송을 둘러싼 갈등이 지속되고 있다.

2023년에는 (가) 에서 발생한 내전이 수개월 동안 이어졌고, 국제 연합(UN)의 발표에 따르면 6개월 동안 약 9,000명이 사망하였다. 국제 사회가 중재에 나섰지만 도심에서도 교전이 벌어질 만큼 무력 충돌 사태가 악화되었다. 이에 ㉡아프리카 연합(AU) 지도자들은 휴전을 호소하였으나 (가) 의 군사 정부는 이를 거부하고 있다.

보기
ㄱ. (가)의 다르푸르에서는 사막화로 인해 민족 간 갈등이 발생하였다.
ㄴ. (나)는 바다와 접하지 않은 내륙국이다.
ㄷ. (나)는 아프리카에서 ㉠의 생산량이 가장 많다.
ㄹ. ㉡은 시민들이 자발적으로 조직한 비정부 기구에 해당한다.

① ㄱ, ㄴ   ② ㄱ, ㄷ   ③ ㄴ, ㄷ   ④ ㄴ, ㄹ   ⑤ ㄷ, ㄹ

08

▶ 24062-0140

지도의 A~C 국가에 대한 설명으로 옳은 것만을 〈보기〉에서 고른 것은?

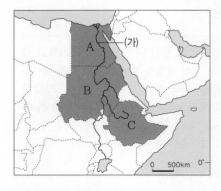

보기
ㄱ. A에서는 플랜테이션이 이루어지면서 열대림 파괴 문제가 발생했다.
ㄴ. B는 과도한 방목 및 개간으로 인해 사막화 현상이 심화되었다.
ㄷ. C는 (가) 하천의 이용을 둘러싸고 (가) 하천의 중·하류에 위치한 국가들과 갈등을 겪었다.
ㄹ. C는 B로부터 분리 독립한 국가이다.

① ㄱ, ㄴ   ② ㄱ, ㄷ   ③ ㄴ, ㄷ   ④ ㄴ, ㄹ   ⑤ ㄷ, ㄹ

09

▶ 24062-0141

다음 글에 대한 설명으로 옳은 것만을 〈보기〉에서 있는 대로 고른 것은?

'서남아시아의 집시'라고 불리는 ___(가)___ 은/는 인구가 3,000만 명이 넘는 것으로 추산되고 있다. 이는 국가가 없는 민족 중 최대 규모이다. 제1차 세계 대전 이후 서구 열강들의 이해관계에 따라 이들이 살던 지역이 ㉠튀르키예(터키), ㉡시리아, 이란, 이라크 등으로 편입되었다. 2022년에는 프랑스 파리에서 이들을 향한 인종 차별 범죄가 발생하면서 파리에 거주하는 ___(가)___ 주민들의 시위가 이어지기도 했다. 2023년에는 튀르키예(터키)에서 강진이 발생했는데, ___(가)___ 주민들의 피해가 특히 컸던 것으로 알려졌다. ㉢국제 사면 위원회(국제 앰네스티)는 이들이 처한 어려움을 알리고 해결을 촉구하기 위해 다양한 방법으로 노력하고 있다.

┌─ 보기 ┐

ㄱ. (가)는 쿠르드족이다.
ㄴ. ㉠은 신기 조산대에 위치하여 지진이 자주 발생한다.
ㄷ. ㉡에서 발생한 난민이 가장 많이 이주한 국가는 ㉠이다.
ㄹ. ㉢은 세계 각국의 정상들이 참여하는 국가 간 협력체이다.

① ㄱ, ㄷ ② ㄴ, ㄹ ③ ㄱ, ㄴ, ㄷ ④ ㄱ, ㄴ, ㄹ ⑤ ㄴ, ㄷ, ㄹ

10

▶ 24062-0142

다음은 세계지리 수업 시간에 어느 학생이 작성한 노트의 일부이다. A~D 지역에 대해 옳게 서술한 것만을 고른 것은?

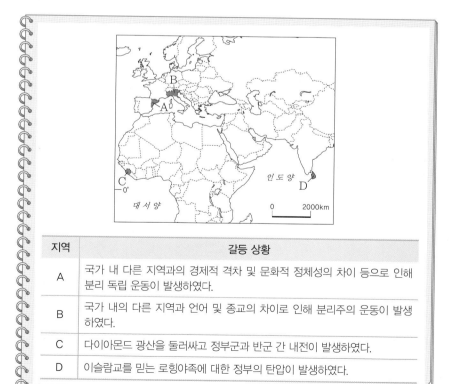

지역	갈등 상황
A	국가 내 다른 지역과의 경제적 격차 및 문화적 정체성의 차이 등으로 인해 분리 독립 운동이 발생하였다.
B	국가 내의 다른 지역과 언어 및 종교의 차이로 인해 분리주의 운동이 발생하였다.
C	다이아몬드 광산을 둘러싸고 정부군과 반군 간 내전이 발생하였다.
D	이슬람교를 믿는 로힝야족에 대한 정부의 탄압이 발생하였다.

① A, B ② A, C ③ B, C ④ B, D ⑤ C, D

문항에 따라 배점이 다르니, 각 물음의 끝에 표시된 배점을 참고하시오. 3점 문항에만 점수가 표시되어 있습니다. 점수 표시가 없는 문항은 모두 2점입니다.

▶ 24062-0143

1 다음 〈조건〉을 고려하여 다국적 기업의 생산 공장을 입지시키려고 할 때, 가장 적합한 국가를 지도의 A~E에서 고른 것은?

〈조건〉 각 평가 항목 점수의 합이 가장 큰 국가를 선정하고, 합이 같으면 세계화 지수가 높은 국가를 선정함.

월 최저 임금(달러)	점수	세계화 지수	점수	청장년층 인구(백만 명)	점수
150 이상	1	60 이상	3	50 이상	3
100~150	2	50~60	2	40~50	2
100 미만	3	50 미만	1	40 미만	1

〈국가 정보〉

항목 \ 국가	월 최저 임금(달러)	세계화 지수*	청장년층 인구(백만 명)
방글라데시	16.6	49.7	116.4
베트남	168.3	63.1	67.3
스리랑카	39.8	57.1	10.9
캄보디아	194.0	57.2	14.3
타이	249.2	72.7	49.7

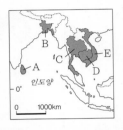

*세계화 지수는 국가별 세계화 수준을 경제적·사회적·정치적 차원에서 분석해 종합적으로 나타낸 것으로, 1에서 100까지 수치로 표현하는데 100이 가장 높은 세계화 수준임.
(2022년) (ILO, KOF, 국제 연합)

① A ② B ③ C ④ D ⑤ E

▶ 24062-0144

2 표는 (가), (나) 국가의 지리 정보를 나타낸 것이다. 이에 대한 설명으로 옳지 <u>않은</u> 것은? [3점]

구분 \ 국가	(가)	(나)
㉠지역 내 총생산 지표로 그린 카토그램*		
㉡수도 위치	15°46′S, 47°55′W	41°53′N, 12°29′E
㉢인구(백만 명)	214.3	59.2
국내 총생산(백억 달러)	160.9	210.8

* 카토그램은 특정 수치를 바탕으로 수치에 비례해 면적을 왜곡 표현한 지도임.
** 지역 내 총생산은 2018년, 인구와 국내 총생산은 2021년 값임. (국제 연합, 세계은행)

① ㉡은 공간 정보, ㉢은 속성 정보에 해당한다.
② (나)의 북부 지역은 남부 지역보다 ㉠이 많아 분리 움직임이 있다.
③ (가)는 (나)보다 인구 밀도가 높다.
④ (나)는 (가)보다 1인당 국내 총생산이 많다.
⑤ (가)는 중·남부 아메리카, (나)는 유럽에 위치한다.

▶ 24062-0145

3 그래프에 대한 설명으로 옳은 것은? (단, (가)~(라)와 A~D는 각각 지도에 표시된 네 지역 중 하나임.) [3점]

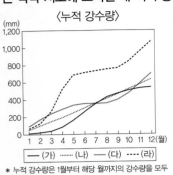
〈누적 강수량〉

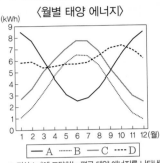
〈월별 태양 에너지〉

* 누적 강수량은 1월부터 해당 월까지의 강수량을 모두 합한 값임.
* 지상 1m²에 도달하는 평균 태양 에너지를 나타낸 것임.

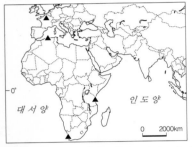

① (가)는 (나)보다 1월에 태양 에너지를 많이 받는다.
② (다)는 (라)보다 7월에 밤 길이가 길다.
③ A는 D보다 연 강수량이 많다.
④ B는 C보다 연평균 기온이 높다.
⑤ 1월에 (가)는 편서풍, D는 아열대 고압대의 영향을 주로 받는다.

▶ 24062-0146

4 지도의 A~E 지형에 대한 설명으로 옳은 것은?

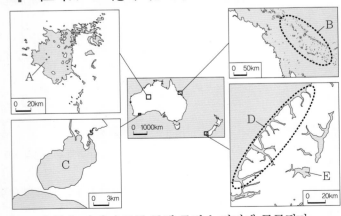

① A의 물은 관개 수로를 통해 주변 농경지에 공급된다.
② B는 대부분 바다에서 용암이 분출해 형성된 화산섬이다.
③ C는 자연 상태에서 면적이 점차 축소된다.
④ D는 V자곡이 침수되어 형성된다.
⑤ E는 C보다 물의 평균 염도가 높다.

▶ 24062-0147

5 다음 글의 ㉠~㉣에 대한 설명으로 옳지 않은 것은? [3점]

〈세계 일주 여행자가 뽑은 트레킹 구간〉

• '아프리카의 혼'을 오르는 ㉠ 킬리만자로 트레킹은 대부분 탄자니아에서 출발한다. 스와힐리어로 '빛나는 산'이란 뜻을 가지고 있는 킬리만자로를 만나는 트레킹은 6일 내외가 소요된다.

• 잉카 트레일은 ㉡△△△△산맥을 따라 3박 4일 동안 고고학 유적지를 향해 33km의 거리를 이동한다. 폐허가 된 작은 유적지와 인디오 마을은 물론, 공중 도시 마추픽추를 만날 수 있다.

• 안나푸르나, 랑탕 ○○○○, 쿰부 에베레스트는 모두 ㉢○○○○산맥에 있는 트레킹 코스이다. 이 중 쿰부 에베레스트 트레킹의 경우 에베레스트를 눈앞에서 감상할 수 있는 칼라파타르(Kara Patthar) 구간이 유명하다.

• 블루마운틴은 유칼립투스 나뭇잎에서 나오는 유액이 햇빛에 반사되면 만들어지는 푸른 안개 때문에 붙여진 이름으로, '대분수산맥'이라는 뜻의 ㉣□□□□산맥으로 이어진다. 이곳에서는 코알라, 캥거루 등 이곳만의 독특한 동물을 만날 수도 있다.

① ㉠은 판이 갈라지는 경계 부근에 위치한다.
② ㉡은 대륙판과 해양판이 충돌하여 형성되었다.
③ ㉣은 고생대 조산 운동으로 형성되었다.
④ ㉢은 ㉡보다 화산 활동이 활발하다.
⑤ ㉣은 ㉢보다 평균 해발 고도가 낮다.

▶ 24062-0148

6 그래프는 지도에 표시된 다섯 지역의 기후 특성을 나타낸 것이다. (가)~(마) 지역에 대한 설명으로 옳은 것은?

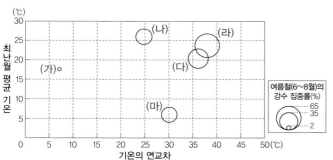

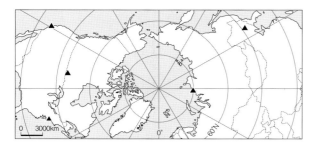

* 기온의 연교차와 최난월 평균 기온은 원의 중심값임.

① (가)에서는 여름에 솔리플럭션 현상이 나타난다.
② (나)는 (다)보다 최한월 평균 기온이 낮다.
③ (다)는 (마)보다 고위도에 위치한다.
④ (라)는 (나)보다 겨울 강수량이 많다.
⑤ (가)와 (다)는 모두 북부 아메리카에 위치한다.

▶ 24062-0149

7 다음 자료의 ㉠~㉥에 대한 설명으로 옳은 것은?

〈이집트 ㉠ 바하리야 사막〉

〈나미비아 ㉢ 나미브 사막〉

〈미국 모뉴먼트밸리〉

〈미국 데스밸리〉

① ㉡은 포상홍수에 의한 침식으로 형성되었다.
② ㉣이 연속적으로 발달하면 바하다라고 한다.
③ ㉤이 발달한 곳은 물리적 풍화보다 화학적 풍화가 활발하다.
④ ㉥은 ㉣보다 구성 물질의 평균 입자 크기가 크다.
⑤ ㉠은 한류, ㉢은 아열대 고압대의 영향을 주로 받아 형성되었다.

▶ 24062-0150

8 다음 자료에 대한 설명으로 옳은 것은? (단, (가)~(다)는 각각 뉴질랜드, 인도네시아, 타이 중 하나이고, A~C는 각각 불교, 이슬람교, 크리스트교 중 하나임.) [3점]

(가)	(나)	(다)

▲ 코끼리 캠프 투어	▲ 와양	▲ 애니메이션 캐릭터 모아나와 마우이
송끄란 축제가 열리는 곳으로, 방콕, 치앙마이, 푸껫 등 다양한 관광지가 있음.	'와양'이라는 전통 연극이 있고, 전통 음식으로 볶음밥인 나시고렝이 있음.	캐릭터는 이곳 원주민인 마오리족 등을 토대로 제작한 것임.

〈(가)~(다)의 종교별 신자 비율〉

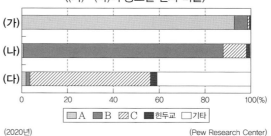

(2020년)　　　　　　　　　　　　　(Pew Research Center)

① (가)는 (다)보다 화산 활동이 활발하다.
② (다)는 (나)보다 2021년에 석탄 수출량이 많다.
③ A의 신자들은 라마단 기간 동안 금식한다.
④ B는 C보다 발생 시기가 이르다.
⑤ 전 세계 신자는 C>B>A 순으로 많다.

▶ 24062-0151

9 그래프는 지도에 표시된 네 국가의 주요 특징을 나타낸 것이다. (가)~(라) 국가에 대한 설명으로 옳은 것은?

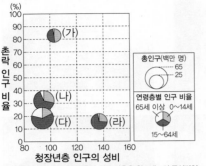

* 청장년층 인구의 성비와 촌락 인구 비율은 원그래프의 중심값임.
(2021년)   (국제 연합)

① 남아프리카 공화국은 프랑스보다 도시 인구가 많다.
② (가)는 (나)보다 주민 중 이슬람교 신자 비율이 높다.
③ (나)는 (라)보다 2021년에 석유 수출량이 많다.
④ (다)는 (가)보다 사막화로 인한 문제가 심각하다.
⑤ (라)는 (다)보다 중위 연령이 높다.

▶ 24062-0152

10 다음 자료에 대한 설명으로 옳은 것은? (단, (가)~(다)는 각각 밀, 쌀, 옥수수 중 하나이고, A~C는 각각 아시아, 앵글로아메리카, 유럽 중 하나임.) [3점]

〈세계의 다양한 음식〉

미국의 '팝콘'	일본의 '스시'	이탈리아의 '파스타'
(가) 낱알을 기름에 튀겨낸 스낵으로, 1885년 시카고에서 팝콘 제조기가 발명되면서 대중화되었다.	찰기가 많은 (나) 로 지은 밥에 소금, 식초 등으로 간을 하고 생선을 얹어 먹는 음식이다.	(다) 가루를 반죽해 여러 가지 모양으로 잘라서 삶은 음식으로, 마카로니, 스파게티가 대표적이다.

〈(가)~(다) 작물의 A~C 지역(대륙)별 수출량〉

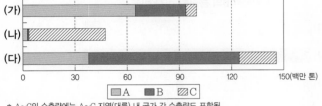

* A~C의 수출량에는 A~C 지역(대륙) 내 국가 간 수출량도 포함됨.
(2021년)   (FAO)

① (가)는 (나)보다 세계 생산량에서 아시아가 차지하는 비율이 높다.
② (나)는 (다)보다 국제 이동량이 많다.
③ (다)는 (가)보다 단위 면적당 생산량이 많다.
④ (다)의 세계 생산량 1위 국가는 B에 위치한다.
⑤ 2021년에 1인당 (다) 소비량은 A가 C보다 많다.

▶ 24062-0153

11 표는 세 국가 출신 이주자의 거주 국가별 비율을 나타낸 것이다. 이에 대한 설명으로 옳지 않은 것은? (단, (가)~(다)는 각각 남수단, 알제리, 필리핀 중 하나임.)

국가 순위	(가)	(나)	(다)
1위	프랑스 (82.1)	A (38.9)	우간다 (40.3)
2위	캐나다 (3.5)	캐나다 (11.2)	수단 (33.7)
3위	에스파냐 (2.6)	사우디아라비아 (9.0)	에티오피아 (15.7)
4위	이스라엘 (2.6)	오스트레일리아 (5.3)	케냐 (4.6)
5위	A (1.6)	일본 (4.6)	콩고 민주 공화국(3.8)

* 괄호 안의 수치는 비율(%)이고, 상위 5개 국가만을 나타낸 것이며, 2020년 조사 자료임.
(국제 연합)

① (가)는 (나)보다 주민 중 이슬람교 신자 비율이 높다.
② (나)는 (다)보다 경제적 요인에 의한 인구 이주가 많다.
③ (다)는 (나)보다 국경을 맞닿은 국가로의 이주 비율이 높다.
④ (가)~(다) 중 2015년 이후 난민 발생 수는 (가)가 가장 많다.
⑤ A는 앵글로아메리카, (나)는 아시아에 위치한다.

▶ 24062-0154

12 그래프는 세 국가의 A~D 발전량 비율을 나타낸 것이다. 이에 대한 설명으로 옳은 것은? (단, A~D는 각각 수력, 지열, 태양광, 풍력 중 하나임.) [3점]

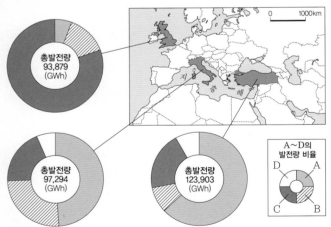

* 국가별 A~D의 발전량 합을 100%로 했을 때의 비율을 나타낸 것이고, 총발전량은 A~D의 발전량 합임.
(2020년)   (IRENA)

① 영국은 태양광보다 수력을 이용한 발전량이 많다.
② 이탈리아는 튀르키예(터키)보다 풍력을 이용한 발전량이 많다.
③ A는 일사량이 풍부한 지역이 발전에 유리하다.
④ C는 D보다 발전 시 기상 조건의 영향을 크게 받는다.
⑤ A~D 중 전 세계에서 발전량이 가장 많은 것은 B이다.

13 ▶ 24062-0155

그래프는 지도에 표시된 네 국가의 산업 구조와 국내 총생산을 나타낸 것이다. (가)~(라) 국가에 대한 설명으로 옳은 것은? [3점]

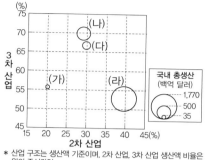
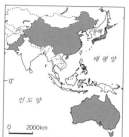

* 산업 구조는 생산액 기준이며, 2차 산업, 3차 산업 생산액 비율은 원의 중심값임.
(2021년) (UNCTAD)

① (가)는 동아시아에 위치한다.

② (나)의 원주민에는 애버리지니가 있다.

③ (가)는 (나)보다 시간당 평균 임금이 높다.

④ (나)는 (라)보다 제조업 생산액이 많다.

⑤ (다)는 (라)보다 석탄 수출량이 많다.

14 ▶ 24062-0156

다음 자료에 대한 설명으로 옳은 것은? (단, (가)~(다)는 각각 러시아, 미국, 중국 중 하나이고, A~C는 각각 석유, 석탄, 천연가스 중 하나임.) [3점]

〈세계의 주요 해양 요충 지점, 초크 포인트(Choke points)〉

초크 포인트는 물자 수송이나 군사 작전 등에서 전략상 매우 중요한 의미를 갖는 주요 길목을 말하는데, 해협이나 운하 등이 이에 해당한다. 지중해와 인도양을 연결하는 곳의 초크 포인트에는 수에즈 운하와 바브엘만데브 해협이 있다. 바브엘만데브 해협은 아라비아반도 남서부와 동아프리카 해안 사이에 있는데, ___(가)___ 은/는 이곳의 지부티에 항구 조차권을 획득해 '신 실크로드 전략'인 일대일로(一帶一路)의 동아프리카 교두보를 확보하였다. 베링 해협은 태평양 북부의 베링해와 북극해를 연결하는 곳으로, ___(나)___ 와/과 ___(다)___ 의 국경선이 통과한다.

〈(가)~(다)의 1차 에너지원별 소비량〉

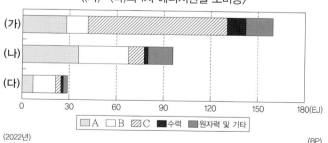

(2022년) (BP)

① (가)는 (나)보다 석유 소비량이 많다.

② (나)는 (가)보다 1인당 에너지 소비량이 많다.

③ (다)는 (나)보다 국내 총생산이 많다.

④ A는 C보다 상용화된 시기가 이르다.

⑤ 전 세계 소비량은 A>B>C 순으로 많다.

15 ▶ 24062-0157

다음 자료에 대한 설명으로 옳은 것은? (단, (가)~(다)는 각각 뉴욕, 런던, 상하이 중 하나임.)

〈도시 경관과 여행 관련 해시 태그〉

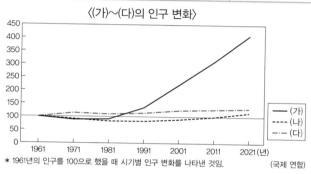

도시	도시 경관	해시 태그
(가)		#와이탄 #동방명주 탑 #대한민국 임시 정부
(나)		#빅 벤 #템스강 #타워 브리지
(다)		#브로드웨이 #센트럴 파크 #타임스 스퀘어

〈(가)~(다)의 인구 변화〉

* 1961년의 인구를 100으로 했을 때 시기별 인구 변화를 나타낸 것임. (국제 연합)

① (가)에는 국제 연합 본부가 있다.

② (나)는 (다)보다 도시 발달의 역사가 짧다.

③ (다)는 (가)보다 생산자 서비스업 종사자 비율이 높다.

④ (나), (다)는 모두 해당 국가의 수도이다.

⑤ 런던은 뉴욕보다 1961~2021년에 인구 증가율이 높다.

16 ▶ 24062-0158

다음 자료의 (가), (나) 지역을 지도의 A~C에서 고른 것은?

(가) 국제 영화제가 열리는 칸과 휴양 도시인 니스 사이에 있으며, 2019년 현재 약 80개 국가에서 온 4,500명의 연구원과 5,500명의 대학생이 이곳에 있다.

▲ (가) 지역 상징 문양

(나) 과거 석탄과 무기 제조업의 도시였던 곳으로, 탄광과 코크스 공장이 있던 탄광 산업 단지는 현재 루르 박물관과 디자인 박물관으로 변화하면서 녹색 도시로 탈바꿈하였다.

▲ 루르 박물관

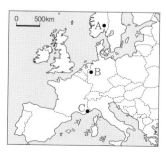

	(가)	(나)
①	A	B
②	B	A
③	B	C
④	C	A
⑤	C	B

▶ 24062-0159

17 다음 자료의 (가)~(다) 국가에 대한 설명으로 옳은 것은? (단, (가)~(다)는 각각 멕시코, 미국, 캐나다 중 하나임.) [3점]

나이아가라 폭포는 ___(가)___ 와/과 ___(나)___ 의 접경 지역에 있는데, 양쪽에 나이아가라폴스라는 2개 도시가 마주 보고 있으며, 관광객들이 비교적 자유롭게 두 국가를 이동하고 있다. ___(다)___ 의 티후아나는 ___(나)___ 와/과 접하고 있는 도시로, 마킬라도라 산업이 발달하였다.

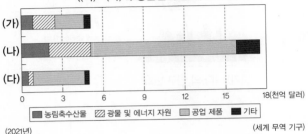

《(가)~(다)의 상품별 수출액》

(2021년) (세계 무역 기구)

農林축수산물 / 광물 및 에너지 자원 / 공업 제품 / 기타

① (가)에는 첨단 산업 단지인 실리콘 밸리가 있다.

② (나)의 퀘벡주에서는 언어 차이로 인한 갈등이 있다.

③ (다)에서는 종주 도시화 현상이 나타난다.

④ (다)에서 (가)로 이주한 인구가 (다)에서 (나)로 이주한 인구보다 많았다.

⑤ 캐나다는 멕시코보다 수출품 중 공업 제품의 비율이 높다.

▶ 24062-0160

18 그래프는 지도에 표시된 네 국가의 농업 특징을 비교한 것이다. (가)~(라) 국가에 대한 설명으로 옳은 것은? [3점]

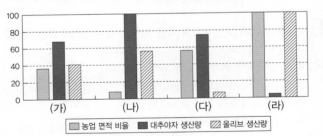

농업 면적 비율 / 대추야자 생산량 / 올리브 생산량

* 지표별 최대 국가의 값을 100으로 했을 때의 상댓값임.
(2021년) (FAO)

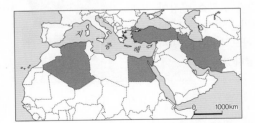

① (가)에는 국제 하천이자 외래 하천인 나일강이 있다.

② (다)에는 전통적인 관개 시설인 카나트가 있다.

③ (나)는 (라)보다 2021년에 제조업 생산액이 많다.

④ (라)는 (다)보다 2021년에 천연가스 수출량이 많다.

⑤ (가)와 (나)는 모두 건조 아시아에 위치한다.

▶ 24062-0161

19 다음 자료의 (가)~(다) 국가를 표의 A~C에서 고른 것은?

〈중·남부 아메리카와 사하라 이남 아프리카의 국가 맞추기 게임〉

[1단계] 다음 자료에 해당하는 세 국가를 지도에 표시된 국가 중에서 찾아 모두 지우시오.

(가)	2021년에 전 세계에서 카사바 생산량이 가장 많은 국가로, 이슬람교와 크리스트교 신자 간 갈등이 있음.
(나)	잉카 문명의 수도로 '세계의 배꼽'이라는 뜻의 쿠스코가 있으며, 세계 유산인 마추픽추가 유명함.
○○	중·남부 아메리카에서 석유 매장량이 가장 많은 국가로 카리브해에 접해 있으며, 최근 정치적·경제적 혼란이 커지면서 주변 국가로의 난민 이동이 많음.

[2단계] 지도에 남은 하나의 국가를 쓰시오.
[정답] ___(다)___

국가	상품별 수출 비율
A	원유(75.4), 액화 천연가스(11.2), 선박(6.2), 탄화수소(1.4)
B	철광석(15.9), 대두(13.8), 원유(10.9), 육류(7.0)
C	구리(29.4), 금(16.6), 채소와 과실(13.4), 아연과 납(4.7)

*괄호 안의 숫자는 총수출액에서 차지하는 비율(%)이고, 상위 4개의 상품 비율을 나타낸 것임.
(2020년) (세계 각국 요람)

	(가)	(나)	(다)
①	A	B	C
②	A	C	B
③	B	A	C
④	B	C	A
⑤	C	A	B

▶ 24062-0162

20 그래프의 (가)~(라) 경제 블록에 대한 설명으로 옳은 것은? (단, (가)~(라)는 각각 남아메리카 공동 시장, 동남아시아 국가 연합, 미국·멕시코·캐나다 협정, 유럽 연합 중 하나임.)

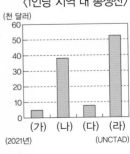

〈1인당 지역 내 총생산〉

(2021년) (UNCTAD)

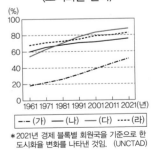

〈도시화율 변화〉

*2021년 경제 블록별 회원국을 기준으로 한 도시화율 변화를 나타낸 것임. (UNCTAD)

① (나)는 북아메리카 자유 무역 협정을 개정한 경제 블록이다.

② (나)는 (라)보다 역내 무역액이 많다.

③ (다)는 (가)보다 회원국 수가 많다.

④ (라)는 (가)보다 총인구가 많다.

⑤ (가)~(라) 중 정치·경제적 통합 수준은 (라)가 가장 높다.

문항에 따라 배점이 다르니, 각 물음의 끝에 표시된 배점을 참고하시오. 3점 문항에만 점수가 표시되어 있습니다. 점수 표시가 없는 문항은 모두 2점입니다.

▶ 24062-0163

1 다음 글의 (가), (나)에 해당하는 지도를 〈보기〉에서 고른 것은?

(가) 동쪽을 가장 성스러운 방위로 여기는 관념에 따라 동쪽이 지도의 위로 가도록 그려졌다. 그래서 아시아 대륙이 지도의 위쪽에 자리하고, 아시아 대륙 끝에는, 즉 지도의 가장 위쪽에는 '동쪽 끝에 에덴동산이 있다'는 경전의 내용에 따라 에덴동산이 그려져 있다.

(나) 남쪽을 위에, 북쪽을 아래에 두고 지도가 그려졌다. 중세 아랍의 중심 지역은 지중해에서 이란고원에 이르는 동서 벨트였는데, 이 중심 지역을 기준으로 할 때 성지 메카는 남쪽에 있다. 메카는 위쪽에 위치한다고 여겼으므로 아랍의 지도는 남쪽을 위로 두고 그렸다.

보기

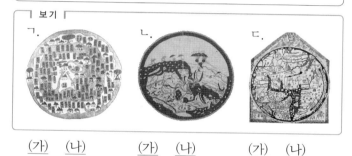

	(가)	(나)			(가)	(나)			(가)	(나)
①	ㄱ	ㄴ		②	ㄴ	ㄱ		③	ㄴ	ㄷ
④	ㄷ	ㄱ		⑤	ㄷ	ㄴ				

▶ 24062-0164

2 그래프는 네 지역(대륙)의 도시 및 촌락 인구 비율 변화를 나타낸 것이다. 이에 대한 설명으로 옳은 것은? (단, (가)~(라)는 각각 라틴 아메리카, 아시아, 아프리카, 유럽 중 하나이며, A, B는 각각 도시, 촌락 중 하나임.) [3점]

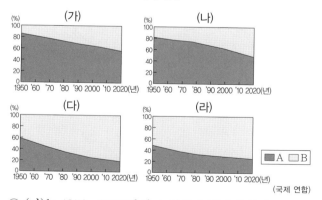

(국제 연합)

① (가)는 1950~2020년에 A 인구가 감소하였다.
② (라)에서 인구가 가장 많은 국가는 브라질이다.
③ (가)는 (다)보다 2020년 도시화율이 높다.
④ (나)는 (다)보다 2020년 B 인구가 많다.
⑤ (가)~(라) 중 2015~2020년 순 유입 인구는 (나)가 가장 많다.

▶ 24062-0165

3 그래프는 지도에 표시된 세 지역의 누적 강수량을 나타낸 것이다. (가)~(다) 지역에 대한 설명으로 옳은 것은? [3점]

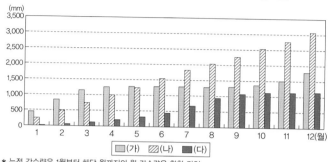

* 누적 강수량은 1월부터 해당 월까지의 월 강수량을 합한 값임.

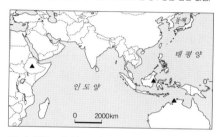

① (가)는 (나)보다 1월에 정오의 태양 고도가 높다.
② (나)는 (다)보다 연중 적도(열대) 수렴대의 영향을 받는 기간이 짧다.
③ (다)는 (가)보다 최난월 평균 기온이 높다.
④ (가), (나)는 모두 기온의 일교차보다 기온의 연교차가 크다.
⑤ (가)~(다) 중 남회귀선까지의 최단 거리는 (다)가 가장 가깝다.

▶ 24062-0166

4 지도의 A~D 국가에 대한 설명으로 옳은 것만을 〈보기〉에서 고른 것은?

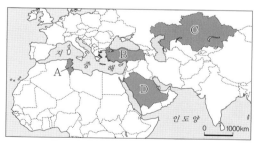

보기

ㄱ. A에는 국토를 남북으로 가로지르는 외래 하천이 있다.
ㄴ. B는 2021년 광물 및 에너지 자원 수출액이 공업 제품 수출액보다 많다.
ㄷ. C에는 과도한 관개 농업으로 면적이 축소된 아랄해의 일부가 있다.
ㄹ. D는 석유 수출국 기구(OPEC) 회원국이다.

① ㄱ, ㄴ ② ㄱ, ㄷ ③ ㄴ, ㄷ ④ ㄴ, ㄹ ⑤ ㄷ, ㄹ

▶ 24062-0167

5 다음 자료는 어느 국가에 대한 정보 검색 화면의 일부이다. ㉠~㉤에 대한 설명으로 옳은 것만을 〈보기〉에서 고른 것은?

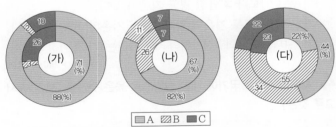

| 세계 〉 유럽 ▼ | ㉠ ▼ |

- 수도: 오슬로(㉡59°56′N, 10°46′E)
- 면적(2021년): 32.4만 km²
- ㉢인구(2021년): 540.3만 명
- 자연환경: 국토가 고위도 지역에 있으나 연안을 따라 북상하는 북대서양 해류의 영향으로 기후가 비교적 온화하며, 서쪽 해안을 따라 피오르 해안이 나타난다.
- 인문 환경: ㉣국내 총생산은 4,824억 달러로 세계 28위, 1인당 국내 총생산은 89,203달러로 세계 4위에 해당하며, ㉤북서 유럽 문화권에 속하는 국가로 개신교 신자의 비율이 높다.

┌ 보기 ┐
ㄱ. ㉠ 국가는 유로화를 단일 통화로 사용한다.
ㄴ. ㉡은 공간 정보, ㉢은 속성 정보에 해당한다.
ㄷ. ㉣ 정보는 간접 조사 방법으로 수집할 수 있다.
ㄹ. ㉤은 기능적 지표를 기준으로 권역을 구분한 것이다.

① ㄱ, ㄴ ② ㄱ, ㄷ ③ ㄴ, ㄷ ④ ㄴ, ㄹ ⑤ ㄷ, ㄹ

▶ 24062-0168

6 그래프는 지도에 표시된 (가)~(다) 국가의 식량 작물 생산량 비율 변화를 나타낸 것이다. 이에 대한 설명으로 옳은 것은? (단, A~C는 각각 밀, 쌀, 옥수수 중 하나임.) [3점]

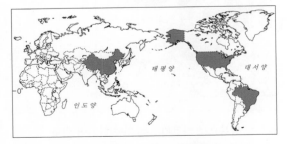

□A ▨B ■C

* 안쪽 원 그래프는 1981년, 바깥쪽 원 그래프는 2021년 자료임.
** 각 국가의 밀, 쌀, 옥수수 생산량 합을 100%로 하여 나타낸 것임.
(FAO)

① (가)는 (다)보다 2021년 C의 수출량이 많다.
② (나)는 (가)보다 2021년 A의 생산량이 많다.
③ (가)~(다) 중 2021년 세계 3대 식량 작물의 총수출량이 가장 많은 국가는 (다)이다.
④ B는 A보다 가축의 사료로 많이 이용된다.
⑤ C는 A보다 단위 면적당 생산량이 많다.

▶ 24062-0169

7 그래프는 지도에 표시된 세 지역의 월 강수량과 낮 길이의 상댓값을 나타낸 것이다. A~C 지역에 대한 설명으로 옳은 것은? (단, (가), (나)는 각각 1월, 7월 중 하나임.) [3점]

〈월 강수량의 상댓값〉 　〈낮 길이의 상댓값〉

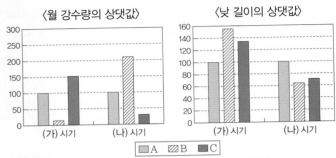

□A ▨B ■C

* 월 강수량과 낮 길이의 상댓값은 A의 값을 100으로 했을 때의 상대적 크기를 나타냄.

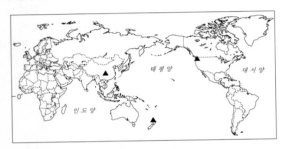

① C에서는 올리브 등을 재배하는 수목 농업이 활발하다.
② A는 C보다 기온의 연교차가 크다.
③ C는 B보다 겨울 강수 집중률이 높다.
④ (가) 시기에 B는 계절풍의 영향으로 건기가 나타난다.
⑤ (나) 시기에 A는 편서풍의 영향을 받는다.

▶ 24062-0170

8 지도의 A~E 지형에 대한 설명으로 옳은 것은?

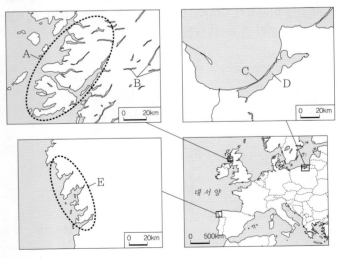

① A는 리아스 해안이다.
② C는 파랑 에너지가 집중되는 곳에서 잘 발달한다.
③ D는 해수면 상승 이후 C의 성장으로 형성된 호수이다.
④ E는 빙식곡에 바닷물이 들어와 형성된 해안이다.
⑤ B는 D보다 염분 농도가 높다.

9 그래프는 세 지역의 기온과 강수량 특성을 나타낸 것이다. (가)~(다)에 해당하는 지역을 지도의 A~C에서 고른 것은? [3점]

▶ 24062-0171

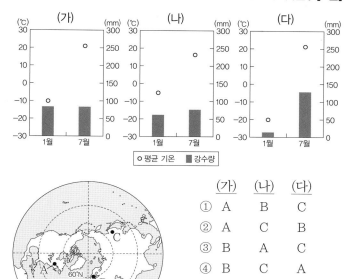

	(가)	(나)	(다)
①	A	B	C
②	A	C	B
③	B	A	C
④	B	C	A
⑤	C	B	A

10 (가)~(라) 지형에 대한 설명으로 옳은 것만을 〈보기〉에서 있는 대로 고른 것은? (단, (가)~(라)는 각각 드럼린, 뷰트, 사구, 호른 중 하나임.)

▶ 24062-0172

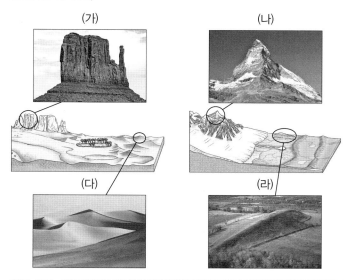

보기
ㄱ. (가)와 (나)에서는 모두 화학적 풍화 작용보다 물리적 풍화 작용이 활발하다.
ㄴ. (나)와 (다)는 모두 퇴적 작용에 의해 형성되었다.
ㄷ. (다)는 (라)보다 구성 물질의 평균 입자 크기가 크다.
ㄹ. (가)는 주로 풍화 및 침식 작용, (라)는 주로 빙하의 작용에 의해 형성되었다.

① ㄱ, ㄷ　　② ㄱ, ㄹ　　③ ㄴ, ㄷ
④ ㄱ, ㄴ, ㄹ　　⑤ ㄴ, ㄷ, ㄹ

11 그래프는 세 국가의 인구 특성 변화를 나타낸 것이다. (가)~(다) 국가에 대한 설명으로 옳은 것은? (단, (가)~(다)는 각각 나이지리아, 이탈리아, 인도 중 하나임.) [3점]

▶ 24062-0173

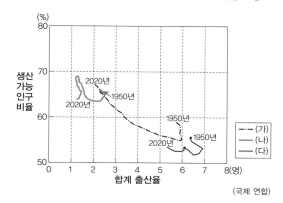

(국제 연합)

① 2020년 (나)는 산아 제한 정책의 필요성이 높다.
② 2020년 인구의 자연 증가율은 인도가 나이지리아보다 높다.
③ (가)는 (나)보다 2020년 국가 내 3차 산업 종사자 비율이 높다.
④ (나), (다)는 모두 1950년 대비 2020년 총부양비가 증가하였다.
⑤ (가)~(다) 중 2020년 유소년층 인구가 가장 많은 국가는 (다)이다.

12 다음 글의 (가), (나) 종교에 대한 설명으로 옳은 것만을 〈보기〉에서 고른 것은? (단, (가), (나)는 각각 이슬람교, 크리스트교 중 하나임.)

▶ 24062-0174

나는 꾸드쓰(예루살렘)로 향하는 도중 예수의 탄생지인 베들레헴도 방문하였다. 여기에는 야자수(종려나무) 그루터기가 아직 남아있고, 건물도 많다. (가) 신자들은 예수의 탄생지인 베들레헴을 최대한 숭앙하며 내객도 반가이 맞이한다. 드디어 우리 일행은 공덕으로 보아 (나) 의 세 번째 성사가 있는 꾸드쓰에 도착하였다. 꾸드쓰 사원은 정말로 휘황찬란하다. 이 사원의 건축술과 도금술은 정교함의 극치이며, 바위돔은 기이한 구조물로서 견고하면서도 이채롭다. 선지자(무함마드)께서는 바로 이 바위돔을 발판으로 승천하였던 것이다. 꾸드쓰의 축복을 받은 명소로는 시의 동쪽에 예수의 승천소라는 한 건물이 있다. 이곳은 지옥 계곡이라고 알려진 계곡의 끝자락 높은 언덕에 있다. 이 계곡에는 (가) 인들이 숭앙하는 교회당이 하나 있는데, 거기에 마르얌(마리아)의 묘가 있다고 한다.

보기
ㄱ. (가)는 (나)보다 기원 시기가 늦다.
ㄴ. (나)는 (가)보다 세계에서 신자가 많다.
ㄷ. (가)는 십자가와 종탑, (나)는 모스크(마스지드)가 주요 종교 경관이다.
ㄹ. (가), (나)는 모두 유일신교이다.

① ㄱ, ㄴ　② ㄱ, ㄷ　③ ㄴ, ㄷ　④ ㄴ, ㄹ　⑤ ㄷ, ㄹ

▶ 24062-0175

13 다음 글의 (가), (나) 환경 문제에 대한 설명으로 옳은 것만을 〈보기〉에서 고른 것은? (단, (가), (나)는 각각 사막화, 지구 온난화 중 하나임.)

- 2020년 오스트레일리아를 휩쓴 산불의 주요 원인은 　(가)　로 인한 이상 고온과 물 부족이었다. 인명 피해는 적었으나 코알라를 포함해 많은 동물들이 희생당했다. 　(가)　에 대응하기 위한 탄소 감축 논의에 석탄이 포함되었지만, 오스트레일리아는 석탄 광산이 많고 수만 명을 고용하고 있는 석탄 산업을 조정하는 일이 녹록지 않다.
- 부르키나파소, 니제르, 차드 등에서는 1950년대부터 　(나)　로 초목이 사라지면서 토양이 척박해졌다. 이곳의 토양 표층은 바람에 의한 침식 피해를 입었고, 표층 토양의 부족으로 곡물 재배도 어렵게 되었다. 이 지역 국가들은 향후 10년 동안 　(나)　에 대응하기 위해 수천억 달러를 투입할 계획을 세웠지만, 자금의 대부분은 해외 원조에서 나온다.

〈보기〉
ㄱ. (가)의 가장 큰 원인 물질은 염화 플루오린화 탄소(CFCs)이다.
ㄴ. (가)로 해수면이 상승하면서 해안 저지대의 침수 피해가 발생한다.
ㄷ. (나)의 해결을 위해 람사르 협약을 체결하였다.
ㄹ. (나)의 인위적 요인으로 과도한 방목을 들 수 있다.

① ㄱ, ㄴ　② ㄱ, ㄷ　③ ㄴ, ㄷ　④ ㄴ, ㄹ　⑤ ㄷ, ㄹ

▶ 24062-0176

14 그래프는 세 국가의 권역별 상품 수출액 비율을 나타낸 것이다. (가)~(다) 국가에 대한 설명으로 옳은 것은? (단, (가)~(다)는 각각 오스트레일리아, 인도, 일본 중 하나임.) [3점]

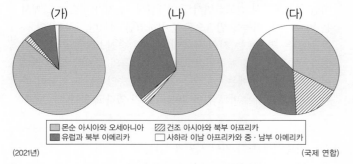

(가)　(나)　(다)

몬순 아시아와 오세아니아　건조 아시아와 북부 아프리카
유럽과 북부 아메리카　사하라 이남 아프리카와 중·남부 아메리카

(2021년)　(국제 연합)

① (가)에는 최상위 계층의 세계 도시가 있다.
② (나)는 벵갈루루에 첨단 산업이 발달하였다.
③ (다)는 남반구에 위치한다.
④ (가)는 (나)보다 철광석 수출량이 많다.
⑤ (나)는 (다)보다 국가 내 유소년층 인구 비율이 높다.

▶ 24062-0177

15 지도의 A~D 지역에 대한 설명으로 옳은 것만을 〈보기〉에서 있는 대로 고른 것은?

〈보기〉
ㄱ. A는 D보다 제조업 생산액이 많다.
ㄴ. B는 A보다 석유 생산량이 많다.
ㄷ. C는 B보다 히스패닉 인구가 많다.
ㄹ. D는 C보다 지역 내 프랑스어 사용자 비율이 높다.

① ㄱ, ㄷ　② ㄱ, ㄹ　③ ㄴ, ㄷ
④ ㄱ, ㄴ, ㄹ　⑤ ㄴ, ㄷ, ㄹ

▶ 24062-0178

16 그림은 지도에 표시된 A, B 두 구간의 지형 단면을 나타낸 것이다. 이에 대한 설명으로 옳은 것은? (단, (가), (나)는 각각 A, B 중 하나이며, ㉠~㉢은 각각 스칸디나비아산맥, 안데스산맥, 알프스산맥 중 하나임.) [3점]

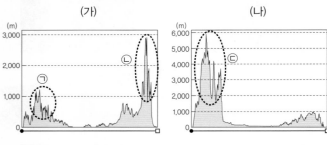

(가)　(나)

① (가)는 A의 지형 단면을 나타낸 것이다.
② ㉠은 두 개의 대륙판이 서로 충돌하는 경계이다.
③ ㉡은 '불의 고리' 지역에 속한다.
④ ㉢은 대륙판과 해양판이 수렴하여 형성되었다.
⑤ ㉢은 ㉠보다 형성 시기가 이르다.

▶ 24062-0179

17 그래프는 지도에 표시된 세 국가의 종교별 신자 비율을 나타낸 것이다. 이에 대한 설명으로 옳은 것만을 〈보기〉에서 있는 대로 고른 것은? (단, A~C는 각각 불교, 이슬람교, 크리스트교 중 하나임.) [3점]

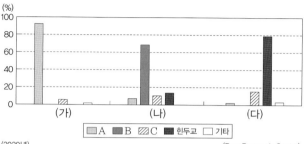

(2020년)　(Pew Research Center)

A　B　C　힌두교　기타

| 보기 |

ㄱ. (가)의 민다나오섬에서는 A 신자와 C 신자 간 갈등이 있다.

ㄴ. (나)의 신할리즈족은 주로 B를 믿고, 타밀족은 주로 힌두교를 믿는다.

ㄷ. 미얀마의 로힝야족은 주로 B를 믿는다.

ㄹ. 카슈미르에서는 C 신자와 힌두교 신자 간의 갈등이 있다.

① ㄱ, ㄹ　② ㄴ, ㄷ　③ ㄱ, ㄴ, ㄷ
④ ㄱ, ㄴ, ㄹ　⑤ ㄴ, ㄷ, ㄹ

▶ 24062-0180

18 표는 세 국가의 지리 정보를 나타낸 것이다. (가)~(다) 국가를 지도의 A~C에서 고른 것은?

지리 정보	국가	(가)	(나)	(다)
도시화율(%)		42.7	87.4	64.8
토지 이용 (%)	경지	5.9	2.2	10.2
	목장·목초지	8.0	18.8	69.2
	삼림	56.1	24.3	14.1
	기타	30.0	54.7	6.5
수출액 1위 상품		구리 광석 및 구리 제품	구리 광석 및 구리 제품	백금

(2020년)　(세계 각국 요람)

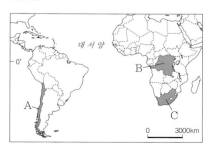

	(가)	(나)	(다)
①	A	B	C
②	A	C	B
③	B	A	C
④	B	C	A
⑤	C	A	B

▶ 24062-0181

19 다음은 지형 다큐멘터리 촬영 계획의 일부이다. 촬영지가 있는 국가만을 지도의 A~E에서 고른 것은?

〈주제: 지리적으로 닮은 지형 경관을 찾아서〉

• 대본: 파묵칼레, 옐로스톤 국립 공원은 지리적으로 닮은 구석이 많다. 신기 습곡 산지에다 땅속에 석회암이 존재하고 뜨거운 온천물이 솟는다. 이러한 조건이 결합되어 장소는 다르지만 같은 형태의 지형 경관이 만들어진 것이다. 파묵칼레는 탄산 칼슘 침전물로 덮인 유백색 언덕이다. 그 언덕의 형태는 수백 개의 계단식 논을 이어놓은 것같다. 현지에서는 '석회붕', 즉 '석회암이 침전된 선반 모양의 땅'이라고 소개하는데, 지리학에서는 이를 석회화단구라고 한다. 이와 유사한 지형이 옐로스톤 국립 공원의 '맘모스 핫 스프링스 테라스'다. 증기를 뿜어내는 온천수가 땅속 깊은 곳의 기반암을 이루고 있는 석회석을 녹이게 되는데, 물이 식으면 하얀 물질로 바뀌어 땅 위에 건물의 테라스처럼 쌓인다.

• 촬영지: 파묵칼레, 옐로스톤 국립 공원

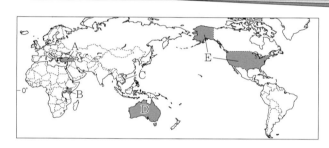

① A, D　② A, E　③ B, E　④ C, B　⑤ C, D

▶ 24062-0182

20 그래프는 (가)~(다) 에너지의 지역(대륙)별 소비량 비율을 나타낸 것이다. 이에 대한 설명으로 옳은 것은? (단, (가)~(다)는 각각 석유, 수력, 천연가스 중 하나이며, A~C는 각각 라틴 아메리카, 아시아 및 오세아니아, 앵글로아메리카 중 하나임.) [3점]

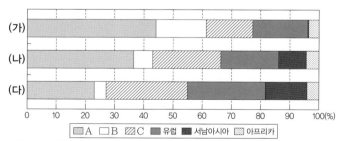

A　B　C　유럽　서남아시아　아프리카

＊ 러시아를 비롯한 독립 국가 연합은 유럽에 포함됨.
(2022년)　(BP)

① (나)의 세계 최대 생산국은 A에 위치한다.

② (가)는 (나)보다 소비 과정에서 배출하는 대기 오염 물질이 많다.

③ (다)는 (나)보다 세계 발전량이 많다.

④ B는 C보다 1차 에너지의 총소비량이 많다.

⑤ A~C 중 지역(대륙) 내 에너지 소비량 중 신·재생 에너지의 비율은 A가 가장 높다.

문항에 따라 배점이 다르니, 각 물음의 끝에 표시된 배점을 참고하시오. 3점 문항에만 점수가 표시되어 있습니다. 점수 표시가 없는 문항은 모두 2점입니다.

▸ 24062-0183

1 다음 글의 (가)에 들어갈 내용으로 가장 적절한 것은?

세계 여러 나라에 진출한 세계적인 다국적 기업인 ○○ 커피 전문점은 　(가)　을/를 활용하여 전 세계 판매량을 늘리고 있다. 예를 들어 이슬람교를 믿는 사람이 많은 아랍 에미리트에서는 모스크 형태로 매장을 만들었고, 중국에서는 중국인들이 좋아하는 붉은색 계열의 색을 활용하여 중국 전통 가옥 모양의 매장을 만들어 운영하고 있다. 또한 지역의 특징에 맞는 메뉴를 개발하여 판매하고 있는데, 페루에서는 이 지역에서 많이 생산되는 '루쿠마'라는 과일을 이용한 메뉴를 개발하여 판매하고 있다.

① 지역 축제를 통한 장소 마케팅
② 지리적 특성을 반영한 현지화 전략
③ 관광지 개발을 통한 지역 경제 활성화
④ 생산자의 정당한 이익을 보장하는 공정 무역
⑤ 지역의 이름과 상품을 상표화한 지리적 표시제

▸ 24062-0184

2 그래프는 네 국가의 가축 사육 두수 비율을 나타낸 것이다. 이에 대한 설명으로 옳은 것만을 〈보기〉에서 있는 대로 고른 것은? (단, (가)~(다)는 각각 뉴질랜드, 독일, 브라질 중 하나이며, A~C는 각각 돼지, 소, 양 중 하나임.)

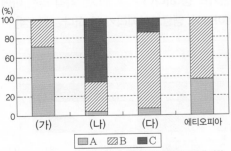

* 각 국가별 돼지, 소, 양 사육 두수의 합을 100%로 하여 나타낸 것임.
(2021년) (FAO)

┌─ 보기 ┐
ㄱ. (가)는 A의 사육 두수가 세계에서 가장 많은 국가이다.
ㄴ. (나)는 (다)보다 A~C 가축의 총 사육 두수가 많다.
ㄷ. A는 B보다 모직 공업의 원료로 이용하는 비율이 높다.
ㄹ. C는 A보다 세계 육류 생산량이 많다.
└─────┘

① ㄱ, ㄴ　　② ㄱ, ㄷ　　③ ㄷ, ㄹ
④ ㄱ, ㄴ, ㄹ　　⑤ ㄴ, ㄷ, ㄹ

▸ 24062-0185

3 그래프에 대한 설명으로 옳은 것은? (단, (가)~(다)는 각각 러시아, 사우디아라비아, 중국 중 하나이고, A, B는 각각 석유, 석탄, 천연가스 중 하나임.) [3점]

〈국가별 화석 에너지 소비량〉
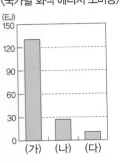
(2021년) (BP)

〈국가별 A, B 소비량 비율〉
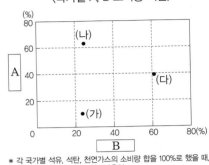
* 각 국가별 석유, 석탄, 천연가스의 소비량 합을 100%로 했을 때, A, B의 소비량이 차지하는 비율임.
(2021년) (BP)

① (가)는 (나)보다 국가 내 1차 에너지 소비 구조에서 석탄이 차지하는 비율이 낮다.
② (나)는 (다)보다 2021년 천연가스 소비량이 많다.
③ A는 산업 혁명 초기에 주요 에너지원으로 이용되었다.
④ B는 냉동 액화 기술의 발달로 사용량이 급증하였다.
⑤ A는 B보다 세계 1차 에너지 소비 구조에서 차지하는 비율이 높다.

▸ 24062-0186

4 지도는 두 시기의 주요 바람을 나타낸 것이다. A~C 지역에 대한 설명으로 옳은 것은? (단, (가), (나)는 각각 1월, 7월 중 하나임.) [3점]

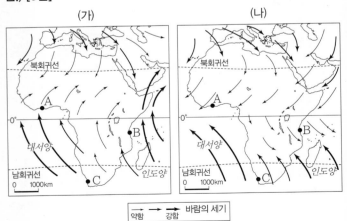

① A는 (가) 시기 평균 기온이 18℃ 미만이다.
② C는 (가) 시기가 (나) 시기보다 강수량이 많다.
③ A는 C보다 기온의 연교차가 크다.
④ (가) 시기에 A는 B보다 아열대 고압대의 영향을 크게 받는다.
⑤ (나) 시기에 B는 C보다 낮 길이가 길다.

5 그래프는 지도에 표시된 세 지역의 누적 강수량을 나타낸 것이다. (가)~(다) 지역에 대한 설명으로 옳은 것만을 〈보기〉에서 고른 것은?

▶ 24062-0187

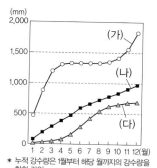
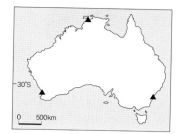

* 누적 강수량은 1월부터 해당 월까지의 강수량을 합한 값임.

| 보기 |

ㄱ. (나)는 연중 적도(열대) 수렴대의 영향을 받는다.
ㄴ. (다)는 여름에 건조한 기후를 활용하여 포도, 올리브 등을 재배하는 수목 농업이 발달하였다.
ㄷ. (가)는 (다)보다 기온의 연교차가 크다.
ㄹ. (다)는 (나)보다 강수량의 계절 차이가 크다.

① ㄱ, ㄴ ② ㄱ, ㄷ ③ ㄴ, ㄷ ④ ㄴ, ㄹ ⑤ ㄷ, ㄹ

6 다음 자료의 (가), (나) 환경 문제에 대한 설명으로 옳은 것만을 〈보기〉에서 고른 것은? (단, (가), (나)는 각각 열대림 파괴, 지구 온난화 중 하나임.)

▶ 24062-0188

  (가) 로 오랑우탄이 멸종 위기를 맞고 있습니다. 인도네시아와 말레이시아는 세계 팜유 수출량의 약 85%를 차지하고 있는데, 이들 국가에서는 팜유를 생산하기 위해 삼림을 야자수 농장으로 바꾸고 있어요. 야자 열매의 기름인 팜유는 라면, 립스틱, 세제, 비누 등 다양한 제품의 원료로 사용되고 있지만, 그 제품을 사용하는 우리는 팜유가 어디에서 어떻게 생산되는지 모르고 있습니다. 사람들의 무관심으로 인해 오랑우탄과 같은 다양한 생물 종이 멸종 위기에 처해 있어요. 또한   (가) 로 인해 지구의 평균 기온이 상승하는   (나) 가 가속화되고 있고, 이로 인해 세계 곳곳에서는 이상 기후로 피해를 입고 있어요.

| 보기 |

ㄱ. (가)의 결과로 토양 침식이 심화된다.
ㄴ. (가)를 해결하기 위해 국제 사회는 몬트리올 의정서를 채택하였다.
ㄷ. (나)는 화석 에너지의 과도한 사용이 주요 원인 중 하나이다.
ㄹ. (나)로 인해 그린란드의 빙상 면적은 지속적으로 증가하고 있다.

① ㄱ, ㄴ ② ㄱ, ㄷ ③ ㄴ, ㄷ ④ ㄴ, ㄹ ⑤ ㄷ, ㄹ

7 그래프는 지도에 표시된 세 국가의 도시 및 촌락 인구 증가율을 나타낸 것이다. (가)~(다) 국가에 대한 설명으로 옳은 것은?

▶ 24062-0189

[3점]

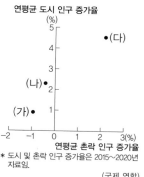
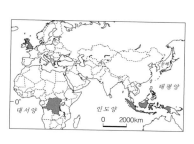

* 도시 및 촌락 인구 증가율은 2015~2020년 자료임.

(국제 연합)

① (가)는 2015~2020년 총인구가 감소하였다.
② (나)에는 최상위 계층의 세계 도시가 있다.
③ (가)는 (다)보다 인구의 자연 증가율이 높다.
④ (나)는 (다)보다 2020년 도시 인구가 많다.
⑤ 인도네시아는 콩고 민주 공화국보다 2015~2020년 촌락 인구가 많이 증가하였다.

8 다음 자료는 인접한 두 국가에 대한 설명이다. 두 국가가 속한 지역을 지도의 A~E에서 고른 것은?

▶ 24062-0190

• 이 국가는 2021년 기준 세계에서 전기차 보급률이 가장 높다. 그 이유 중 하나는 수력 발전을 통해 생산된 전기를 소비자에게 저렴하게 공급하기 때문이다. 피오르 해안과 빙하호가 발달하여 수력 발전에 유리한 자연환경을 가지고 있어 국가 전체 전력 생산의 90% 이상을 수력으로 생산하고 있다.

• 이 국가는 백야와 극야 때문에 독특한 문화가 발달했다. 해가 긴 백야 기간에는 밤에 잠을 자기 위해 햇빛을 차단하는 암막 커튼 문화가 발달했다. 또한 극야 기간에는 밤이 길고 기온이 낮아 사람들은 여가 시간을 주로 실내에서 보내기 때문에 실내 장식 문화가 발달하였다.

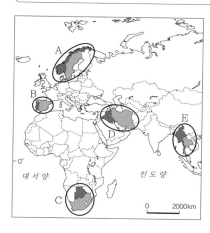

① A
② B
③ C
④ D
⑤ E

▶ 24062-0191

9 그래프는 지도에 표시된 세 지역의 시기별 강수량 차이와 평균 기온 차이를 나타낸 것이다. (가)~(다) 지역을 지도의 A~C에서 고른 것은? [3점]

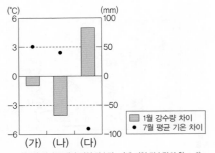

* 강수량 차이 = 해당 지역 강수량 - (세 지역 강수량의 합 ÷ 3)
** 평균 기온 차이 = 해당 지역 평균 기온 - (세 지역 평균 기온의 합 ÷ 3)

	(가)	(나)	(다)		(가)	(나)	(다)
①	A	B	C	②	A	C	B
③	B	C	A	④	C	A	B
⑤	C	B	A				

▶ 24062-0192

10 A~C 지형에 대한 설명으로 옳은 것만을 〈보기〉에서 있는 대로 고른 것은? (단, A~C는 각각 석호, 해식애, 해안 사구 중 하나임.)

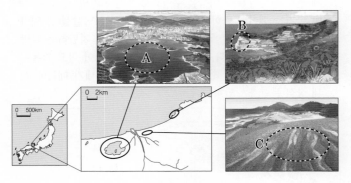

┌─ 보기 ┐
ㄱ. A는 사주가 만의 입구를 막아 형성된다.
ㄴ. B는 파랑 에너지가 분산되는 만에서 잘 발달한다.
ㄷ. B는 시간이 지날수록 육지 쪽으로 후퇴한다.
ㄹ. C는 사빈에서 바람에 날린 모래가 퇴적되어 형성된다.
└─────────┘

① ㄱ, ㄴ　　② ㄴ, ㄷ　　③ ㄷ, ㄹ
④ ㄱ, ㄴ, ㄹ　　⑤ ㄱ, ㄷ, ㄹ

▶ 24062-0193

11 다음 자료의 (가), (나) 종교에 대한 설명으로 옳은 것은? [3점]

〈종교 경관을 담은 화폐〉

동전에는 [(가)] 사원인 '왓 아룬'이 새겨져 있다. '새벽 사원'이라 불리는 이 사원은 중앙의 탑에 올라 내려다보는 경치가 아름답다. 탑 주변에는 부처상이 모셔진 법당이 있다.

지폐에는 [(나)]의 신전인 '카바'가 그려져 있다. 카바 신전은 아브라함이 건립한 것으로 전해지고 있는데, 이곳이 위치한 도시인 메카는 이 종교의 성지로 매년 많은 신자가 성지 순례를 온다.

① (가)의 주요 종파에는 수니파와 시아파가 있다.
② (나)는 여러 신을 섬기는 다신교이다.
③ (가)는 (나)보다 발생 시기가 이르다.
④ (나)는 (가)보다 전 세계 신자가 적다.
⑤ (가)는 보편 종교, (나)는 민족 종교에 해당한다.

▶ 24062-0194

12 (가)~(라) 산맥에 대한 설명으로 옳은 것은? (단, (가)~(라)는 각각 안데스산맥, 알프스산맥, 우랄산맥, 히말라야산맥 중 하나임.) [3점]

• [(가)]은 역사적으로 유럽과 아시아의 자연 경계로 알려져 있다. 카자흐스탄 북쪽 아랄해로부터 북극해까지 남북으로 길게 이어진 산맥으로 길이는 약 2,500km이며, 산맥의 최고봉은 나로드나야산(1,894m)이다.

• [(나)]은 '세계의 지붕'이라 불리며, 인더스강, 갠지스강 등 대하천의 발원지이다. 산맥의 최고봉인 에베레스트산(8,848m)을 포함하여 K2, 안나푸르나, 칸첸중가 등 해발 고도 8,000m가 넘는 산이 많다.

• [(다)]은 오스트리아, 이탈리아, 프랑스, 스위스 등지에 걸쳐 있으며, 최고봉은 몽블랑(4,807m)이다. 몽블랑은 프랑스어로 '흰 산'이란 뜻으로, 산 정상부에 만년설이 있다. 이외에도 마터호른, 융프라우 등 유명한 산이 있다.

• [(라)]은 길이가 약 7,000km에 달하는 큰 산맥으로, 고산 기후가 나타나는 지역에 키토, 보고타, 라파스 등의 고산 도시들이 위치해 있다. 산맥의 최고봉은 아르헨티나에 위치한 아콩카과산(6,961m)이다.

① (나)는 환태평양 조산대에 속한다.
② (가)는 (라)보다 평균 해발 고도가 높다.
③ (다)는 (가)보다 산맥의 형성 시기가 이르다.
④ (라)는 (나)보다 화산 활동이 활발하다.
⑤ (나)와 (다)는 모두 대륙판과 해양판이 충돌하는 경계에 위치한다.

13 다음 자료의 정답에 들어갈 알파벳으로 옳은 것은?

▶ 24062-0195

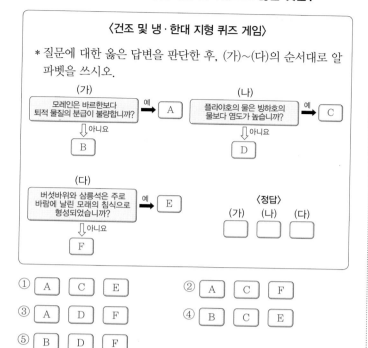

〈건조 및 냉·한대 지형 퀴즈 게임〉

* 질문에 대한 옳은 답변을 판단한 후, (가)~(다)의 순서대로 알파벳을 쓰시오.

(가) 모래인은 바르한보다 퇴적 물질의 분급이 불량합니까? → 예 → A / 아니요 → B

(나) 플라야호의 물은 빙하호의 물보다 염도가 높습니까? → 예 → C / 아니요 → D

(다) 버섯바위와 삼릉석은 주로 바람에 날린 모래의 침식으로 형성되었습니까? → 예 → E / 아니요 → F

〈정답〉 (가) (나) (다)

① A C E
② A C F
③ A D F
④ B C E
⑤ B D F

14 그래프는 지도에 표시된 세 주(州)의 인구 변화와 제조업 생산액 비율을 나타낸 것이다. (가)~(다) 지역에 대한 설명으로 옳은 것은? [3점]

▶ 24062-0196

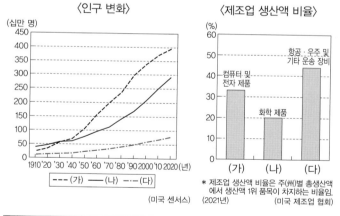

〈인구 변화〉 (십만 명) / 〈제조업 생산액 비율〉 (%)
-- (가) — (나) -·- (다)
컴퓨터 및 전자 제품 / 화학 제품 / 항공·우주 및 기타 운송 장비
(가) (나) (다)
* 제조업 생산액 비율은 주(州)별 총생산액에서 생산액 1위 품목이 차지하는 비율임.
(미국 센서스) (2021년) (미국 제조업 협회)

① 텍사스주는 캘리포니아주보다 2020년 인구가 많다.
② (가)에는 첨단 산업 단지인 실리콘 밸리가 있다.
③ (나)는 러스트 벨트에 해당한다.
④ (다)는 휴스턴을 중심으로 석유 화학 공업이 발달하였다.
⑤ (나)와 (다)는 멕시코와 국경을 접하고 있다.

15 다음 자료의 (가) 국가를 A~E에서 고른 것은?

▶ 24062-0197

(가) 국가의 전통 의복인 아오자이의 '아오(ao)'는 '옷'을, '자이(dai)'는 '긴'을 뜻한다. 아오자이는 긴소매, 긴치마의 옷으로, 주로 얇은 천으로 만들어 통풍이 잘되는 편이다. 이 국가에서 아오자이는 결혼식, 명절, 축제는 물론 관공서나 호텔에서 일하는 직원의 유니폼, 학생의 교복으로 입기도 한다.

메콩강은 __A__의 시짱(티베트)고원에서 발원하여 인도차이나반도를 거쳐 바다로 흘러 들어간다. 메콩강은 국가 간 경계가 되기도 하는데, __B__와/과 __C__, 미얀마와 __C__의 국경 일부가 메콩강이다. 메콩강 유역에는 큰 도시들이 발달하는데, 내륙 국가인 __C__의 수도는 메콩강에 접한 비엔티안이고, 앙코르와트가 있는 __D__의 수도인 프놈펜도 메콩강변에 위치한다. 메콩강이 바다로 유입하는 하구에 위치한 __E__에는 메콩강이 만든 삼각주가 있다. 이곳은 아시아 주요 쌀 생산지로 인구 밀도가 높다.

① A ② B ③ C ④ D ⑤ E

16 그래프는 지도에 표시된 세 국가의 인구 구조를 나타낸 것이다. (가)~(다) 국가에 대한 설명으로 옳은 것은? [3점]

▶ 24062-0198

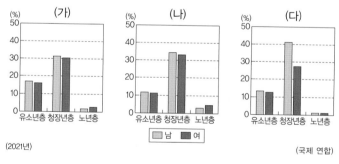

(가) (나) (다)
유소년층 청장년층 노년층
■ 남 ■ 여
(2021년) (국제 연합)

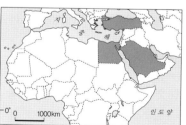

① (나)는 나일강 유역을 중심으로 관개 농업이 활발하다.
② (다)는 아프리카에 위치한다.
③ (가)는 (나)보다 상품 수출액 중 공업 제품이 차지하는 비율이 높다.
④ (나)는 (다)보다 국토 면적 중 사막이 차지하는 비율이 높다.
⑤ (다)는 (가)보다 석유 생산량이 많다.

▶ 24062-0199

17 그래프는 세 자원의 국가별 생산량 비율을 나타낸 것이다. (가)~(다) 자원으로 옳은 것은? [3점]

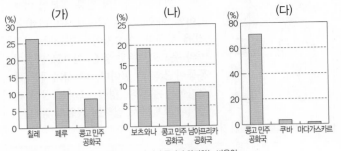

* 생산량 비율은 자원별 세계 총생산량에서 해당 국가가 차지하는 비율임.
** 사하라 이남 아프리카와 중·남부 아메리카 국가 중 생산량 상위 3개 국가만 나타냄.
(2021년) (영국 지질 조사국)

	(가)	(나)	(다)
①	구리	코발트	다이아몬드
②	구리	다이아몬드	코발트
③	코발트	다이아몬드	구리
④	다이아몬드	구리	코발트
⑤	다이아몬드	코발트	구리

▶ 24062-0200

18 다음 글의 (가)~(다) 국가에 대한 설명으로 옳은 것은?

현재 유럽 연합(EU)의 본부가 위치한 ___(가)___에서 유럽 석탄 철강 공동체(ECSC), 유럽 경제 공동체(EEC), 유럽 원자력 공동체(EURATOM)가 통합되는 조약이 1967년 체결되어 유럽 공동체(EC)가 출범했다. 그 이후 1993년 마스트리히트 조약으로 유럽 연합이 출범하면서 유럽의 경제 및 정치 공동체로 발전하였다. 유럽 연합의 회원국은 최대 28개국까지 확대되었지만, 2020년 ___(나)___이/가 유럽 연합을 탈퇴하여 2023년 현재 27개국이다.

한편, 독일, 프랑스, 이탈리아 등 유럽 연합 회원국과 국경을 접하고 있는 ___(다)___은/는 유럽 연합의 미가입국이지만 셍겐 조약에 가입되어 있어 유럽 연합과 밀접한 관계를 유지하고 있다.

① (가)는 복수의 공용어를 사용하는 국가이다.
② (나)는 유로화를 단일 통화로 사용한다.
③ (다)에서 분리 독립 움직임이 있는 지역에는 스코틀랜드가 있다.
④ (가)와 (다)는 국경을 접하고 있다.
⑤ (가)~(다)는 모두 유럽 석탄 철강 공동체 회원국이었다.

▶ 24062-0201

19 그래프는 세 지역(대륙)의 인구 특성을 나타낸 것이다. (가)~(다) 지역(대륙)에 대한 설명으로 옳은 것만을 〈보기〉에서 있는 대로 고른 것은? (단, (가)~(다)는 각각 라틴 아메리카, 아프리카, 앵글로아메리카 중 하나임.) [3점]

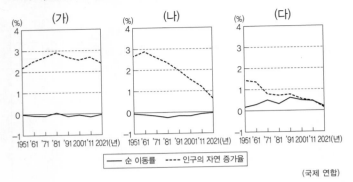

― 순 이동률 ---- 인구의 자연 증가율
(국제 연합)

보기
ㄱ. (가)는 (나)보다 도시화율이 높다.
ㄴ. (나)는 (다)보다 지역 내 3차 산업 종사자 비율이 높다.
ㄷ. (다)는 (가)보다 노령화 지수가 높다.
ㄹ. (가)>(나)>(다) 순으로 2020년 총인구가 많다.

① ㄱ, ㄴ   ② ㄴ, ㄷ   ③ ㄷ, ㄹ
④ ㄱ, ㄷ, ㄹ   ⑤ ㄱ, ㄴ, ㄹ

▶ 24062-0202

20 다음 자료의 (가) 국가를 지도의 A~E에서 고른 것은?

권역은 자연적인 요소와 인문적인 요소를 종합하여 지역을 구분하는 공간 단위이다. 서로 다른 권역의 경계에서는 양쪽의 특성이 혼재되어 나타나는 경우가 많은데, 그러한 경계 지역을 점이 지대라고 부른다. 그 예로 ___(가)___은/는 국토의 약 40%가 사막으로 대추야자를 간식으로 먹고 이슬람 문화가 지배적이지만, 국토의 일부는 지중해성 기후가 나타나 거의 모든 음식에 올리브유를 활용하고 유럽의 식민지였던 역사적 배경 때문에 유럽의 영향을 받은 문화도 함께 나타난다. 공용어는 아랍어지만, 일상에서는 프랑스어가 널리 사용되고 있다. 이처럼 ___(가)___은/는 건조 문화권과 유럽 문화권의 특성이 공존하는 점이 지대인 것이다.

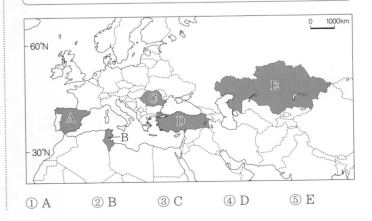

① A   ② B   ③ C   ④ D   ⑤ E

문항에 따라 배점이 다르니, 각 물음의 끝에 표시된 배점을 참고하시오. 3점 문항에만 점수가 표시되어 있습니다. 점수 표시가 없는 문항은 모두 2점입니다.

▶ 24062-0203

1 (가), (나) 지도에 대한 설명으로 옳은 것만을 〈보기〉에서 고른 것은? (단, (가), (나)는 각각 곤여만국전도, 메르카토르의 세계지도 중 하나임.)

(가)

(나)
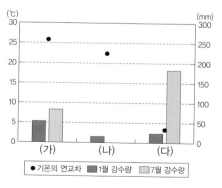

| 보기 |
ㄱ. (가)는 고위도로 갈수록 면적이 확대된다.
ㄴ. (나)는 대서양을 중심으로 대륙이 배치되었다.
ㄷ. (가), (나)는 모두 경·위선을 사용하여 제작되었다.
ㄹ. (가)는 동양, (나)는 서양에서 제작되었다.

① ㄱ, ㄴ ② ㄱ, ㄷ ③ ㄴ, ㄷ ④ ㄴ, ㄹ ⑤ ㄷ, ㄹ

▶ 24062-0204

2 그래프는 세 지역의 기후 값을 나타낸 것이다. (가)~(다) 지역에 대한 설명으로 옳은 것은? (단, (가)~(다)는 각각 러시아, 사우디아라비아, 타이의 수도 중 하나임.)

● 기온의 연교차 ▌1월 강수량 ▥ 7월 강수량

① (가)는 연 강수량보다 연 증발량이 많다.
② (가)는 (나)보다 연평균 기온이 높다.
③ (나)는 (가)보다 7월의 낮 길이가 길다.
④ (다)는 (가)보다 연중 강수가 고르다.
⑤ (다)는 (나)보다 계절풍의 영향을 많이 받는다.

▶ 24062-0205

3 그래프는 지도에 표시된 세 지역의 기후 값과 낮 길이를 나타낸 것이다. (가)~(다) 지역에 대한 설명으로 옳은 것은? (단, A, B 시기는 각각 1월, 7월 중 하나임.) [3점]

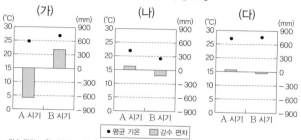

● 평균 기온 ▨ 강수 편차

* 강수 편차 = 월 강수량 - (연 강수량 ÷ 12)

지역	(가)	(나)	(다)
7월 1일의 낮 길이	13시간 7분	11시간 12분	12시간 12분

* 2023년 7월 1일의 낮 길이임.

(https://www.timeanddate.com)

① (가)는 (나)보다 7월에 적도(열대) 수렴대의 영향을 많이 받는다.
② (가)는 (다)보다 기온의 연교차가 작다.
③ (나)는 (가)보다 1월 강수량이 적다.
④ (나)는 (다)보다 적도와의 최단 거리가 가깝다.
⑤ (가)는 남반구, (나)는 북반구에 위치한다.

▶ 24062-0206

4 그래프는 지도에 표시된 네 국가의 종교별 신자 비율을 나타낸 것이다. 이에 대한 설명으로 옳은 것은? (단, A~D는 각각 불교, 이슬람교, 크리스트교, 힌두교 중 하나임.) [3점]

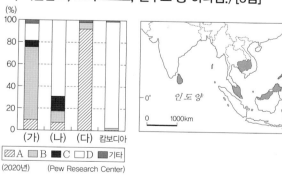

▨ A ▌B ■ C ▢ D ▥ 기타
(2020년) (Pew Research Center)

① B는 A보다 아시아 내 신자 수가 많다.
② B는 D보다 형성 시기가 이르다.
③ C는 보편 종교, D는 민족 종교이다.
④ (다)는 인도차이나반도에 위치한다.
⑤ (가)와 (나)는 모두 동남아시아 국가 연합 회원국이다.

► 24062-0207

5 그래프는 지도에 표시된 네 지역의 월 강수량을 나타낸 것이다. (가)~(라) 지역을 지도의 A~D에서 고른 것은?

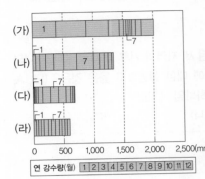

	(가)	(나)	(다)	(라)
①	A	B	C	D
②	A	D	B	C
③	C	A	B	D
④	C	B	D	A
⑤	D	A	C	B

► 24062-0208

6 다음 자료의 (가), (나)에 들어갈 내용으로 가장 적절한 것은?

〈세계화 시대의 지역화 전략〉

• ___(가)___ 의 사례
1970년대 뉴욕은 부정적인 지역 이미지 개선과 관광객 유치를 위해 'I Love New York'이라는 슬로건과 로고를 내건 광고 캠페인을 시작하였다. 이 캠페인은 크게 성공을 거두었고, 'I Love New York'은 지속적인 관리를 통해 세계적으로 사랑받는 도시 로고로 자리 잡았다.

• ___(나)___ 의 사례
이탈리아 그라냐노 지역은 이곳에서 오랜 기간 이어져 온 전통적 제조 방식의 건조 파스타로 유명하다. 이곳의 파스타는 듀럼밀과 광천수로 만든 반죽을 청동 틀로 뽑아 해풍으로 건조해 만든다. 그라냐노 파스타는 이러한 점을 인정받아 유럽 연합(EU)으로부터 지리적 특성을 반영한 우수한 상품에 부여하는 인증을 받았다.

	(가)	(나)
①	국제적 분업	지리적 표시제
②	지역 브랜드화	국제적 분업
③	지역 브랜드화	지리적 표시제
④	지리적 표시제	국제적 분업
⑤	지리적 표시제	지역 브랜드화

► 24062-0209

7 (가)~(라)는 지도에 표시된 네 산맥의 최고봉 위치를 나타낸 것이다. (가)~(라) 산맥에 대한 설명으로 옳은 것은? [3점]

산맥	최고봉의 위치	
	위도	경도
(가)	32°39′S	70°0′W
(나)	27°59′N	86°55′E
(다)	35°46′N	82°15′W
(라)	29°28′S	29°16′E

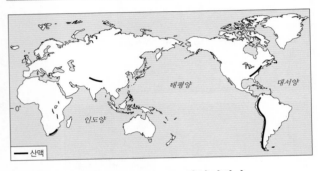

① (가)는 고생대 조산 운동으로 형성되었다.
② (나)는 대륙판과 해양판의 충돌로 형성되었다.
③ (다)는 환태평양 조산대에 속한다.
④ (가)는 (다)보다 지진과 화산 활동이 활발하다.
⑤ (라)는 (나)보다 평균 해발 고도가 높다.

► 24062-0210

8 다음 자료의 (가)~(라) 지형에 대한 설명으로 옳은 것은? (단, (가)~(라)는 각각 석회 동굴, 주상 절리, 칼데라, 탑 카르스트 중 하나임.) [3점]

(가)

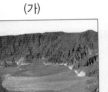

▲ 인도네시아 탐보라 화산

(나)

▲ 베트남 할롱 베이

(다)

▲ 아이슬란드 호프소스

(라)

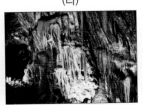

▲ 슬로베니아 포스토이나 동굴

① (가)는 탑 카르스트이다.
② (나) 봉우리의 기반암은 현무암이다.
③ (다)는 주로 점성이 강한 용암이 냉각되어 형성되었다.
④ (라)는 주로 화학적 풍화 작용으로 형성되었다.
⑤ (가)와 (나)는 화산 활동으로 형성되었다.

9 ▶ 24062-0211

다음 자료는 두 친구의 누리 소통망(SNS) 대화 내용이다. ㄱ~ㅂ에 대한 설명으로 옳지 <u>않은</u> 것은?

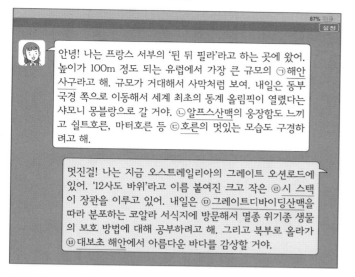

안녕! 나는 프랑스 서부의 '된 뒤 필라'라고 하는 곳에 왔어. 높이가 100m 정도 되는 유럽에서 가장 큰 규모의 ㄱ<u>해안 사구</u>라고 해. 규모가 거대해서 사막처럼 보여. 내일은 동부 국경 쪽으로 이동해서 세계 최초의 동계 올림픽이 열렸다는 샤모니 몽블랑으로 갈 거야. ㄴ<u>알프스산맥</u>의 웅장함도 느끼고 쉴트호른, 마터호른 등 ㄷ<u>호른</u>의 멋있는 모습도 구경하려고 해.

멋진걸! 나는 지금 오스트레일리아의 그레이트 오션로드에 있어. '12사도 바위'라고 이름 붙여진 크고 작은 ㄹ<u>시 스택</u>이 장관을 이루고 있어. 내일은 ㅁ<u>그레이트디바이딩산맥</u>을 따라 분포하는 코알라 서식지에 방문해서 멸종 위기종 생물의 보호 방법에 대해 공부하려고 해. 그리고 북부로 올라가 ㅂ<u>대보초 해안</u>에서 아름다운 바다를 감상할 거야.

① ㄱ은 주로 파랑과 연안류의 퇴적 작용으로 형성되었다.
② ㄴ은 빙하의 침식 작용으로 형성되었다.
③ ㄹ은 파랑의 차별 침식으로 형성되었다.
④ ㅂ은 산호충의 유해가 퇴적되어 만들어진 해안이다.
⑤ ㄴ은 ㅁ보다 형성 시기가 늦다.

10 ▶ 24062-0212

다음 글은 세 지역의 여행기이다. (가)~(다) 지역에 대한 설명으로 옳은 것은?

(가) 에펠 탑의 도시인 프랑스 파리에 왔다. 흐린 날이 많은 편이지만, 도시를 통과하는 센강에서 유람선을 타고 보는 도시의 모습은 아름답고 운치가 있었다.
(나) 미국 캘리포니아의 나파 밸리에 왔다. 구름 한 점 없는 푸른 하늘과 뜨겁게 내리쬐는 태양빛 아래 넓게 펼쳐진 포도밭이 장관이었다. 포도밭 옆의 와이너리를 방문해 와인을 만드는 과정에 대해 배우는 시간을 가졌다.
(다) 아프리카 북서부에 위치한 모로코의 마라케시에 왔다. 낙타를 타고 했던 사막 체험에서는 타는 듯한 열기에 건조한 사막의 기후가 온몸으로 느껴졌다.

① (가)는 유라시아 대륙 동안에 위치한다.
② (나)의 대표적인 농업은 혼합 농업이다.
③ (가)는 (나)보다 하천의 유량 변동이 적어 수운 발달에 유리하다.
④ (나)는 (다)보다 연중 아열대 고압대의 영향을 많이 받는다.
⑤ (다)는 (가)보다 연평균 기온이 낮다.

11 ▶ 24062-0213

다음 자료는 아시아 세 국가의 여행 소개 자료이다. (가)~(다) 국가를 지도의 A~C에서 고른 것은?

음식과 함께 떠나는 ▨(가)▨ 여행!

고기 국물에 쌀로 만든 면을 넣어 만든 '퍼'를 먹고, 세계 2위 커피 생산 국가에서 만들어진 연유 커피 '쓰어다'를 마셔 보세요.

유목 생활 체험 ▨(나)▨ 여행!

드넓은 초원에서 유목된 양고기를 재료로 넣고 달군 돌로 익힌 음식인 '허르헉'을 먹고, 이 국가 유목민의 전통 이동식 가옥인 게르를 체험해 보세요.

고온 다습한 기후의 음식 문화를 즐기는 ▨(다)▨ 여행!

고온 다습한 바람이 높은 산맥에 부딪혀 내리는 비를 맞고 자란 이곳의 차를 맛보고, 여러 향신료를 섞어 만든 '커리'와 화덕에 구운 '난'을 함께 먹어 보세요.

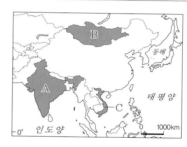

	(가)	(나)	(다)
①	A	B	C
②	B	A	C
③	B	C	A
④	C	A	B
⑤	C	B	A

12 ▶ 24062-0214

그래프는 세 지역(대륙)의 도시와 촌락 인구 변화를 나타낸 것이다. (가)~(다)에 대한 설명으로 옳은 것은? (단, (가)~(다)는 각각 라틴 아메리카, 아프리카, 유럽 중 하나임.) [3점]

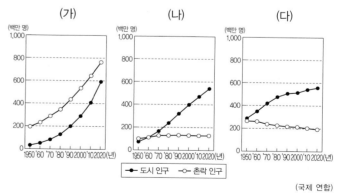

(국제 연합)

① (가)는 1950년의 도시화율이 50% 이상이다.
② (나)에는 최상위 계층의 세계 도시가 위치한다.
③ (나)는 (가)보다 2020년의 총인구가 더 많다.
④ (다)는 (가)보다 산업화의 시작 시기가 이르다.
⑤ (나)는 아프리카, (다)는 유럽이다.

▶ 24062-0215

13 그래프는 네 국가의 식량 작물 생산량과 작물별 비율을 나타낸 것이다. 이에 대한 설명으로 옳은 것은? (단, (가)~(다)는 각각 미국, 인도, 중국 중 하나이며, A~C는 각각 밀, 쌀, 옥수수 중 하나임.) [3점]

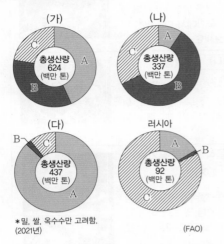

* 밀, 쌀, 옥수수만 고려함.
(2021년) (FAO)

① C는 아시아의 계절풍 기후 지역에서 주로 재배된다.
② A는 C보다 세계 총생산량이 적다.
③ C는 B보다 내한성과 내건성이 뛰어나다.
④ (나)는 옥수수의 세계 최대 생산국이다.
⑤ (가)는 미국, (다)는 중국이다.

▶ 24062-0216

14 표는 주요 가축의 세계 사육 두수 상위 5개국과 국가별 사육 두수를 나타낸 것이다. (가)~(다)에 대한 설명으로 옳은 것만을 〈보기〉에서 고른 것은? (단, (가)~(다)는 각각 돼지, 소, 양 중 하나임.)

(단위: 백만 마리)

(가)		(나)		(다)	
국가	사육 두수	국가	사육 두수	국가	사육 두수
브라질	225	중국	186	중국	449
인도	193	인도	74	미국	74
미국	94	오스트레일리아	68	브라질	43
에티오피아	66	나이지리아	49	에스파냐	34
중국	60	이란	45	러시아	26

(2021년) (FAO)

보기
ㄱ. (가)의 고기는 이슬람교 신자들이 종교적으로 금기시한다.
ㄴ. (다)는 전통 농업 사회의 벼농사 지역에서 노동력 대체 효과가 크다.
ㄷ. (가)는 (나)보다 전 세계 사육 두수가 많다.
ㄹ. (나)는 (다)보다 건조 기후 지역에서 사육하기에 유리하다.

① ㄱ, ㄴ ② ㄱ, ㄷ ③ ㄴ, ㄷ ④ ㄴ, ㄹ ⑤ ㄷ, ㄹ

▶ 24062-0217

15 그래프는 지도에 표시된 네 국가의 1차 에너지 소비 구조를 나타낸 것이다. 이에 대한 설명으로 옳은 것은? (단, A~C는 각각 석유, 석탄, 천연가스 중 하나임.) [3점]

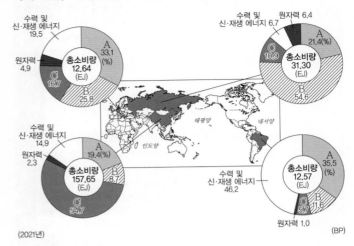

(2021년) (BP)

① A는 냉동 액화 기술의 발달로 수요가 급증하였다.
② B는 세계 1차 에너지 소비 구조에서 차지하는 비율이 가장 높다.
③ C는 B보다 연소 과정에서 대기 오염 물질을 많이 배출한다.
④ 독일은 중국보다 석유 소비량이 많다.
⑤ 국가 내 석탄 소비량 비율은 브라질이 러시아보다 높다.

▶ 24062-0218

16 그래프는 세 국가의 인구 구조를 나타낸 것이다. (가)~(다) 국가에 대한 설명으로 옳은 것은? (단, (가)~(다)는 각각 사우디아라비아, 수단, 이탈리아 중 하나임.) [3점]

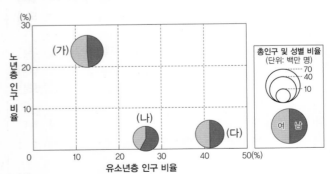

* 유소년층 인구 비율과 노년층 인구 비율은 원그래프의 중심값임.
(2021년) (국제 연합)

① (가)는 피라미드형의 인구 구조가 나타난다.
② (가)는 (나)보다 노령화 지수가 높다.
③ (나)는 (다)보다 성비가 낮다.
④ (다)는 (가)보다 유소년 부양비가 낮다.
⑤ (가)는 아프리카, (다)는 유럽에 위치한다.

17 ▶ 24062-0219

그래프는 지도에 표시된 네 국가의 품목별 수출액 비율을 나타낸 것이다. 이에 대한 설명으로 옳은 것은? (단, (가)~(라)는 각각 지도에 표시된 A~D 국가 중 하나임.) [3점]

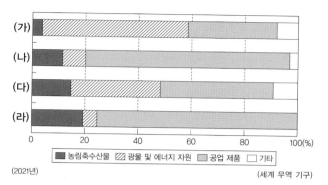

(2021년)

■ 농림축수산물 ▨ 광물 및 에너지 자원 ▥ 공업 제품 □ 기타

(세계 무역 기구)

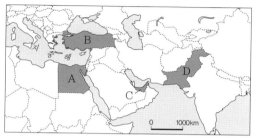

① (가)에는 외래 하천인 나일강이 흐른다.
② (나)는 힌두교와 이슬람교의 갈등으로 영역 갈등이 있다.
③ (다)는 아시아, (라)는 아프리카에 위치한다.
④ A는 B보다 수출액 중 공업 제품이 차지하는 비율이 높다.
⑤ A~D 중 C가 광물 및 에너지 자원의 수출 비율이 가장 높다.

18 ▶ 24062-0220

표는 세 국가의 지리 정보를 나타낸 것이다. (가)~(다) 국가에 대한 설명으로 옳은 것만을 〈보기〉에서 고른 것은? (단, (가)~(다)는 각각 멕시코, 브라질, 우루과이 중 하나임.) [3점]

지리 정보 국가	수도의 위도	수도의 경도	민족(인종) 구성 (1, 2위만 나타냄)
(가)	북위 19°15′	서경 99°10′	혼혈(64%), 원주민(18%)
(나)	남위 34°50′	서경 56°10′	유럽계(88%), 혼혈(8%)
(다)	남위 15°46′	서경 47°55′	유럽계(48%), 혼혈(43%)

(2022년)

(신상 지리 자료)

┌ 보기 ┐
ㄱ. (가)에서는 종주 도시화 현상이 나타난다.
ㄴ. (나)는 태평양과 접해 있다.
ㄷ. (다)에는 '파벨라'라고 불리는 불량 주택 지구가 나타난다.
ㄹ. (가)는 포르투갈어, (다)는 에스파냐어를 주요 언어로 사용한다.

① ㄱ, ㄴ ② ㄱ, ㄷ ③ ㄴ, ㄷ ④ ㄴ, ㄹ ⑤ ㄷ, ㄹ

19 ▶ 24062-0221

지도의 A~D 국가에 대한 설명으로 옳지 않은 것은?

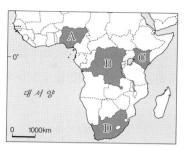

① A의 주요 수출 품목으로는 원유 및 석유 제품이 있다.
② B에는 열대 우림이 분포한다.
③ C에서는 차 재배가 활발히 이루어진다.
④ D에서는 인종 차별 정책인 '아파르트헤이트'가 시행되었다.
⑤ A는 D보다 국가 내 크리스트교 신자 비율이 높다.

20 ▶ 24062-0222

다음 자료는 환경 문제를 소개하는 인터넷 화면의 일부이다. ㉠~㉣에 대한 설명으로 옳은 것만을 〈보기〉에서 있는 대로 고른 것은?

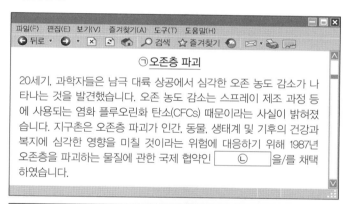

㉠오존층 파괴

20세기, 과학자들은 남극 대륙 상공에서 심각한 오존 농도 감소가 나타나는 것을 발견했습니다. 오존 농도 감소는 스프레이 제조 과정 등에 사용되는 염화 플루오린화 탄소(CFCs) 때문이라는 사실이 밝혀졌습니다. 지구촌은 오존층 파괴가 인간, 동물, 생태계 및 기후의 건강과 복지에 심각한 영향을 미칠 것이라는 위험에 대응하기 위해 1987년 오존층을 파괴하는 물질에 관한 국제 협약인   ㉡   을/를 채택하였습니다.

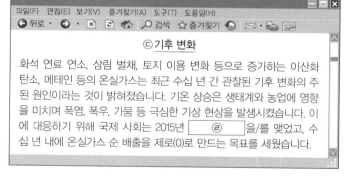

㉢기후 변화

화석 연료 연소, 삼림 벌채, 토지 이용 변화 등으로 증가하는 이산화 탄소, 메테인 등의 온실가스는 최근 수십 년 간 관찰된 기후 변화의 주된 원인이라는 것이 밝혀졌습니다. 기온 상승은 생태계와 농업에 영향을 미치며 폭염, 폭우, 가뭄 등 극심한 기상 현상을 발생시켰습니다. 이에 대응하기 위해 국제 사회는 2015년   ㉣   을/를 맺었고, 수십 년 내에 온실가스 순 배출을 제로(0)로 만드는 목표를 세웠습니다.

┌ 보기 ┐
ㄱ. ㉠으로 인해 피부암과 백내장 발병률이 증가한다.
ㄴ. ㉡에는 바젤 협약이 들어갈 수 있다.
ㄷ. ㉢으로 인해 고산 식물 분포 범위가 축소된다.
ㄹ. ㉣은 선진국과 개발 도상국 모두 온실가스 감축에 동참하도록 규정하였다.

① ㄱ, ㄷ ② ㄴ, ㄷ ③ ㄴ, ㄹ
④ ㄱ, ㄴ, ㄹ ⑤ ㄱ, ㄷ, ㄹ

실전 모의고사 5회

제한시간 30분 배점 50점 정답과 해설 52쪽

문항에 따라 배점이 다르니, 각 물음의 끝에 표시된 배점을 참고하시오. 3점 문항에만 점수가 표시되어 있습니다. 점수 표시가 없는 문항은 모두 2점입니다.

▶ 24062-0223

1 다음 자료의 ㉠~㉣에 대한 설명으로 옳은 것만을 〈보기〉에서 있는 대로 고른 것은?

세계에서 가장 규모가 큰 햄버거 체인점 M사는 햄버거 가격을 기준으로 각국 물가를 비교할 정도로 ㉠체인점이 세계에 널리 퍼져 있다. 대표 메뉴 B버거의 ㉡품질을 표준화시켜 세계 여러 매장에서 동일한 품질과 서비스를 제공한다.

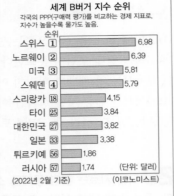

세계 B버거 지수 순위
각국의 PPP(구매력 평가)를 비교하는 경제 지표로, 지수가 높을수록 물가도 높음.

순위		지수
스위스	①	6.98
노르웨이	②	6.39
미국	③	5.81
스웨덴	④	5.79
스리랑카	⑱	4.15
타이	㉕	3.84
대한민국	㉗	3.82
일본	㉝	3.38
튀르키예	㊱	1.86
러시아	㊲	1.74

(2022년 2월 기준) (단위: 달러) (이코노미스트)

한편, M사는 국가에 따른 현지 시장의 차이점을 바탕으로 ㉢현지 시장의 특성과 요구에 맞는 제품을 개발하여 제품을 차별화하기도 하는데, 대표적으로 인도의 채식 버거나 치킨 버거, 필리핀의 라이스 버거가 있으며, 우리나라에도 ㉣진도의 특산물인 대파를 이용한 버거를 출시하기도 했다.

[보기]
ㄱ. ㉠ – 문화의 세계화 사례 중 하나에 해당한다.
ㄴ. ㉡ – 세계를 단일 시장으로 인식하는 전략이다.
ㄷ. ㉢ – 세계 시장을 대상으로 지역 특산물을 홍보하는 전략이다.
ㄹ. ㉣ – 해당 지역의 경제 활성화에 기여할 수 있다.

① ㄱ, ㄴ ② ㄱ, ㄹ ③ ㄷ, ㄹ
④ ㄱ, ㄴ, ㄹ ⑤ ㄴ, ㄷ, ㄹ

▶ 24062-0224

2 지도는 연 강수량 분포를 나타낸 것이다. A~E 지역에 대한 설명으로 옳지 않은 것은? [3점]

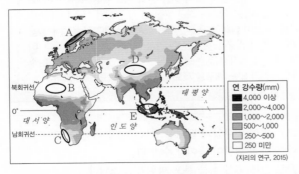

연 강수량(mm)
- 4,000 이상
- 2,000~4,000
- 1,000~2,000
- 500~1,000
- 250~500
- 250 미만

(지리의 연구, 2015)

① A는 편서풍의 바람받이 지역으로 지형성 강수가 빈번하다.
② B는 아열대 고압대가 발달하여 사막이 형성된다.
③ C는 탁월풍의 비그늘 지역으로 연 강수량이 적다.
④ D는 대륙의 내부에 위치하여 연 강수량이 적다.
⑤ E는 적도(열대) 수렴대의 영향으로 대류성 강수가 빈번하다.

▶ 24062-0225

3 다음 글의 ㉠~㉣에 대한 설명으로 옳은 것만을 〈보기〉에서 고른 것은?

적도에 걸쳐 있는 나라는 많지만 ㉠위도 0°의 선인 적도 자체를 국가 이름으로 사용하는 나라는 에콰도르(Equador)가 유일하다. 적도는 영어로 이퀘이터(equator), 에스파냐어로는 에콰도르이다. ㉡에콰도르의 공용어는 에스파냐어이다. 에콰도르는 ㉢한반도 면적의 1.5배가 조금 못 되는 나라이지만 바다가 있고 높은 산맥과 열대 우림이 있다. 특히 지리적으로나 생물학적으로 다양한 볼거리를 가진 갈라파고스 제도는 찰스 다윈 때문에 유명해졌다. 독일의 세계적인 탐험가이자 지리학자인 알렉산더 폰 훔볼트는 ㉣"에콰도르 여행은 마치 적도에서 남극까지 여행하는 것 같았다."라고 표현했다.

[보기]
ㄱ. ㉠은 속성 정보이다.
ㄴ. ㉡은 공간 정보이다.
ㄷ. ㉢은 원격 탐사로 수집 가능한 정보이다.
ㄹ. ㉣은 직접 조사를 통해 얻은 정보이다.

① ㄱ, ㄴ ② ㄱ, ㄷ ③ ㄴ, ㄷ ④ ㄴ, ㄹ ⑤ ㄷ, ㄹ

▶ 24062-0226

4 그래프는 대륙별 기후 지역의 분포 비율을 나타낸 것이다. (가)~(라)에 대한 설명으로 옳은 것은? (단, (가)~(라)는 각각 건조 기후, 냉대 기후, 열대 기후, 온대 기후 중 하나임.) [3점]

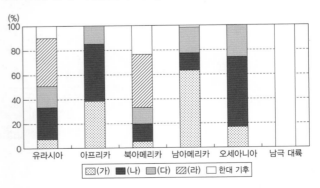

(가) (나) (다) (라) 한대 기후

① (가)는 연 강수량보다 연 증발량이 많다.
② (나)에는 상록 활엽수림이 넓게 분포한다.
③ (다)는 주로 적도 부근에 분포한다.
④ (가)는 (다)보다 연평균 기온이 높다.
⑤ (나)는 (라)보다 연 강수량이 많다.

▶ 24062-0227

5 다음 자료는 여행 중 작성한 메모 내용이다. ㉠, ㉡에 해당하는 도시의 기후 그래프를 A~D에서 고른 것은?

- 천재 화가 피카소가 자란 고향, 에스파냐 남부 도시 ㉠말라가에 오후 2시가 넘어서 도착했다. 곧바로 관광 안내소를 찾아 갔지만 문이 닫혀 있었다. 옆에 있던 여행객에게 이유를 물어보았더니 시에스타* 때문이라고 한다.
- 오늘은 네덜란드의 리세에서 열리는 쾨켄호프 튤립 축제에 참여했다. 이곳은 수도 ㉡암스테르담에서 차로 30분 거리에 위치해 있었다. 끝없이 펼쳐진 아름다운 꽃밭은 말 그대로 엽서의 한 장면이었다.
* 시에스타: 지중해 연안의 여러 국가에서 행해지는 낮잠 풍습

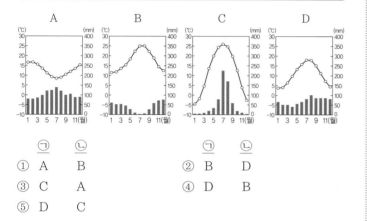

	㉠	㉡			㉠	㉡
①	A	B		②	B	D
③	C	A		④	D	B
⑤	D	C				

▶ 24062-0228

6 다음 자료의 ㉠~㉢에 대한 설명으로 옳은 것만을 〈보기〉에서 고른 것은? [3점]

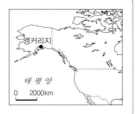

1960년대 미국 지질학자들은 캘리포니아를 가로지르는 ㉠샌안드레아스 단층과 같은 것이 대륙의 경계를 이룬다고 생각했다. 1964년 리히터 규모 8.6의 강력한 대지진이 ㉡앵커리지에서 일어났다. 조지 플래프커는 지진을 일으켰을 단층면이 육지에서 발견되지 않자 그 원인이 바다에 있을 것이라고 생각했다. 그래서 바닷속을 조사한 결과, ㉢해양 지각이 대륙 지각 밑으로 미끄러져 들어가는 곳에서 지진이 발생한다는 것을 알게 되었다.

┌ 보기 ┐
ㄱ. ㉠은 두 판이 어긋나서 미끄러지는 경계에 해당한다.
ㄴ. ㉡은 '불의 고리'로 불리는 조산대에 위치한다.
ㄷ. ㉢은 대규모의 지구대가 형성되는 곳이다.
ㄹ. ㉠은 ㉢보다 화산 활동이 활발하다.

① ㄱ, ㄴ ② ㄱ, ㄷ ③ ㄴ, ㄷ ④ ㄴ, ㄹ ⑤ ㄷ, ㄹ

▶ 24062-0229

7 다음은 세계지리 수업 장면이다. 학생의 발표 내용 중 (가)에 들어갈 내용으로 적절하지 <u>않은</u> 것은?

지도는 영구 동토층 분포의 향후 변화를 예상한 것입니다. 이와 같은 변화의 원인이 되는 현상이 지속된다면 (가)

① 북극해의 해수 염도가 높아집니다.
② 태평양 일대 섬들의 해안 저지대가 침수됩니다.
③ 북극항로의 화물선 운항 가능 기간이 늘어납니다.
④ 알프스산맥의 냉대림 분포 고도 하한선이 높아집니다.
⑤ 온대 기후 지역에서의 열대성 질병 발병률이 증가합니다.

▶ 24062-0230

8 그래프는 지도에 표시된 세 지역의 기후 특성을 나타낸 것이다. (가)~(다) 지역에 대한 설명으로 옳은 것은? (단, (가)~(다) 지역에 해당하는 기후는 각각 냉대 겨울 건조 기후, 냉대 습윤 기후, 사막 기후 중 하나임.) [3점]

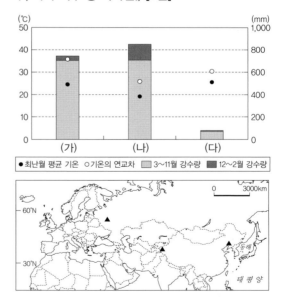

① (가)에 해당하는 기후는 남아메리카에 넓게 분포한다.
② (나)에는 포드졸이 분포해 있다.
③ (다)에는 타이가라고 불리는 침엽수림이 분포해 있다.
④ (가)는 (다)보다 최한월 평균 기온이 높다.
⑤ (나)는 (가)보다 6~8월 강수 비율이 높다.

▶ 24062-0231

9 다음은 두 학생이 여행을 계획하는 장면이다. 두 학생의 희망 사항을 모두 만족하는 국가만을 지도의 A~D에서 고른 것은?

여행 기간은 이번 겨울 방학의 1월로 정하도록 하자.

난 얇고 간편한 여름옷을 입고 여행을 즐길 수 있는 곳이었으면 좋겠어.

난 빙하가 침식해 만든 U자곡에 바닷물이 들어와 만들어진 해안을 감상하고 싶어.

난 간헐천에서 물이 솟구치는 모습을 보고 지열 온천을 즐기고 싶어.

갑 을

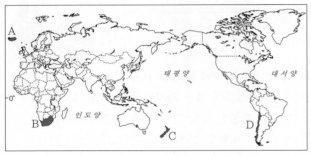

① A, B ② A, C ③ B, C ④ B, D ⑤ C, D

▶ 24062-0232

10 그래프는 도시 인구, 지역(대륙)별 도시 인구 증가율, 도시화율을 나타낸 것이다. (가)~(다) 지역(대륙)으로 옳은 것은? (단, 아메리카는 라틴 아메리카와 앵글로아메리카로 구분함.)

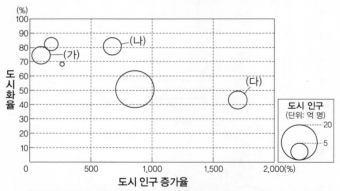

* 도시 인구 증가율은 1950년 대비 2020년 도시 인구 증가율이며, 도시화율과 도시 인구는 2020년 자료임.
** 도시 인구 증가율과 도시화율은 원의 중심값임.

(국제 연합)

	(가)	(나)	(다)
①	유럽	라틴 아메리카	아프리카
②	아프리카	앵글로아메리카	유럽
③	라틴 아메리카	유럽	아프리카
④	라틴 아메리카	아프리카	유럽
⑤	앵글로아메리카	아프리카	유럽

▶ 24062-0233

11 그래프는 지도에 표시된 세 국가의 인구 특성을 나타낸 것이다. (가)~(다) 국가에 대한 설명으로 옳은 것은? [3점]

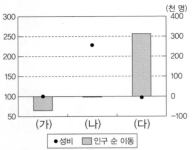

●성비 □인구 순 이동

* 인구 순 이동은 당해 연도 유입 인구에서 유출 인구를 뺀 값임.
(2021년) (국제 연합)

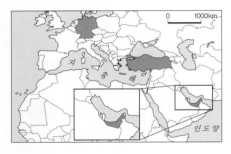

① (가)는 아시아, (나)는 유럽에 위치한 국가이다.
② (가)는 (나)보다 수출품 중 연료 및 광물 제품의 비율이 높다.
③ (나)는 (가)보다 노년층 인구 비율이 낮다.
④ (다)는 (나)보다 국가 내 이슬람교 신자 비율이 높다.
⑤ (다)에는 (가)보다 (나) 출신의 이주자가 많이 거주한다.

▶ 24062-0234

12 그래프는 네 종교의 지역(대륙)별 종교 신자 비율을 나타낸 것이다. 이에 대한 설명으로 옳은 것은? (단, (가)~(다)는 각각 이슬람교, 크리스트교, 힌두교 중 하나이고, A, B는 각각 서남아시아 및 북부 아프리카, 아시아·오세아니아 중 하나임.) [3점]

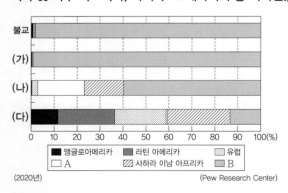

■앵글로아메리카 ■라틴 아메리카 ▨유럽
□A ▨사하라 이남 아프리카 ■B

(2020년) (Pew Research Center)

① (가)는 서남아시아에서 기원하였다.
② (나)는 소를 신성하게 여겨 소고기 섭취를 금기시한다.
③ (다)의 대표적인 종교 경관으로는 모스크와 첨탑이 있다.
④ 전 세계 신자 수는 (나)>(다)>(가) 순으로 많다.
⑤ A는 서남아시아 및 북부 아프리카, B는 아시아·오세아니아에 해당한다.

13 ▸ 24062-0235

지도는 A~C 가축의 국가별 사육 두수를 나타낸 것이다. 이에 대한 설명으로 옳은 것만을 〈보기〉에서 고른 것은? (단, A~C는 각각 돼지, 소, 양 중 하나임.) [3점]

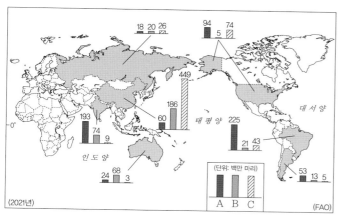

┌─ 보기 ┐

ㄱ. A는 전통적인 벼농사 지역에서 노동력을 대체해왔다.

ㄴ. B는 이슬람교 신자들이 종교적 이유로 금기시한다.

ㄷ. C는 B보다 건조 기후에 대한 적응력이 낮다.

ㄹ. A~C 중 세계 사육 두수는 C가 가장 많다.

① ㄱ, ㄴ   ② ㄱ, ㄷ   ③ ㄴ, ㄷ   ④ ㄴ, ㄹ   ⑤ ㄷ, ㄹ

14 ▸ 24062-0236

다음 여행기의 내용과 관련 있는 국가를 지도의 A~E에서 고른 것은?

오늘은 '따만 미니 ○○○'(이)라는 민속촌에 방문했다. 이곳에서 '통코난'이라고 부르는 독특한 집을 보았는데, 가파른 지붕이 매우 이색적이었다. 시내로 돌아오면서 거리 대부분의 차량이 SUV*라는

▲ 통코난의 모습

것을 알게 되었다. 비가 많이 오는 1월에는 도로 곳곳이 침수되기 때문에 차체가 높은 SUV를 선호한다고 했다. 게다가 지하수를 과도하게 사용하면서 이곳의 땅이 매년 7.5cm씩 내려앉고 있어 침수 문제는 더욱 심각해질 것으로 예상된다. 국가의 수도(首都)여서 그런지 시내로 돌아오는 길은 매우 혼잡했다. 오후에는 모스크에 방문했다. 세계에서 이슬람교 신자가 가장 많은 국가답게 많은 시민들이 모스크에서 예배를 드리고 있었다.

* SUV: 야외 레저 활동을 목적으로 개발된 차량으로, 차체의 높이(차고)가 높음.

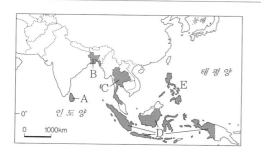

① A
② B
③ C
④ D
⑤ E

15 ▸ 24062-0237

지도는 두 화석 에너지의 주요 수출국을 나타낸 것이다. (가), (나) 자원에 대한 설명으로 옳은 것은?

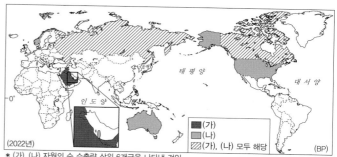

* (가), (나) 자원의 순 수출량 상위 6개국을 나타낸 것임.

① (가)는 냉동 액화 기술의 개발로 사용량이 급증하였다.

② (나)는 세계 1차 에너지 소비 구조에서 차지하는 비율이 가장 높다.

③ (가)는 (나)보다 수송용으로 이용되는 비율이 높다.

④ (나)는 (가)보다 연소 시 대기 오염 물질 배출량이 많다.

⑤ (가)의 세계 최대 생산국은 사우디아라비아, (나)의 세계 최대 생산국은 미국이다.

16 ▸ 24062-0238

(가), (나) 작물을 그래프의 A~C에서 고른 것은? (단, (가), (나)는 밀, 쌀, 옥수수 중 하나임.) [3점]

• 라틴 아메리카의 원주민에게 ___(가)___ 이/가 얼마나 중요한 작물인지는 신화에 잘 나타난다. 마야 신화에서 신은 인간을 진흙, 나무로 만들다 실패하고 이 작물을 택한다. 1492년 아메리카 대륙에 도착한 유럽인들은 이 작물을 에스파냐로 가져가 유럽 전역에 전파했고, 이후 전 세계인의 식량이 되었다. 기후에 대한 적응력이 뛰어났기에 가능한 일이었다.

• ___(나)___ 은/는 크게 인디카와 자포니카로 구분된다. 인디카는 알갱이가 길고 푸석거리는 특성을 보이며, 중국 남부와 동남아시아의 베트남 등지에서 주로 재배한다. 알갱이가 둥글고 짧은 자포니카는 중국 중·북부와 대한민국, 일본 등에서 주로 재배한다. 인디카는 자포니카에 비해 찰기가 적지만 자포니카에 비해 전 세계 생산량이 많다.

〈지역(대륙)별 A~C의 재배 면적 비율〉

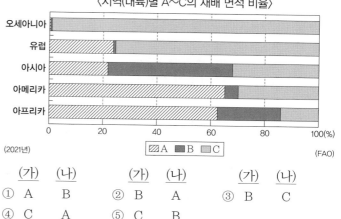

	(가)	(나)		(가)	(나)		(가)	(나)
①	A	B	②	B	A	③	B	C
④	C	A	⑤	C	B			

▶ 24062-0239

17 그래프는 오스트레일리아의 주요 수출 품목 및 수출 상대국 비율을 나타낸 것이다. 이에 대한 설명으로 옳은 것은? (단, (가), (나)는 각각 석탄, 철광석 중 하나이며, A, B는 각각 일본, 중국 중 하나임.) [3점]

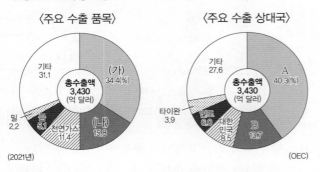

〈주요 수출 품목〉 〈주요 수출 상대국〉

① (가)는 에너지 자원, (나)는 광물 자원에 해당한다.
② (가)는 주로 고기 습곡 산지, (나)는 주로 안정육괴 주변에 매장되어 있다.
③ (가)의 최대 생산국은 오스트레일리아, (나)의 최대 생산국은 중국이다.
④ A는 B보다 국가 내 3차 산업 종사자 비율이 높다.
⑤ B는 A보다 (나) 생산량이 많다.

▶ 24062-0240

18 다음 자료의 (가)에 들어갈 내용으로 가장 적절한 것은?

▲ 카나트(지하 관개 수로)의 분포

페르시아어로 '땅을 파다.'라는 뜻의 'kane'에서 유래하였다는 관개 시설 카나트는 이란 북서쪽 산악 지역에서 기원해 세계 여러 곳으로 퍼져 나갔다. 카나트는 아랍 에미리트와 오만에서 팔라지(falaj) 또는 아플라즈(aflaj)로 불리고, 아프가니스탄, 파키스탄, 아제르바이잔 및 투르크메니스탄에서 카레즈(karez)로 불리며, 이라크에서 카리즈(kahriz), 중국에서 칸얼징(kanerjing), 알제리에서 포가라(foggara)로 불린다. 저마다 부르는 이름은 달라도 위에 언급한 국가에서 해당 시설이 있는 곳은 ＿＿＿＿＿＿ (가) ＿＿＿＿＿＿

① 양보다 돼지의 사육 두수가 많다.
② 연 증발량이 연 강수량보다 많다.
③ 외래 하천 주변에서 밀을 재배한다.
④ 연중 적도(열대) 수렴대의 영향을 받는다.
⑤ 종교적 관습에 따라 소고기를 금기시한다.

▶ 24062-0241

19 지도의 (가) 공업 지역에 대한 (나) 공업 지역의 상대적 특징을 그림의 A~E에서 고른 것은? (단, (가), (나)는 각각 전통 공업 지역, 해운·하운 교통 발달 지역 중 하나임.)

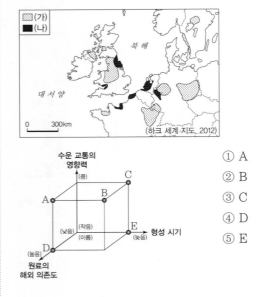

① A
② B
③ C
④ D
⑤ E

▶ 24062-0242

20 그래프는 지도에 표시된 세 국가의 민족(인종) 분포를 나타낸 것이다. 이에 대한 설명으로 옳은 것은? (단, A~D는 각각 아프리카계, 원주민, 유럽계, 혼혈 중 하나임.) [3점]

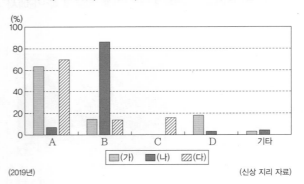

① A는 B보다 중·남부 아메리카에서 대체로 사회·경제적 지위가 높다.
② C는 D보다 중·남부 아메리카에 먼저 진출하였다.
③ (가)는 (나)보다 수도의 해발 고도가 낮다.
④ (나)는 (다)보다 혼혈의 비율이 높다.
⑤ (가)~(다)에서는 주로 에스파냐어를 사용한다.

 교육부

 EBS

학생 · 교원 · 학부모 온라인 소통 공간
ㅎㅎ 함께학교

정책 제안

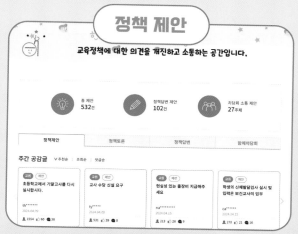

내가 생각한 교육 정책!
여러분의 생각이 정책이 됩니다

정보나눔

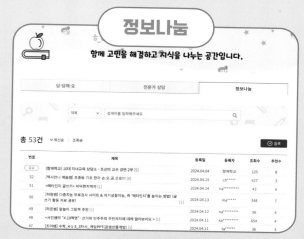

실시간으로 학생·교원·학부모 대상
최신 교육자료를 함께 나눠요

고민상담

학교생활 답답할 때, 고민될 때
동료 선생님, 전문가에게 물어보세요

행복한 함께학교

우리 학교, 선생님, 부모님, 친구들과의
소중한 순간을 공유해요

안드로이드   ios

인스타그램 @togetherschool_moe
유튜브 '함께학교_교육부'를 통해서도 함께학교에 방문할 수 있어요!

시대의 빛

세상을 향해 첫 발을 내디딜 당신

그 앞에 많은 길이 놓여 있지만

세상의 리더가 될 당신이라면

배움의 길도 달라야 합니다

당신에겐 가능성이 있고

우리에겐 방법이 있습니다

당신이 품은 큰 뜻

총신 안에서 마음껏 펼쳐보십시오

총신대학교
2025학년도 신입생 모집

원서접수 | 수시모집: 2024.9.9(월)~9.13(금) / 정시(가군,다군)모집: 2024.12.31(화)~2025.1.3(금)
모집학과 | 신학과·아동학과·사회복지학과·중독상담학과·기독교교육과·영어교육과·역사교육과·유아교육과·교회음악과
입학상담 | TEL: 02.3479.0400 / URL: admission.csu.ac.kr

* 본 교재 광고의 수익금은 콘텐츠 품질개선과 공익사업에 사용됩
* 모두의 요강(mdipsi.com)을 통해 총신대학교의 입시정보를 확인할 수 있습

백 석 예 술 대 학 교

너만의 색깔을

세상에 뿌려봐

백 석 예 술 대 학 교

2호선 찍고 ✓ 강남 찍고 ✓

세계로!!
2호선 방배(백석예술대)역 & 7호선 내방역
K-컬쳐를 이끄는 초역세권 도심형 캠퍼스

음악학부	**공연예술학부**	**실용댄스학부**	**뷰티예술학부**	**디자인미술학부**	**영상학부**	**경영학부**
클래식음악과	뮤지컬과	스트릿댄스	메이크업	시각디자인	만화애니메이션	경영
실용음악과	공연예술경영과	코레오그래피	헤어디자인	공간디자인	영상미디어	세무회계
교회실용음악과	극작과	댄스콘텐츠	뷰티네일	디지털콘텐츠디자인	게임그래픽디자인	광고홍보
	연기과			회화	영화콘텐츠	

보건복지학부	**경찰경호학부**	**유아교육과**	**글로벌문화콘텐츠학부**	**호텔관광학부**	**항공서비스과**	**외식학부**
사회복지	경찰행정		영미문화콘텐츠	관광경영		호텔조리
실버케어비즈니스	경찰경호		중국문화콘텐츠	호텔경영		호텔제과제빵
보건행정			일본문화콘텐츠			커피
AI보건의료			한류문화콘텐츠			글로벌디저트

본 교재 광고의 수익금은 콘텐츠 품질 개선과 공익사업에 사용됩니다.
모두의 요강(mdipsi.com)을 통해 백석예술대학교의 입시정보를 확인할 수 있습니다.

BÁU 백석예술대학교

한눈에 보는 정답

01 세계화와 지역 이해

수능 실전 문제   본문 5~9쪽

01 ④	02 ④	03 ③	04 ①
05 ⑤	06 ①	07 ②	08 ①
09 ②	10 ④		

02 세계의 기후 구분과 열대 기후

수능 실전 문제   본문 12~16쪽

01 ④	02 ④	03 ③	04 ⑤
05 ③	06 ③	07 ④	08 ①
09 ①	10 ⑤		

03 온대 기후

수능 실전 문제   본문 18~21쪽

| 01 ② | 02 ⑤ | 03 ③ | 04 ④ |
| 05 ① | 06 ⑤ | 07 ② | 08 ④ |

04 건조 및 냉·한대 기후와 지형

수능 실전 문제   본문 23~27쪽

01 ③	02 ②	03 ③	04 ①
05 ⑤	06 ④	07 ③	08 ④
09 ③	10 ⑤		

05 세계의 주요 대지형과 독특한 지형들

수능 실전 문제   본문 29~34쪽

01 ④	02 ②	03 ②	04 ④
05 ①	06 ①	07 ⑤	08 ⑤
09 ①	10 ③	11 ④	12 ①

06 주요 종교의 전파와 종교 경관

수능 실전 문제   본문 36~38쪽

| 01 ② | 02 ④ | 03 ② | 04 ④ |
| 05 ② | 06 ① | | |

07 세계의 인구 변천과 인구 이주

수능 실전 문제   본문 41~44쪽

| 01 ③ | 02 ⑤ | 03 ③ | 04 ① |
| 05 ② | 06 ② | 07 ④ | 08 ③ |

08 세계의 도시화와 세계 도시 체계

수능 실전 문제   본문 46~48쪽

| 01 ③ | 02 ③ | 03 ① | 04 ① |
| 05 ④ | 06 ④ | | |

09 주요 식량 자원과 국제 이동

수능 실전 문제   본문 51~55쪽

01 ⑤	02 ⑤	03 ③	04 ④
05 ②	06 ④	07 ④	08 ②
09 ②	10 ①		

10 주요 에너지 자원과 국제 이동

수능 실전 문제   본문 58~61쪽

| 01 ② | 02 ⑤ | 03 ① | 04 ③ |
| 05 ③ | 06 ① | 07 ④ | 08 ③ |

11 몬순 아시아와 오세아니아 (1)

수능 실전 문제   본문 63~65쪽

| 01 ④ | 02 ④ | 03 ④ | 04 ④ |
| 05 ③ | 06 ① | | |

12 몬순 아시아와 오세아니아 (2)~(3)

수능 실전 문제 본문 67~69쪽

01 ③ 02 ⑤ 03 ④ 04 ⑤
05 ① 06 ⑤

실전 모의고사 1회

본문 96~100쪽

1 ⑤ 2 ③ 3 ① 4 ③ 5 ④
6 ⑤ 7 ④ 8 ⑤ 9 ② 10 ⑤
11 ④ 12 ④ 13 ⑤ 14 ② 15 ③
16 ⑤ 17 ③ 18 ② 19 ② 20 ②

13 건조 아시아와 북부 아프리카

수능 실전 문제 본문 71~75쪽

01 ① 02 ③ 03 ② 04 ③
05 ⑤ 06 ② 07 ③ 08 ⑤
09 ④ 10 ①

실전 모의고사 2회

본문 101~105쪽

1 ⑤ 2 ④ 3 ① 4 ⑤ 5 ③
6 ① 7 ⑤ 8 ③ 9 ① 10 ②
11 ④ 12 ⑤ 13 ④ 14 ④ 15 ④
16 ④ 17 ④ 18 ③ 19 ② 20 ③

14 유럽과 북부 아메리카

수능 실전 문제 본문 77~82쪽

01 ② 02 ② 03 ② 04 ③
05 ⑤ 06 ③ 07 ③ 08 ⑤
09 ④ 10 ④ 11 ② 12 ③

실전 모의고사 3회

본문 106~110쪽

1 ② 2 ③ 3 ② 4 ② 5 ④
6 ② 7 ④ 8 ① 9 ① 10 ⑤
11 ④ 12 ④ 13 ① 14 ② 15 ⑤
16 ⑤ 17 ② 18 ① 19 ③ 20 ②

15 사하라 이남 아프리카와 중·남부 아메리카

수능 실전 문제 본문 85~89쪽

01 ④ 02 ② 03 ① 04 ⑤
05 ④ 06 ④ 07 ④ 08 ⑤
09 ① 10 ⑤

실전 모의고사 4회

본문 111~115쪽

1 ② 2 ⑤ 3 ① 4 ① 5 ③
6 ③ 7 ④ 8 ④ 9 ① 10 ③
11 ⑤ 12 ④ 13 ③ 14 ⑤ 15 ③
16 ② 17 ⑤ 18 ② 19 ⑤ 20 ⑤

16 평화와 공존의 세계

수능 실전 문제 본문 91~95쪽

01 ⑤ 02 ④ 03 ② 04 ④
05 ② 06 ① 07 ① 08 ③
09 ③ 10 ②

실전 모의고사 5회

본문 116~120쪽

1 ④ 2 ③ 3 ⑤ 4 ④ 5 ②
6 ① 7 ① 8 ② 9 ⑤ 10 ①
11 ③ 12 ⑤ 13 ② 14 ④ 15 ③
16 ① 17 ③ 18 ② 19 ② 20 ⑤

THEME 01 세계화와 지역 이해

수능 실전 문제

본문 5~9쪽

01 ④   02 ④   03 ③   04 ①
05 ⑤   06 ①   07 ②   08 ①
09 ②   10 ④

01 세계화와 지역화의 특징 이해 및 지리 정보의 특징 파악

문제분석 〈활동1〉은 다국적 기업이 진출 지역의 고유한 의식, 문화, 기호, 행동 양식 등을 존중하는 상품을 개발한 사례에 대한 내용이므로, (가)는 다국적 기업의 현지화 전략에 해당한다. 〈활동2〉는 영국 맨체스터에서 지역의 이미지를 바꾸기 위해 이미지와 시설 등을 개발한 사례에 대한 내용이므로, (나)는 장소 마케팅에 해당한다.

정답찾기 ㄴ. 장소 마케팅은 특정 장소를 하나의 상품으로 인식하고 매력적으로 보일 수 있도록 이미지와 시설 등을 개발하는 전략이다. ㄹ. 위도와 경도를 통해 지역의 위치를 나타낸 것은 지리 정보 중 공간 정보에 해당한다.

오답피하기 ㄱ. 특정 지역의 지리적 특성을 반영한 우수 상품이 그 지역에서 생산 및 가공되었음을 인증하고 표시하는 제도는 지리적 표시제이다.
ㄷ. ㉠은 문화적 지표를 기준으로 지역을 구분하는 사례에 해당한다.

02 지리 정보 및 인터넷(전자) 지도의 특징 이해

문제분석 ㉠은 정보·통신 기술의 발달과 각종 전자 기기의 보급 확대에 따라 대중화된 전자 지도이다. ㉡은 인공위성을 활용하여 사용자나 특정 사물의 현재 위치, 이동 방향, 속도 등을 알려주는 위성 위치 확인 시스템(GPS: Global Positioning System)이다.

정답찾기 ㄱ. 전자 지도는 종이 지도보다 확대·축소가 자유롭다는 장점이 있다. ㄷ. 각종 사물에 위성 위치 확인 시스템(GPS)을 내장하여 실시간으로 위치 정보를 수집할 수 있게 되면서 지리 정보 시스템(GIS: Geographic Information System)의 사용 범위가 확대되었다.

오답피하기 ㄴ. 전자 지도는 사용자의 요구에 따라 다양하게 제작할 수 있고, 종이 지도에 비해 지리 정보의 수정과 추가가 쉽다는 장점이 있다.

03 알 이드리시의 세계 지도, 지구전후도의 특징 이해

문제분석 (가)는 조선 후기(1834년)에 실학자 최한기·김정호가 목판본으로 제작한 지구전후도이다. A는 아프리카, B는 인도양, C는 앵글로아메리카에 해당한다. (나)는 이슬람 문명의 광범위한 지리적 지식을 토대로 제작된 알 이드리시의 세계 지도이다. D는 나일강, E는 지중해에 해당한다.

정답찾기 ③ 첫 번째 질문의 경우 지구전후도(가)에 표현된 아프리카(A) 대륙은 알 이드리시의 세계 지도(나)에도 표현되어 있으므로 '○'로 표시해야 한다. 두 번째 질문의 경우 알 이드리시의 세계 지도(나)에 표현된 나일강(D)의 발원지는 아프리카 대륙에 위치하므로 '×'로 표시해야 한다. 세 번째 질문의 경우 지구전후도(가)에 표현된 B는 인도양이고, 알 이드리시의 세계 지도(나)에 표현된 E는 지중해에 해당하므로 '×'로 표시해야 한다. 네 번째 질문의 경우 알 이드리시의 세계 지도(나)는 12세기경 제작되었고, 지구전후도(가)는 1834년 제작되었으므로 '○'로 표시해야 한다. 따라서 제시된 질문에 모두 옳게 답한 학생은 '병'이다.

04 곤여만국전도, 혼일강리역대국도지도, 화이도의 특징 이해

문제분석 (가)는 조선 전기(1402년)에 국가 주도로 제작된 세계 지도인 혼일강리역대국도지도이다. (나)는 현존하는 중국 전역을 표현한 지도 중 가장 오래된 지도인 화이도이다. (다)는 1602년 이탈리아 선교사인 마테오 리치와 명나라 학자가 중국에서 제작한 곤여만국전도이다.

정답찾기 ㉠ 혼일강리역대국도지도(가)는 주체적인 국토 인식이 반영되어 조선을 상대적으로 크게 표현하였다.
㉡ 혼일강리역대국도지도(가)와 화이도(나)는 모두 지도의 중심에 중국이 표현되어 있다.

오답피하기 ㉢ 혼일강리역대국도지도(가)는 신대륙 발견 이전인 1402년에 제작되어 아시아, 아프리카, 유럽 등이 표현되어 있고, 아메리카 및 오세아니아는 표현되어 있지 않다. 곤여만국전도(다)는 신대륙 발견 이후인 1602년에 제작되어 아시아, 아프리카, 유럽뿐만 아니라 아메리카와 오세아니아가 표현되어 있다. 따라서 지도에 표현된 지역의 실제 범위는 곤여만국전도(다)가 혼일강리역대국도지도(가)보다 넓다.
㉣ 곤여만국전도(다)는 경선과 위선이 표현되어 있지만, 화이도(나)는 경선과 위선이 표현되어 있지 않다.

05 바빌로니아의 점토판 지도, 천하도, 티오(TO) 지도의 특징 이해

문제분석 왼쪽부터 첫 번째 지도는 조선 중기 이후 민간에서 제작된 천하도이다. 두 번째 지도는 기원전 6세기경에 제작된 바빌로니아의 점토판 지도이다. 세 번째 지도는 중세 유럽에서 제작된 티오(TO) 지도이다.

정답찾기 ⑤ (가)에는 천하도만 '예'에 해당하고, 바빌로니아의 점토판 지도와 티오(TO) 지도는 '아니요'에 해당하는 질문이 들어가야 한다. 이에 해당하는 질문은 ㄷ이며, 천하도의 중앙에는 중국이 그려져 있는 것으로 보아 중국 중심의 세계관이 반영되어 있음을 알 수 있다. (나)에는 바빌로니아의 점토판 지도는 '예'에 해당하고, 티오(TO) 지도는 '아니요'에 해당하는 질문이 들어가야 한다. 이에 해당하는 질문은 ㄴ이며, 바빌로니아의 점토판 지도는 현존하는 가장 오래된 세계 지도로 알려져 있다.

오답피하기 ㄱ. 지도의 위쪽이 동쪽인 세계 지도는 티오(TO) 지도이다.

06 메르카토르의 세계 지도, 포르톨라노 해도, 프톨레마이오스의 세계 지도의 특징 이해

문제분석 (가)는 1569년 메르카토르에 의해 제작된 세계 지도이다. (나)는 13세기경부터 유럽에서 제작된 항해용 지도인 포르톨라노 해도이다. (다)는 150년경 로마 시대에 제작되었다고 알려져 있으며, 15세기에 복원된 프톨레마이오스의 세계 지도이다.

정답찾기 ① 메르카토르의 세계 지도, 포르톨라노 해도, 프톨레마이오스의 세계 지도에는 모두 지중해가 표현되어 있다.

오답피하기 ② 메르카토르의 세계 지도에는 아메리카 대륙이 표현되어 있지만, 프톨레마이오스의 세계 지도에는 아메리카 대륙이 표현되어 있지 않다.
③ (가)~(다) 지도는 중국 중심의 세계관이 반영되어 있지 않다.
④ 메르카토르의 세계 지도의 중심에는 대서양이 표현되어 있다. 프톨레마이오스의 세계 지도의 중심에는 인도양이 표현되어 있다.
⑤ 나침반을 이용한 항해에 활용하기 위해 제작한 것은 메르카토르의 세계 지도와 포르톨라노 해도의 특징에 해당한다.

07 지리 정보 시스템의 중첩 분석 원리를 이용한 적합 국가 선정

문제분석 지리 정보 시스템(GIS)의 중첩 분석 원리를 토대로 합산 점수가 가장 높은 국가 중 평균 교육 기간이 짧은 국가를 찾으면 된다. 지도의 A는 알제리, B는 에티오피아, C는 콩고 민주 공화국, D는 나미비아, E는 보츠와나이다.

정답찾기 ② 각 항목별 점수를 산정한 결과는 아래의 표와 같다. 에티오피아와 콩고 민주 공화국이 합산 점수가 같은데 에티오피아가 콩고 민주 공화국보다 평균 교육 기간이 짧으므로, 가장 적합한 국가는 에티오피아(B)가 된다.

(단위: 점)

항목 국가	기대 수명	평균 교육 기간	1인당 국민 총소득	계
나미비아(D)	3	2	2	7
보츠와나(E)	2	1	1	4
알제리(A)	1	2	1	4
에티오피아(B)	2	3	3	8
콩고 민주 공화국(C)	3	2	3	8

08 지리 정보의 특징 이해

문제분석 어떤 장소나 지역에 대한 정보를 지리 정보라 한다. 지리 정보에는 공간 정보, 속성 정보, 관계 정보가 있다.

정답찾기 ㄱ. ㉠은 0°를 표준 경선으로 사용하는 영국 런던보다 표준시가 빠르다.
ㄴ. 속성 정보는 장소가 지닌 자연적·인문적 특성을 나타내는 정보이다. ㉡은 기후 및 자연환경에 대한 정보이므로 속성 정보에 해당한다.

오답피하기 ㄷ. ㉢은 인구에 대한 정보이므로 속성 정보에 해당한다.
ㄹ. ㉣은 원격 탐사를 통해 구체적인 수치를 수집하기 어렵다.

09 지리 정보를 통한 주요 국가의 특성 파악

문제분석 수도의 위치와 인구 등의 지리 정보를 통해 (가)는 미국, (나)는 오스트레일리아, (다)는 노르웨이, (라)는 일본임을 알 수 있다.

정답찾기 ㄱ. 국토 면적과 국내 총생산은 지리 정보 중 속성 정보에 해당한다.
ㄹ. (가)~(라) 중 아메리카에 위치한 국가는 미국(가)이고, 유럽에 위치한 국가는 노르웨이(다)이다. 미국(가)은 노르웨이(다)보다 국민 총생산 대비 ODA 제공 비율이 낮다.

오답피하기 ㄴ. 미국(가)은 오스트레일리아(나)보다 국토 면적 대비 인구가 많으므로 인구 밀도가 높다.
ㄷ. 오스트레일리아(나)의 수도는 35°18′S에 위치하고, 노르웨이(다)의 수도는 59°56′N에 위치한다. 저위도에서 고위도로 갈수록 여름철에는 낮 길이가 길어지고, 겨울철에는 낮 길이가 짧아진다. 따라서 노르웨이의 수도(다)가 오스트레일리아의 수도(나)보다 연중 낮 길이의 변화 폭이 크다.

10 세계의 지역 구분 이해

문제분석 A는 우랄산맥의 일부, B는 콩고 민주 공화국, C는 사우디아라비아, D는 미국과 멕시코의 국경, E는 파나마이다.

정답찾기 ㄱ. A에는 아시아와 유럽을 구분하는 자연적 지표인 우랄산맥이 위치한다.
ㄷ. D를 기준으로 북부 지역은 앵글로아메리카 문화권에 해당하고, 남부 지역은 라틴 아메리카 문화권에 해당한다. 앵글로아메리카 문화권은 라틴 아메리카 문화권보다 영어 사용자의 비율이 높다.
ㄹ. B는 콩고 민주 공화국이므로 사하라 이남 아프리카에 속하고, E는 파나마이므로 중·남부 아메리카에 속한다.

오답피하기
ㄴ. C는 사우디아라비아이므로 건조 문화권에 해당한다.

THEME 02 세계의 기후 구분과 열대 기후

수능 실전 문제

01 ④	02 ④	03 ③	04 ⑤
05 ③	06 ③	07 ④	08 ①
09 ①	10 ⑤		

01 대륙별 기후 지역의 특징 이해

문제분석 A는 아프리카와 오세아니아에서 분포 비율이 가장 높은 건조 기후 지역, B는 남아메리카에서 분포 비율이 가장 높고 아프리카에서 분포 비율이 두 번째로 높은 열대 기후 지역, C는 남아메리카, 아프리카, 오세아니아 등에서 거의 분포하지 않고 유라시아와 북아메리카에서 분포 비율이 가장 높은 냉대 기후 지역이다. (가)는 냉대 기후 지역>한대 기후 지역>건조 기후 지역 순으로 분포 비율이 높으므로 북아메리카, (나)는 냉대 기후 지역>건조 기후 지역>온대 기후 지역 순으로 분포 비율이 높으므로 유라시아이다.

정답찾기 ④ 열대 기후 지역(B)은 냉대 기후 지역(C)보다 열대의 기후 환경에서 기호 작물과 원료 작물을 대규모로 재배하는 플랜테이션이 발달하였다.

오답피하기 ① (가)는 북아메리카, (나)는 유라시아이다.
② 냉대 기후 지역(C)의 분포 비율은 북아메리카(가)가 약 43.4%, 유라시아(나)가 약 39.2%로 북아메리카가 높지만, 대륙 면적은 유라시아가 북아메리카보다 2배 이상 넓다. 따라서 북아메리카는 유라시아보다 냉대 기후 지역의 분포 면적이 좁다.
③ 건조 기후 지역(A)은 열대 기후 지역(B)보다 연 증발량 대비 연 강수량이 적다.
⑤ 침엽수림이 넓게 분포하는 냉대 기후 지역(C)은 사막과 스텝이 넓게 분포하는 건조 기후 지역(A)보다 수목 밀도가 높다.

02 기후 차이에 영향을 주는 기후 요인 이해

문제분석 A(네덜란드의 암스테르담)는 서부 유럽의 서안 해양성 기후 지역, B(러시아의 하바롭스크)는 대륙 동안의 냉대 겨울 건조 기후 지역, C(중국의 카스)는 중국 서부 내륙의 사막 기후 지역, D(인도의 콜카타)는 인도 벵골만 연안의 사바나 기후 지역, E(나미비아의 월비스베이)는 나미비아 해안의 사막 기후 지역, F(모잠비크의 이냠바느)는 모잠비크 해안의 사바나 기후 지역에 위치한다.

정답찾기 ④ A(암스테르담)는 B(하바롭스크)보다 수륙 분포의 영향으로 기온의 연교차가 작다. D(콜카타)는 C(카스)보다 지형, 수륙 분포 등의 영향으로 연 강수량이 많다. E(월비스베이)의 연안에는 한류가 흐르고 F(이냠바느)의 연안에는 난류가 흐르며, 이로 인해 이냠바느가 월비스베이보다 최난월 평균 기온이 높다.

03 적도(열대) 수렴대의 이동에 따른 시기별 기온과 강수 분포 이해

문제분석 A는 적도(열대) 수렴대가 주로 남반구에 위치하므로 1월,

B는 적도(열대) 수렴대가 주로 북반구에 위치하므로 7월이다. 지도의 ㄱ(모로코의 라바트)은 북반구의 지중해성 기후 지역, ㄴ(말리의 바마코)은 북반구의 사바나 기후 지역, ㄷ(탄자니아의 도도마)은 남반구의 사바나 기후 지역, ㄹ(남아프리카 공화국의 케이프타운)은 남반구의 지중해성 기후 지역이다.

정답찾기 ③ (가)는 1월(A)과 7월(B)의 평균 기온이 18℃ 이상이고, 1월(A)에 건기가 있는 북반구의 사바나 기후 지역(ㄴ)이다. (나)는 1월(A)이 7월(B)보다 평균 기온이 높고, 강수량이 많은 남반구의 사바나 기후 지역(ㄷ)이다. (다)는 1월(A)이 7월(B)보다 평균 기온이 낮고, 강수량이 많은 북반구의 지중해성 기후 지역(ㄱ)이다.

04 열대 기후 지역의 강수량 특징 파악

문제분석 지도에 표시된 세 지역은 열대 기후 지역이다. (가)(오스트레일리아의 케언스)는 12~2월에 강수량이 많고(강수 편차 +값), 6~8월에 강수량이 적은(강수 편차 −값) 남반구의 사바나 기후 지역, (나)(인도네시아의 발릭파판)는 연중 강수량이 고른(강수 편차 작음) 열대 우림 기후 지역, (다)(인도의 콜카타)는 6~8월에 강수량이 많고(강수 편차 +값), 12~2월에 강수량이 적은(강수 편차 −값) 북반구의 사바나 기후 지역이다.

정답찾기 ⑤ 열대 우림 기후 지역에 위치한 (나)(발릭파판)는 사바나 기후 지역에 위치한 (다)(콜카타)보다 대류성 강수의 발생 빈도가 높다.

오답피하기 ① (가)(케언스)는 12~2월에 주로 적도(열대) 수렴대의 영향을 받으며, 6~8월에 주로 아열대 고압대의 영향을 받는다.
② (나)(발릭파판)는 열대 우림 기후 지역으로, 기온의 연교차가 기온의 일교차보다 작다.
③ (다)(콜카타)는 북반구에 위치한다.
④ (가)(케언스)는 (나)(발릭파판)보다 남반구의 고위도에 위치하므로, 7월의 낮 길이가 짧다.

05 기후 지역 구분과 해당 기후 지역의 특징 파악

문제분석 (가)는 연 강수량이 연 증발량보다 적고 연 강수량이 250mm 미만인 사막 기후, (나)는 연 강수량이 연 증발량보다 많고 최난월 평균 기온이 0~10℃인 툰드라 기후, (다)는 연 강수량이 연 증발량보다 많고 최난월 평균 기온이 10℃ 이상이며 최한월 평균 기온이 −3℃ 미만인 냉대 기후, (라)는 연 강수량이 연 증발량보다 많고 최난월 평균 기온이 10℃ 이상이며 최한월 평균 기온이 −3℃ 이상이고 여름에 건조하고 겨울에 습윤한 지중해성 기후, (마)는 연 강수량이 연 증발량보다 많고 최난월 평균 기온이 18℃ 이상이며 최소 우월 강수량이 60mm 이상인 열대 우림 기후이다.

정답찾기 ③ (다)(냉대 기후) 지역에서는 타이가라 불리는 침엽수림이 넓게 나타나 임업이 활발하다.

오답피하기 ① (가)(사막 기후) 지역에서는 양, 염소 등의 가축을 주로 유목 형태로 사육하며, 관개 농업이나 오아시스 농업이 이루어진다.
② (나)(툰드라 기후) 지역에서는 순록을 주로 유목 형태로 사육한다.
④ (라)(지중해성 기후) 지역에서는 올리브, 오렌지 등을 재배하는 수목 농업이 활발하게 이루어진다.
⑤ (마)(열대 우림 기후) 지역에서는 이동식 화전 농업으로 얌, 카사바 등의 식량 작물을 주로 재배한다.

06 여행기를 통한 열대 기후 지역 특징 파악

문제분석 (가)는 건기와 우기가 뚜렷하여 바오바브나무와 같은 열대 초원 수목 경관이 나타나는 사바나 기후 지역, (나)는 연중 고온 다습하여 여러 층의 나무가 우거진 밀림 경관이 나타나는 열대 우림 기후 지역이다.

정답찾기 ③ C의 (가)는 사바나 기후 지역(남수단의 와우), (나)는 열대 우림 기후 지역(말레이시아의 플라우 피낭)이다. 따라서 (가), (나) 지역이 옳게 연결된 것은 C이다.

오답피하기 A의 (가)는 지중해성 기후 지역(프랑스의 보르도), (나)는 사바나 기후 지역(코트디부아르의 아비장)이다. B의 (가)는 지중해성 기후 지역(튀르키예(터키)의 이스탄불), (나)는 사바나 기후 지역(인도의 콜카타)이다. D의 (가)는 사바나 기후 지역(탄자니아의 다르에스살람), (나)는 지중해성 기후 지역(오스트레일리아의 퍼스)이다. E의 (가)는 사바나 기후 지역(오스트레일리아의 케언스), (나)는 온대 겨울 건조 기후 지역(베트남의 하이퐁)이다.

07 시기별 기후 값 차이를 통한 열대 기후 지역의 특징 이해

문제분석 지도에 표시된 세 지역은 각각 열대 우림 기후 지역(브라질의 마나우스), 북반구의 열대 몬순(계절풍) 기후 지역(미국의 마이애미), 남반구의 사바나 기후 지역(탄자니아의 다르에스살람) 중 하나이다. 마나우스는 연중 강수량이 많고, 마이애미는 6~8월에 우기, 12~2월에 건기가 되며, 다르에스살람은 6~8월에 건기, 12~2월에 우기가 된다. 지도에서 마이애미가 적도와의 위도 차이가 가장 크고 마나우스가 가장 작으며, (가) 시기의 일출 및 일몰 시각을 통해 낮 길이를 파악해 보면 B>A>C 순으로 낮 길이가 길다. 따라서 A는 마나우스, B는 다르에스살람, C는 마이애미이며, 북반구에 위치한 마이애미가 낮 길이가 가장 짧으므로 (가)는 1월, (나)는 7월이다.

정답찾기 ㄴ. 1월(가)에 마나우스(A)와 다르에스살람(B)은 모두 적도(열대) 수렴대의 영향을 받는 우기이다.

ㄹ. 7월(나)에 정오의 태양 고도는 북반구에 위치한 마이애미(C)가 남반구에 위치한 마나우스(A)보다 높다.

오답피하기 ㄱ. 북반구에 위치한 마이애미(C)는 1월(가)에 남동 무역풍의 영향을 받지 않는다. 남동 무역풍은 1월에 주로 남반구에 영향을 준다.

ㄷ. 7월(나)의 평균 기온은 남반구에 위치한 다르에스살람(B)이 북반구에 위치한 마이애미(C)보다 낮다.

08 기후 값 차이를 통한 열대 기후 지역의 특징 이해

문제분석 (가)는 열대 우림 기후 지역(콩고 민주 공화국의 키상가니)으로, 기온의 연교차와 강수량의 계절 차이가 작다. 지도에 표시된 세 지역은 각각 미얀마의 양곤(열대 몬순(계절풍) 기후), 에티오피아의 아디스아바바(열대 고산 기후), 오스트레일리아의 다윈(사바나 기후) 중 하나이다. A는 (가)(키상가니)와 평균 기온은 비슷하지만 (가)보다 1월 강수량이 많고 7월 강수량이 적으므로, 남반구에 위치한 사바나 기후 지역(다윈)이다. B는 (가)(키상가니)보다 1월 및 7월 평균 기온이 8~10℃ 정도 낮으며 1월 강수량이 적고 7월 강수량이 많으므로, 북반구의 열대 고산 기후 지역(아디스아바바)이다. B는 저위도에 위치하지만, 해발 고도의 영향으로 (가)보다 1월과 7월 평균 기온

이 낮다. C는 (가)와 평균 기온은 비슷하지만, (가)보다 1월 강수량이 적고 7월 강수량이 많은 북반구의 열대 몬순(계절풍) 기후 지역(양곤)이다.

정답찾기 ① 열대 우림 기후 지역에 위치한 (가)(키상가니)는 사바나 기후 지역에 위치한 A(다윈)보다 수목 밀도가 높다.

오답피하기 ② A(다윈)는 B(아디스아바바)보다 평균 해발 고도가 낮다.

③ B(아디스아바바)는 C(양곤)보다 연 강수량이 적다.

④ C(양곤)는 북반구, A(다윈)는 남반구에 위치하므로, C는 A보다 북회귀선까지의 최단 거리가 가깝다.

⑤ A~C 중 7월에 아열대 고압대의 영향을 가장 많이 받는 곳은 7월 강수량이 가장 적은 A(다윈)이다.

09 열대 기후의 강수 특징 이해

문제분석 (가)는 인도네시아 보르네오섬에 위치한 국립 공원의 생태 환경에 대한 설명으로, 열대 우림 기후 지역에 해당한다. (나)는 탄자니아에 위치한 응고롱고로 자연 보호 구역의 생태 환경에 대한 설명으로, 사바나 기후 지역에 해당한다.

정답찾기 ① ㄱ은 연중 강수량이 많은 열대 우림 기후 지역(인도네시아의 판칼랑분), ㄴ은 12~2월에 우기, 6~8월에 건기인 남반구의 사바나 기후 지역(탄자니아의 응고롱고로), ㄷ은 6~8월에 우기, 12~2월에 건기인 북반구의 사바나 기후 지역(코스타리카의 후안산타마리아)이다. 그러므로 (가)는 ㄱ, (나)는 ㄴ이다.

10 열대림 생태 환경의 특징 이해

문제분석 제시된 글은 삼림 파괴에 대한 설명이다. 특히 브라질, 인도네시아 등에서는 열대 우림이 많이 소실됐는데, 원인은 도시화, 경지 개간, 방목지 조성 등이다. 열대림 파괴로 지구 온난화 심화, 생물 종 다양성 감소, 토양 침식 증가 등의 문제가 나타나고 있다.

정답찾기 ⑤ 오스트레일리아(ㅂ)의 사바나 기후 지역은 남반구에 위치하므로, 12~2월에 적도(열대) 수렴대의 영향으로 우기, 6~8월에 아열대 고압대의 영향으로 건기가 나타난다. 따라서 12~2월보다 6~8월에 산불로 인한 삼림 피해 면적이 넓다.

오답피하기 ① 1980년대 이후 삼림 파괴 면적은 열대림 개발이 활발하게 이루어지고 있는 남아메리카가 유럽보다 더 많다.

② 인도네시아(ㄴ)에서는 주로 기름야자나무 재배, 브라질 아마존의 열대 우림(ㄷ)에서는 주로 곡물(옥수수 등) 재배와 목장 조성을 위해 열대림을 제거했다.

③ 온실가스(ㄹ)의 대기 중 농도는 열대림 감소로 높아졌다.

④ 지구 온난화로 안데스산맥에서 열대림의 분포 고도 상한선이 높아지고 있다.

온이 −1℃ 정도, 강수 편차는 −8mm 정도이며, 7월 평균 기온은 23.5℃, 강수 편차는 −9mm 정도이다. 따라서 온대 기후에 속하며 강수 편차가 크지 않아 온난 습윤 기후인 것을 알 수 있으므로, (다)는 보스턴이다.

(정답찾기) ⑤ 샌프란시스코(나)는 북아메리카 대륙 서부의 태평양 연안에 위치하며, 보스턴(다)은 북아메리카 대륙 동부의 대서양 연안에 위치한다.

(오답피하기) ① 몬트리올(가)은 냉대 기후이며, 샌프란시스코(나)는 온대 기후에 해당한다. 고위도에 위치한 몬트리올(가)이 기온의 연교차가 더 크다.

② 몬트리올(가)은 보스턴(다)보다 고위도에 위치하므로, 몬트리올(가)이 보스턴(다)보다 연평균 기온이 낮다.

③ 샌프란시스코(나)는 지중해성 기후 지역으로, 여름철이 건조하여 여름 강수 집중률이 낮다. 몬트리올(가)은 냉대 습윤 기후 지역으로, 연중 강수 분포가 고른 편이다. 따라서 몬트리올(가)의 여름 강수 집중률이 샌프란시스코(나)보다 상대적으로 높다.

④ 오렌지, 포도 등을 재배하는 수목 농업은 지중해성 기후 지역에서 활발히 이루어진다. 따라서 샌프란시스코(나)가 보스턴(다)보다 수목 농업이 더 활발하다.

03 온대 기후 지역의 특징 파악

(문제분석) 지도에 표시된 지역은 지중해성 기후가 나타나는 지브롤터, 서안 해양성 기후가 나타나는 베를린, 온대 겨울 건조 기후가 나타나는 쿤밍이다. 누적 강수량 그래프는 해당 월의 강수량과 전월까지의 강수량을 누적해서 표현하므로, 전월과 해당 월의 값 차이를 통해 해당 월의 강수량 규모를 알 수 있다. (가)는 1월부터 12월까지의 값이 비슷한 간격으로 증가하는 것으로 보아 매월 강수량이 비슷하다는 것을 알 수 있으므로 서안 해양성 기후가 나타나는 베를린이다. (나)는 1월, 2월, 11월, 12월 등의 시기에는 값의 변화가 거의 없어 해당 월에 강수량이 적다는 것을 알 수 있으며, 6~8월의 값은 큰 변화 폭을 보이며 증가하고 있어 해당 월에는 강수량이 상대적으로 많음을 알 수 있다. 따라서 (나)는 6~8월에 강수가 집중되는 온대 겨울 건조 기후가 나타나는 쿤밍이다. (다)는 (나)와 반대로 1월, 2월, 11월, 12월 등의 시기에는 값의 변화가 큰 편이나 6~8월의 값은 거의 증가하지 않고 있어, 11~2월에 강수가 집중되는 기후 특성을 보인다. 따라서 (다)는 지중해성 기후가 나타나는 지브롤터이다.

(정답찾기) ③ 지브롤터(다)는 베를린(가)보다 저위도에 위치하여 연평균 기온이 높게 나타난다.

(오답피하기) ① 1월은 북극권에서 남극권으로 갈수록 낮 길이가 길어지며, 반대로 남극권에서 북극권으로 갈수록 밤 길이가 길어진다. 베를린(가)은 북반구에 위치한 세 지역 중 가장 고위도에 위치하므로 1월의 밤 길이가 가장 길다.

② 쿤밍(나)은 아시아, 지브롤터(다)는 유럽에 위치한다.

④ 베를린(가)은 유라시아 대륙의 서쪽에 위치하여 연중 편서풍의 영향을 많이 받으며, 쿤밍(나)은 유라시아 대륙의 동쪽에 위치하여 계절풍의 영향을 많이 받는다.

⑤ 쿤밍(나)은 온대 겨울 건조 기후 지역으로 계절풍의 영향에 의해 여름철에 강수가 집중되는 반면, 지브롤터(다)는 지중해성 기후 지역

수능 실전 문제   본문 18~21쪽

| 01 ② | 02 ⑤ | 03 ③ | 04 ④ |
| 05 ① | 06 ⑤ | 07 ② | 08 ④ |

01 온대 기후 지역의 기온 및 강수 특징 비교

(문제분석) 지도에 표시된 지역은 서안 해양성 기후가 나타나는 파리, 지중해성 기후가 나타나는 튀니스, 온난 습윤 기후가 나타나는 부에노스아이레스이다. 두 곳은 북반구에, 한 곳은 남반구에 위치해 있다. 월평균 기온 그래프에서 (가)는 1월이 최한월로 약 4℃, 7월이 최난월로 약 20℃이다. (나)는 1월이 최한월로 약 12℃, 8월이 최난월로 약 28℃이다. (다)는 7월이 최한월로 약 11℃, 1월이 최난월로 약 25℃이다. 따라서 세 지역은 모두 온대 기후에 해당된다. 그중 7월이 최한월인 (다)는 남반구에 위치한 온대 기후 지역이며, 연중 습윤하므로 온난 습윤 기후라는 것을 알 수 있다. 따라서 (다)는 부에노스아이레스이다. (가)의 월 강수량은 모든 달이 비슷하게 분포하고 있으며, (나)는 6~8월의 강수량이 매우 적고 12~2월의 강수량이 많다. 따라서 (가)는 서안 해양성 기후가 나타나는 파리이며, (나)는 지중해성 기후가 나타나는 튀니스이다.

(정답찾기) ㄱ. 튀니스(나)는 지중해 연안에 위치한 도시이다.

ㄷ. 튀니스(나)는 튀니지의 수도로, 아프리카 북단 지중해 연안에 위치해 있으며, 동경 10° 정도에 위치해 있다. 부에노스아이레스(다)는 아르헨티나의 수도로, 서경 58° 정도에 위치해 있다. 따라서 경도 0°가 지나는 영국과의 시차는 튀니스(나)가 더 작게 난다.

(오답피하기) ㄴ. 파리(가)는 연중 편서풍과 해양의 영향으로 서안 해양성 기후가 나타나며, 튀니스(나)는 여름철에 아열대 고압대의 영향을 받아 여름철이 고온 건조한 지중해성 기후가 나타난다. 따라서 튀니스(나)가 파리(가)보다 여름철에 아열대 고압대의 영향을 많이 받는다.

ㄹ. 부에노스아이레스(다)는 남반구에 위치해 있으며, 파리(가)는 북반구에 위치해 있다. 1월에는 남반구 고위도로 갈수록 해가 길어지므로, 1월의 낮 길이는 부에노스아이레스(다)가 더 길다.

02 북아메리카의 기후 특징 파악

(문제분석) 지도에 표시된 지역은 지중해성 기후가 나타나는 샌프란시스코, 온난 습윤 기후가 나타나는 보스턴, 냉대 습윤 기후가 나타나는 몬트리올이다. 그래프는 세 지역의 시기별 평균 기온과 강수 편차가 제시되어 있다. (가)는 1월 평균 기온이 −10℃ 정도, 강수 편차는 21mm 정도이며, 7월 평균 기온은 20.8℃, 강수 편차는 6mm 정도이다. 따라서 냉대 기후에 속하며 강수 편차가 크지 않아 냉대 습윤 기후인 것을 알 수 있으므로, (가)는 몬트리올이다. (나)는 1월의 평균 기온이 11℃ 정도, 강수 편차는 57mm 정도이며, 7월의 평균 기온은 18℃ 정도, 강수 편차는 −41mm 정도이다. 따라서 온대 기후에 속하며 여름과 겨울의 강수 편차가 크게 나타나 지중해성 기후인 것을 알 수 있으므로, (나)는 샌프란시스코이다. (다)는 1월 평균 기

이므로 겨울철에 강수가 집중된다. 따라서 겨울 강수 집중률이 높은 지역은 지브롤터(다)이다.

04 온대 및 냉대 기후 지역의 특징 파악

(문제분석) 지도에 표시된 지역 중 북반구의 두 지역은 각각 서안 해양성 기후가 나타나는 코펜하겐, 냉대 겨울 건조 기후가 나타나는 이르쿠츠크이다. 남반구의 두 지역은 각각 지중해성 기후가 나타나는 케이프타운, 서안 해양성 기후가 나타나는 캔버라이다. 그래프는 각 지점의 7월의 낮 길이, 7월 강수량에서 1월 강수량을 뺀 값인 강수 편차가 제시되어 있다. 7월의 낮 길이는 남극권에서 북극권으로 갈수록 길어지므로 낮 길이가 상대적으로 긴 (나)와 (라)는 북반구에 위치한 지역이고, (가)와 (다)는 남반구에 위치한 지역이다. (가)는 7월 강수량에서 1월 강수량을 뺀 값이 작은 차이로 (−) 값을 보이는데, 이는 7월 강수량보다 1월 강수량이 많지만 두 시기의 강수량 차이가 크지 않다는 것을 알 수 있다. 반면, (다)는 (+) 값을 보여 7월 강수량이 1월 강수량보다 많음을 알 수 있다. 남반구는 7월이 겨울이고 1월이 여름이므로 (가)는 겨울 강수량과 여름 강수량이 20mm 정도의 차이를 보인다는 것을 알 수 있고, (다)는 겨울 강수량이 여름 강수량보다 70mm 이상 많다. 따라서 (가)는 캔버라이며, (다)는 케이프타운이다. (나)는 7월 강수량에서 1월 강수량을 뺀 값이 20mm 정도로 (+) 값을 보이지만 두 시기의 강수량 차이가 크지 않다는 것을 알 수 있다. 반면, (라)는 (+) 값을 보이면서 80mm 이상의 차이가 날 정도로 두 시기의 강수량 차이가 크며, 7월 강수량이 1월 강수량보다 많다는 것을 알 수 있다. 따라서 (나)는 코펜하겐, (라)는 이르쿠츠크이다.

(정답찾기) ④ 서안 해양성 기후 지역인 코펜하겐(나)과 냉대 겨울 건조 기후 지역인 이르쿠츠크(라)는 위도가 비슷하지만, 난류와 편서풍의 영향으로 여름에도 서늘하고 겨울에도 비교적 온화한 서안 해양성 기후 지역은 기온의 연교차가 크지 않은 편이다. 반면, 고위도의 대륙 내부에 위치한 냉대 겨울 건조 기후 지역은 기온의 연교차가 크다.

(오답피하기) ① 캔버라(가)는 남반구에 위치한다.
② 이르쿠츠크(라)는 여름 강수량이 겨울 강수량보다 많다.
③ 캔버라(가)는 이르쿠츠크(라)보다 저위도에 위치하므로 연평균 기온이 높다.
⑤ 남반구에 위치한 케이프타운(다)은 7월에 겨울이며, 북반구에 위치한 코펜하겐(나)은 여름이다. 따라서 7월의 단위 면적당 일사량은 코펜하겐이 더 많다.

05 온대 및 열대 기후 지역의 특징 파악

(문제분석) 지도에 표시된 지역은 온난 습윤 기후 지역인 우한, 열대 우림 기후 지역인 발릭파판, 지중해성 기후 지역인 퍼스, 서안 해양성 기후 지역인 크라이스트처치이다. 그래프는 각 지역의 시기별 강수 비율과 기온의 연교차가 제시되어 있다. (가)는 기온의 연교차가 가장 크며 6~8월의 강수 비율이 높으므로 대륙의 동쪽에 위치해 계절풍의 영향을 받는 지역임을 알 수 있다. 따라서 (가)는 우한이다. 반면, (라)는 기온의 연교차가 1℃ 정도로 거의 나지 않아 연중 기온이 비슷한 지역임을 알 수 있으며, 강수 비율도 시기별로 고르게 분포되어 있으므로 (라)는 발릭파판이다. (나)와 (다)는 기온의 연교차

가 비슷하지만, (나)는 시기별 강수 편차가 작은 데 비해 (다)는 6~8월에 강수가 집중된다. 따라서 (나)는 크라이스트처치, (다)는 퍼스이다.

(정답찾기) ① 유라시아 대륙의 동쪽에 위치한 우한(가)은 계절풍의 영향을 받는 기후 지역이다. 크라이스트처치(나)는 서안 해양성 기후 지역으로 연중 편서풍의 영향을 많이 받는다.

(오답피하기) ② 가장 비가 많이 오는 달인 최다우월의 강수량은 열대 우림 기후 지역에 위치한 발릭파판(라)이 서안 해양성 기후 지역에 위치한 크라이스트처치(나)보다 많다.
③ 온대 기후 지역인 퍼스(다)보다 열대 기후 지역인 발릭파판(라)의 최한월 평균 기온이 높다.
④ 열대 우림 기후가 나타나는 발릭파판(라)이 온난 습윤 기후가 나타나는 우한(가)보다 저위도에 위치하므로 적도와의 최단 거리가 가깝다.
⑤ 7월의 낮 길이는 북반구 고위도로 갈수록 길어진다. 따라서 네 지역 중 7월의 낮 길이가 가장 긴 곳은 우한(가)이다.

06 온대 기후 지역의 주민 생활 특징 파악

(문제분석) ㉠은 프랑스 남부에 위치한 곳으로, 넓게 펼쳐진 포도밭, 여름철에 태양은 뜨겁지만 습하지 않다는 기후 특징을 지닌 지역이다. 따라서 ㉠은 지중해성 기후가 나타나는 지역이다. ㉡은 중국 산둥반도에 위치한 곳으로, 여름철이 덥고 습하다는 기후 특징을 지닌 지역이다. 따라서 ㉡은 온대 겨울 건조 기후가 나타나는 지역이다.

(정답찾기) ㄷ. 지중해성 기후 지역(㉠)은 아열대 고압대의 영향을 받는 여름이 건기에 해당하므로 여름 강수 집중률이 낮다. 반면, 온대 겨울 건조 기후 지역(㉡)은 여름철에 강수가 집중되므로 여름 강수 집중률이 높다.
ㄹ. 벼는 생장기에 높은 기온과 많은 강수량을 필요로 하는 작물이다. 온대 겨울 건조 기후 지역(㉡)은 여름철에 기온이 높고 강수량이 집중되므로 여름이 고온 건조한 지중해성 기후 지역(㉠)보다 벼농사에 유리하다.

(오답피하기) ㄱ. ㉠이 위치한 대륙 서안은 연중 대서양으로부터 불어오는 편서풍의 영향으로 ㉡이 위치한 대륙 동안에 비해 1월 평균 기온이 높고 7월 평균 기온이 낮아 기온의 연교차가 작다.
ㄴ. 계절풍의 영향을 많이 받는 대표적인 지역은 유라시아 대륙의 동쪽에 위치한 아시아 지역이다. 온대 겨울 건조 기후가 나타나는 ㉡은 계절풍의 영향을 받는 지역이다. 반면, ㉠은 유라시아 대륙의 서안에 위치해 주로 편서풍과 아열대 고압대의 영향을 받는다.

07 시기별 기압 배치와 풍향 및 지역별 기후 특색 파악

(문제분석) 지도에서 대륙 내부에 강한 고기압이 형성되어 있고, 고기압 중심부로부터 사방으로 바람이 불고 있다. 특히 아시아의 경우 대륙 쪽에서 바람이 불어오고 있다. 이를 통해 (가) 시기는 겨울철인 1월임을 알 수 있다.
지도에 표시된 A는 냉대 습윤 기후가 나타나는 오슬로, B는 서안 해양성 기후가 나타나는 룩셈부르크, C는 지중해성 기후가 나타나는 케이프타운이다. A와 B는 북반구에 위치한 지역이므로 1월이 겨울철이다. A에 해당하는 냉대 습윤 기후 지역은 1월 기온이 −3℃ 미

만이고, B에 해당하는 서안 해양성 기후는 1월 기온이 −3~18℃ 사이이다. C는 남반구에 위치한 지역이므로 1월이 여름철이다. C에 해당하는 지중해성 기후는 여름인 1월의 기온이 높고 강수량이 적다.

(정답찾기) ② 1월의 경우 냉대 습윤 기후 지역인 A의 월평균 기온이 가장 낮으며 월 강수량이 60mm 이상이다. 같은 북반구이면서 위도가 낮은 B의 월평균 기온은 A보다 높다. 남반구에 위치한 C는 여름이므로 기온이 높고 강수량이 매우 적다.

08 세계 여러 지역의 위치 및 기후 특성 파악

(문제분석) (가)는 경도가 본초 자오선에 가까우며 7월의 일몰 시각이 21시 이후로 네 지역 중 가장 늦으므로, 북반구이면서 비교적 고위도에 위치한 지역이라는 것을 알 수 있다. 또한 1월 평균 기온은 5℃ 정도로 낮지 않으며, 1월과 7월 강수량이 비슷하여 연중 강수 분포가 고르다는 것을 확인할 수 있다. 따라서 (가)는 유럽의 서안 해양성 기후 지역에 해당한다.

(나)는 경도가 동경 15°로 본초 자오선과 비교적 가까우며, 일몰 시각이 (가)보다 이르므로 위도가 (가)보다 조금 낮다고 볼 수 있다. 1월 평균 기온은 12.4℃로 겨울철에 해당하며, 1월 강수량은 많고 7월 강수량은 상대적으로 적은 것으로 보아 (나)는 지중해 연안에 위치한 지중해성 기후 지역에 해당한다.

(다)는 경도가 서경 54°로 대서양의 서쪽인 아메리카에 해당한다. 일몰 시각이 이르며 1월 평균 기온이 23.2℃로 높으므로, 남반구 중위도에 위치한 지역임을 알 수 있다. 또한 1월 강수량과 7월 강수량이 비슷하여 연중 습윤한 기후이므로 (다)는 남반구에 위치한 온난 습윤 기후 지역에 해당한다.

(라)는 동경 125°에 위치하며 일몰 시각이 (나)보다 이른 것으로 보아 (나)보다 저위도에 위치한다. 1월 평균 기온이 −14.3℃로 북반구에 위치한 냉대 기후 지역이며, 1월 강수량이 적고 7월 강수량이 많은 것으로 보아 (라)는 냉대 겨울 건조 기후 지역에 해당한다.

(정답찾기) ④ 여름철에 건조하고 겨울철에 강수가 집중되는 지중해성 기후 지역(나)은 여름철에 강수가 집중되고 겨울철에 건조한 냉대 겨울 건조 기후 지역(라)보다 겨울 강수 집중률이 높다.

(오답피하기) ① 지중해성 기후 지역인 (나)는 여름에 아열대 고압대의 영향을 받아 건조하다. 열대 저기압의 영향을 빈번하게 받는 대표적인 지역으로는 동남 및 남부 아시아 일대가 있다.

② (다)는 1월 평균 기온이 높고 7월 일몰 시각이 비교적 이르므로 남반구에 위치한다.

③ 서안 해양성 기후 지역인 (가)는 지중해성 기후 지역인 (나)보다 고위도에 위치하므로 연평균 기온이 낮다.

⑤ 냉대 겨울 건조 기후 지역인 (라)는 유라시아 대륙의 동쪽에 위치하므로 대륙의 영향을 받아 대륙 서안에 위치한 서안 해양성 기후 지역인 (가)보다 기온의 연교차가 크다.

THEME 04 건조 및 냉·한대 기후와 지형

수능 실전 문제

본문 23~27쪽

01 ③	02 ②	03 ③	04 ①
05 ⑤	06 ④	07 ③	08 ④
09 ③	10 ⑤		

01 건조 기후 지역의 기온과 강수량 특징 파악

(문제분석) (가)는 최난월이 1월, 최한월이 7월이며, (나)에 비해 기온의 연교차가 큰 남반구의 건조 기후이다. (나)는 최난월이 2월, 최한월이 8월이며, 기온의 연교차가 세 지역 중 가장 작은 남반구의 건조 기후이다. (다)는 최난월이 6월, 최한월이 1월이며, (나)에 비해 기온의 연교차가 큰 북반구의 건조 기후이다.

(정답찾기) ③ A는 북반구의 건조 기후 지역(파키스탄의 페샤와르), B는 남반구의 건조 기후 지역(오스트레일리아의 앨리스스프링스)이다. C는 남반구의 건조 기후 지역(페루의 리마)으로, 저위도에 위치하여 기온의 연교차가 작고, 연중 한류의 영향을 받아 연 강수량이 적다. 따라서 (가)는 B, (나)는 C, (다)는 A이다.

02 사막의 주요 형성 원인과 분포 지역 이해

(문제분석) (가)는 면적이 가장 넓고, 기온의 연교차가 가장 크며, 몽골과 중국에 분포하는 고비 사막이다. (나)는 면적이 두 번째로 넓고, 아르헨티나나 칠레에 분포하는 파타고니아 사막이다. (다)는 최난월 평균 기온이 가장 높고, 오스트레일리아에 분포하는 그레이트샌디 사막이다. (라)는 면적이 가장 좁고, 기온의 연교차가 가장 작으며, 나미비아와 앙골라에 분포하는 나미브 사막이다.

(정답찾기) ㉠ 고비 사막(가)은 바다로부터 멀리 떨어진 중위도 유라시아 대륙 내부에 위치하여 해양의 습윤한 바람이 미치지 못해 형성된 사막이다.

㉢ 그레이트샌디 사막(다)은 대기 대순환에 의해 하강 기류로 형성된 아열대 고압대의 영향을 연중 받는 지역에 위치하여 형성된 사막이다.

(오답피하기) ㉡ 파타고니아 사막(나)은 탁월풍(편서풍)이 부는 안데스 산지의 비그늘 지역에 위치하여 형성된 사막이다. 이 사막은 탁월풍이 산지를 넘으면서 건조해져 형성되었다.

㉣ 나미브 사막(라)은 아프리카 대륙 서안을 따라 흐르는 한류의 영향을 받아 형성된 사막이다. 바다와 인접해 있지만, 한류로 인해 대기가 안정되어 상승 기류가 발생하기 어렵기 때문에 연 강수량이 매우 적다.

03 건조 기후 지역의 지형 특징 파악

(문제분석) 미국 서부의 데스밸리는 건조 기후 지역으로 강수량이 적고 기온의 일교차가 커서 물리적 풍화 작용이 활발하며, 바람과 유수(流水)에 의한 침식 및 퇴적 지형이 발달하였다. 데스밸리에서는 복합 선상지인 바하다, 플라야(배드워터, 레이스트랙 플라야), 사구(메

스키트 플랫 샌드 듄) 등의 지형을 볼 수 있다.

(정답찾기) ㄴ. 플라야에 해당하는 배드워터(ⓒ)에서는 큰 기온의 일교차로 암석의 팽창과 수축이 활발하게 일어나기 때문에 물리적 풍화 작용이 활발하다.

ㄷ. 레이스트랙 플라야(ⓔ)에 고이는 물은 염분이 많아 관개용수로 활용하기 어렵다.

(오답피하기) ㄱ. 복합 선상지(ⓐ)는 여러 개의 선상지가 연속적으로 분포하는 것으로 바하다라 하며, 초승달 모양의 사구를 바르한이라 한다.

ㄹ. 사구(ⓓ)는 바람의 퇴적 작용에 의해 형성된 지형이다.

04 냉·한대 기후 지역의 특징 파악

(문제분석) A는 냉대 습윤 기후 지역(캐나다의 몬트리올), B는 툰드라 기후 지역(그린란드의 누크), C는 툰드라 기후 지역(러시아의 딕슨), D는 냉대 겨울 건조 기후 지역(러시아의 치타)이다.

(정답찾기) ① 캐나다의 몬트리올(A)은 겨울이 춥고 길며, 여름이 짧고, 강수는 연중 고른 편이다. 냉대 습윤 기후는 동부 유럽~시베리아 중·서부, 캐나다 등에 분포한다.

(오답피하기) ② 그린란드의 누크(B)는 툰드라 기후 지역으로, 짧은 여름에 지의류 등의 식생이 자란다. 침엽수림이 넓게 분포하는 곳은 냉대 기후 지역이다.

③ 러시아의 딕슨(C)은 툰드라 기후 지역으로, 지의류 등의 식생이 분포한다. 연중 눈과 얼음으로 덮여 있는 곳은 빙설 기후 지역이다.

④ 러시아의 치타(D)(52°N)는 북반구에 위치하므로 1월에 백야 현상이 나타나지 않는다.

⑤ A~D 중 기온의 연교차는 유라시아 대륙의 동부 내륙에 위치한 치타(D)가 가장 크다. 대서양 연안에 위치한 누크(B)는 네 지역 중 기온의 연교차가 가장 작다.

05 건조 및 냉대 기후 지역의 기온과 강수 특징 이해

(문제분석) (가)는 연 강수량이 500mm 미만인 건조 기후 지역(이란의 마슈하드), (나)는 (다)에 비해 기온의 연교차와 강수량의 계절 차이가 작은 냉대 습윤 기후 지역(러시아의 상트페테르부르크), (다)는 (나)에 비해 기온의 연교차와 강수량의 계절 차이가 큰 냉대 겨울 건조 기후 지역(러시아의 블라디보스토크)이다.

(정답찾기) ⑤ 침엽수림이 넓게 분포하는 냉대 겨울 건조 기후 지역(다)은 건조 기후 지역(가)보다 수목 밀도가 높다.

(오답피하기) ① 건조 기후 지역(가)에는 유기물이 풍부한 흑색토인 체르노젬 등이 분포한다. 회백색의 포드졸 토양은 냉대 기후 지역에 넓게 분포한다.

② 냉대 습윤 기후 지역(나)에서는 곡물 재배와 함께 가축 사육이 이루어지거나 침엽수림이 넓게 나타나 임업이 활발하다. 대추야자의 재배가 주로 이루어지는 지역은 건조 기후 지역이다.

③ 냉대 겨울 건조 기후 지역(다)은 대륙 동안에 위치한다.

④ 냉대 습윤 기후 지역(나)은 냉대 겨울 건조 기후 지역(다)보다 여름 강수 집중률이 낮다.

06 건조 및 냉·한대 기후 지역의 지형 특징 이해

(문제분석) (가)는 바람에 날린 모래가 쌓여 형성된 모래 언덕인 사구이다. (나)는 빙하의 침식으로 형성된 산 정상부의 뾰족한 봉우리인 호른이다. (다)는 수평 지층의 대지나 고원이 해체되는 과정에서 형성되는 탁자 모양의 메사가 풍화, 침식되면서 점차 고립 구릉으로 변한 뷰트이다. (라)는 빙하의 이동에 의해 퇴적된 지형으로, 숟가락을 엎어 놓은 모양의 언덕인 드럼린이다.

(정답찾기) ㄴ. 호른(나)은 냉·한대 기후 지역에서 동결과 융해가 반복하면서 암석에 균열을 발생시키는 물리적 풍화 작용, 뷰트(다)는 건조 기후 지역의 큰 기온의 일교차로 암석의 팽창과 수축이 활발하게 일어나는 물리적 풍화 작용에 의해 주로 형성되었다.

ㄹ. 바람의 퇴적 작용으로 형성된 사구(가)는 빙하의 퇴적 작용으로 형성된 드럼린(라)보다 구성 물질의 평균 입자 크기가 작다.

(오답피하기) ㄱ. 사구(가)는 퇴적 작용, 호른(나)은 침식 작용의 영향을 받아 형성되었다.

ㄷ. 뷰트(다)는 암석의 물리적 풍화 작용과 차별적 침식 작용, 드럼린(라)은 빙하의 영향을 받아 형성되었다.

07 빙하 지형의 특징 이해

(문제분석) A는 빙하의 침식으로 형성된 U자 모양의 골짜기인 빙식곡(U자곡), B는 빙식곡의 상류부에 형성된 반원형의 와지인 권곡, C는 빙하의 침식으로 형성된 산 정상부의 뾰족한 봉우리인 호른, D는 빙하의 이동에 의해 퇴적된 지형으로 숟가락을 엎어 놓은 모양의 언덕인 드럼린, E는 융빙수에 의해 형성된 제방 모양의 퇴적 지형인 에스커, F는 자갈·모래·점토로 구성된 빙하 퇴적물인 모레인이다.

(정답찾기) ③ 드럼린(D)은 빙하의 이동에 의해 퇴적된 지형이다. 융빙수의 퇴적 작용으로 형성된 지형은 에스커(E)이다.

(오답피하기) ① 빙식곡(A)이 해수면 상승으로 침수되면 피오르가 형성된다.

② 호른(C)은 여러 개의 권곡(B)이 산 정상부로 확장하면서 만들어진다.

④ 융빙수의 퇴적 작용으로 형성된 에스커(E)는 빙하의 퇴적 작용으로 형성된 모레인(F)보다 분급이 양호하다.

⑤ 모레인(F)은 빙하의 이동에 의해 운반된 물질이 쌓여 형성된 지형이다.

08 영구 동토층과 활동층의 특징 이해

(문제분석) (가)는 일 년 내내 녹지 않고 얼어 있는 영구 동토층, (나)는 여름에 일시적으로 녹는 활동층이다. (가)와 (나)는 빙하 주변 지역(툰드라 기후 지역 및 고산 지역)에 주로 분포한다.

(정답찾기) ④ 겨울이 짧아지고 따뜻해지면 영구 동토층(가)이 더 해동되므로 활동층(나)은 두꺼워질 것이다.

(오답피하기) ① 영구 동토층(가)까지 기둥을 깊게 박으면 인공 구조물의 붕괴를 방지할 수 있다.

② 영구 동토층(가)의 분포 면적은 대륙의 영향으로 겨울 기온이 매우 낮고, 기온의 연교차가 매우 큰 유라시아 대륙의 동부 지역이 서

부 지역보다 넓다.

③ 활동층(나)에서는 여름에 녹아서 수분을 많이 포함하고 있는 토양이 경사면을 따라 흘러내리는 솔리플럭션 현상이 나타난다.

⑤ 다각형의 구조토는 토양의 동결과 융해에 따라 지표면에서 물질의 분급이 일어나 형성된 지형으로, 여름에 낮과 밤을 주기로 기온이 영상과 영하를 오르내리는 툰드라 기후 지역의 활동층(나)에서 잘 발달한다.

09 건조 및 냉·한대 기후 지역의 지형 특징 파악

문제분석 (가)는 비가 많이 내렸을 때 건조 분지의 평탄한 저지대(플라야)에 일시적으로 물이 고이는 볼리비아의 우유니 지역, (나)는 빙하의 침식으로 형성된 골짜기와 융빙수가 만든 빙하호를 볼 수 있는 아르헨티나의 엘 칼라파테 지역이다. A는 에콰도르의 키토, B는 볼리비아의 우유니, C는 칠레의 산티아고, D는 아르헨티나의 엘 칼라파테이다.

정답찾기 ③ (가)는 사막 기후가 나타나는 볼리비아의 우유니(B), (나)는 고위도의 안데스 고산 지역에 위치하여 빙하가 발달한 아르헨티나의 엘 칼라파테(D)이다.

10 건조 및 냉·한대 기후 지역의 기온과 강수량 특징 파악

문제분석 지도에 표시된 네 지역은 북반구의 툰드라 기후 지역(그린란드의 타실라크), 북반구의 냉대 습윤 기후 지역(러시아의 모스크바), 남반구의 사막 기후 지역(페루의 리마), 남반구의 온대 겨울 건조 기후 지역(남아프리카 공화국의 프리토리아)이다. A와 B는 (가) 시기의 낮 길이가 12시간보다 5~6시간 정도 짧으므로 북반구 고위도에 위치하고, C와 D는 (가) 시기의 낮 길이가 12시간보다 1~2시간 정도 길므로 남반구 저위도에 위치한다. 북반구 고위도 지역의 낮 길이가 12시간보다 짧으므로 (가)는 1월이며, (나)는 7월이 된다. 7월(나) 평균 기온은 A가 B보다 낮으므로 A는 툰드라 기후 지역, B는 냉대 습윤 기후 지역이다. 연 강수량이 250mm 미만인 C는 사막 기후, 연 강수량이 500mm 이상인 D는 온대 기후이다. A는 그린란드의 타실라크, B는 러시아의 모스크바, C는 페루의 리마, D는 남아프리카 공화국의 프리토리아이다. 따라서 A는 툰드라 기후 지역(그린란드의 타실라크), B는 냉대 습윤 기후 지역(러시아의 모스크바), C는 사막 기후 지역(페루의 리마), D는 온대 겨울 건조 기후 지역(남아프리카 공화국의 프리토리아)이다.

정답찾기 ⑤ 리마(C)는 대륙 서안을 따라 흐르는 한류의 영향으로 프리토리아(D)보다 연평균 안개 발생 일수가 많다.

오답피하기 ① 모스크바(B)에서는 주로 이동하지 않고 정착하여 가축을 사육한다. 유목은 건조 및 한대 기후 지역에서 주로 이루어진다.
② 프리토리아(D)에서는 토양층의 융해에 대비한 고상 가옥을 보기 어렵다. 이러한 가옥은 툰드라 기후 지역에서 볼 수 있다.
③ 고위도에 위치한 타실라크(A)는 저위도의 사막 기후 지역에 위치한 리마(C)보다 일사량이 적어 태양광 에너지의 개발 잠재력이 작다.
④ 모스크바(B)는 타실라크(A)보다 연평균 기온이 높아 곡물 재배에 유리하다.

THEME 05 세계의 주요 대지형과 독특한 지형들

수능실전문제

본문 29~34쪽

01 ④	02 ②	03 ②	04 ④
05 ①	06 ①	07 ⑤	08 ⑤
09 ①	10 ③	11 ④	12 ①

01 화산 지형 이해

문제분석 그림에 나타난 지형은 동아프리카 지구대에 분포하는 화산 지형을 나타낸 것이다. 동아프리카 지구대는 대륙의 내부에서 판이 갈라지는 지역으로, 지각이 불안정하며 지진과 화산 활동이 빈번하게 나타난다.

정답찾기 ㄴ. 동아프리카 지구대는 판이 갈라지는 경계에 해당하는 곳으로, 단층 작용에 의해 탕가니카호, 말라위호 등의 단층호가 발달한다.
ㄹ. 확대된 화산의 그림을 통해 화구의 함몰로 만들어진 니라공고 화산의 칼데라 형성 과정을 볼 수 있다.

오답피하기 ㄱ. 빙하의 작용에 의해 형성된 호수를 빙하호라고 한다. 빙하호는 과거 빙하가 발달했던 지역이나 고산 지역에 주로 분포한다.
ㄷ. 용암이 분출한 화산에서 용암이 도달한 고마까지의 거리는 약 188km로 매우 멀다. 따라서 용암은 점성이 낮고 유동성이 큰 용암이라고 추측할 수 있다.

02 주요 해안 지형 이해

문제분석 지도의 국가는 뉴질랜드이며, A는 피오르 해안이 나타나는 남섬의 서부 해안 지역, B는 남섬의 호수이다. 이곳에 발달한 호수는 대체로 빙하가 이동하면서 만든 계곡을 따라 물이 고여 만들어진 빙하호에 해당한다. C는 북섬 북부 해안의 사주를 나타낸 것이며, D는 사주의 발달로 만들어진 석호에 해당한다.

정답찾기 ㄱ. 피오르 해안은 빙하의 침식으로 만들어진 U자곡에 빙하기 이후 해수면이 상승하면서 바닷물이 유입되어 형성되었으며, 좁고 긴 만입부가 특징이다.
ㄷ. 사주는 파랑이나 연안류가 모래를 퇴적시켜 만든 둑 모양의 해안 퇴적 지형이다.

오답피하기 ㄴ. 판이 갈라지고 있는 지구대를 따라 분포하는 호수는 아프리카 동부 지역에 주로 분포한다. 뉴질랜드 남섬의 호수는 대체로 빙하호에 해당한다.
ㄹ. B 호수는 내륙에 위치해 있는 담수호이다. 반면, D 호수는 사주의 발달로 형성된 석호로 바닷물이 섞이는 호수이므로, B에 비해 물의 염도가 높다.

03 카르스트 지형 이해

문제분석 위의 화폐는 베트남의 20만 동 화폐로, 아름다운 할롱 베이의 지형 경관이 나타나 있다. 할롱 베이의 다양한 지형 경관은 석회암이 용식 작용을 받아 발달한 탑 카르스트가 후빙기 해수면 상승으로 침수된 후 해수의 침식 작용을 받아 형성된 것이다.

아래의 화폐는 중국 5위안 화폐로, 중국 산둥성 타이산산(태산)의 지형 경관이 그려져 있다. 자료 글에서 동굴에 다양한 형태의 종유석과 석순이 있다고 언급된 것으로 보아 해당 동굴은 석회 동굴임을 알 수 있다.

(정답찾기) ㄱ. 탑 카르스트란 외벽의 경사가 급하고 탑과 비슷한 모양의 카르스트 지형을 의미한다. 할롱 베이에는 바다 위로 탑 모양의 봉우리가 여기저기 솟아오른 탑 카르스트가 많이 분포한다.

ㄷ. 탑 카르스트와 종유석, 석순 등이 나타나는 석회 동굴은 모두 석회암의 용식 작용과 관련하여 형성된 지형이다.

(오답피하기) ㄴ. 석회 동굴 내부에 형성되는 종유석과 석순은 석회암이 용식 작용을 받아 물에 녹고 이후에 녹아 있던 탄산 칼슘이 침전되어 형성된 것이다. 용식 작용은 화학적 풍화 작용에 해당한다.

ㄹ. 카르스트 지형은 강수량이 풍부하고 기온이 높은 열대 기후, 아열대 기후 지역에서 주로 발달한다.

04 판의 경계 유형 및 화산 지형의 분포 이해

(문제분석) 자료의 ㉠~㉣은 화산 지형이 분포하는 위치를 경·위도로 나타낸 것으로, 각각 미국의 스퍼 화산, 아이슬란드의 라키 화산, 뉴질랜드의 화이트섬, 칠레의 비야리카 화산에 해당한다.

(정답찾기) 갑 – ㉠은 미국의 스퍼 화산으로, 태평양판과 북아메리카판이 충돌하는 수렴 경계에 해당한다. ㉡은 아이슬란드의 라키 화산으로, 북아메리카판과 유라시아판의 경계선인 대서양 중앙 해령에 위치해 있다. 이곳은 분출된 마그마가 식으면서 생성된 암석이 해양 지각을 만들고 판의 일부가 점점 멀어지는 확장 경계(발산 경계)에 해당한다.

을 – ㉡은 아이슬란드, ㉢은 뉴질랜드에 위치해 있으며, 모두 편서풍의 영향을 받는 지역이다. 따라서 화산 활동에 의한 화산재는 모두 화산이 위치한 곳의 동쪽으로 이동한다. 동쪽에 많은 유럽 국가들이 위치한 아이슬란드와는 달리 뉴질랜드는 동쪽에 넓은 태평양이 분포한다. 따라서 주변국으로의 화산재 이동량은 ㉡이 ㉢보다 많다.

정 – ㉢은 뉴질랜드 화이트섬이며, ㉣은 칠레 비야리카 화산이다. 뉴질랜드의 남섬, 칠레 남부에는 피오르 해안이 분포한다.

(오답피하기) 병 – 환태평양 조산대는 태평양 주변의 지진과 화산 활동이 자주 일어나는 지역들을 가리키는 말이다. 아이슬란드(㉡)는 환태평양 조산대에 해당하지 않는다.

05 화산 지형과 해안 지형의 특징 이해

(문제분석) (가)는 화산과 온천, 그리고 지열 발전소가 있는 지역이므로 판의 경계에 해당하는 지역이다. 또한 오로라를 볼 수 있는 지역이기 때문에 고위도 지역에 해당한다. (나)는 피오르 해안이 나타나는 지역이므로 고위도에 위치한다. '스칸디나비아를 대표하는' 등의 표현을 통해 북유럽에 해당하는 국가임을 파악할 수 있다.

(정답찾기) ① (가) – 판의 경계부에 위치하여 화산과 온천이 있을 것으로 예상되는 지역은 아이슬란드(A)와 튀르키예(터키)(D)이다. 이 중 오로라를 볼 수 있는 고위도 지역은 아이슬란드(A)이다.

(나) – 피오르 해안이 나타날 수 있는 고위도의 국가는 아이슬란드(A), 노르웨이(B), 핀란드(C)이다. 이들은 모두 북유럽의 노르딕 국가에 해당하지만 이 중 '스칸디나비아'를 대표하는 수려한 경관을 가진 국가는 스칸디나비아산맥이 지나는 노르웨이(B)이다.

(오답피하기) (가) – 노르웨이(B), 핀란드(C)에서도 오로라를 볼 수 있지만 화산과 온천이 많은 곳에 해당하지 않는다. 튀르키예(터키)(D)에서는 오로라를 볼 수 없다.

(나) – 사진 속 경관인 트롤퉁가 바위는 노르웨이(B)에 위치한다.

06 판의 경계 유형 이해

(문제분석) 지도는 판구조론에 따른 주요 판의 경계를 나타낸 것이다. 판의 경계는 판이 충돌하는 경계(수렴 경계), 판이 서로 갈라지는 경계(확장 경계), 두 판이 어긋나 미끄러지는 경계(보존 경계)로 구분된다. (가)는 샌안드레아스 단층이 있는 곳으로, 두 판이 서로 어긋나서 미끄러지는 경계에 해당한다. (나)는 동아프리카 지구대로, 대륙의 내부에서 판이 갈라지는 경계에 해당한다. (다)는 히말라야산맥으로, 두 대륙판이 충돌하는 경계에 해당한다.

(정답찾기) ① (가)는 두 개의 판이 어긋나서 미끄러지는 경계에 해당하므로 판의 움직임이 서로 어긋나는 A이다. (나)는 판이 갈라지는 경계에 해당하므로 판의 움직임이 서로 반대가 되는 B이다. (다)는 히말라야산맥으로, 대륙판과 대륙판이 충돌하면서 높은 산맥을 형성하는 D에 해당한다.

(오답피하기) C는 해양판과 대륙판이 서로 만나는 경계를 나타낸 그림이며, 나스카판과 남아메리카판이 충돌하여 만들어진 안데스산맥이 대표적인 사례이다.

07 세계의 대지형 이해

(문제분석) (가)는 시·원생대에 조산 운동을 받은 이후 큰 지각 변동 없이 안정되어 있는 안정육괴이다. (나)는 고생대에 조산 운동을 받은 고기 조산대이며, (다)는 중생대 이후 조산 운동을 받은 신기 조산대이다.

(정답찾기) ㄷ. (다)는 신기 조산대로, 화산 활동과 관련하여 구리, 주석, 유황 등과 같은 지하자원의 매장량이 많다.

ㄹ. 지도의 A는 고기 조산대, B는 신기 조산대에 해당한다.

(오답피하기) ㄱ. 현재 판이 충돌하는 경계부에 위치하는 대지형은 신기 조산대이다.

ㄴ. 고기 조산대(나)는 신기 조산대(다)보다 오랜 기간 침식을 받아 평균 해발 고도가 낮고 완만하다.

08 세계의 대지형 이해

(문제분석) (가)는 세계의 대지형 중 가장 면적이 넓은 안정육괴이며, 아프리카 대륙의 대부분이 안정육괴에 해당한다. (다)는 길고 좁게 띠를 이루고 있는 신기 조산대이며, 아메리카 대륙의 서부 지역이 신기 조산대에 해당한다. 따라서 (나)는 고기 조산대에 해당한다.

(정답찾기) ⑤ 신기 조산대(다)는 판의 경계부에 위치해 있어 안정육괴(가), 고기 조산대(나)보다 지진과 화산 활동이 활발하다.

(오답피하기) ① 판의 경계부에 위치한 대지형은 신기 조산대(다)이다.

② 로키산맥, 히말라야산맥은 신기 조산대(다)에 해당하는 산맥이다.

③ 안정육괴(가)는 시·원생대에 조산 운동을 받았으며, 고기 조산대(나)는 고생대에 조산 운동을 받았다. 따라서 조산 운동을 받은 시기는 (가)가 (나)보다 이르다.

④ 고기 조산대(나)는 조산 운동을 받은 이후 오랜 기간 침식을 받아 신기 조산대(다)보다 평균 해발 고도가 낮다.

09 세계 대지형과 자원 분포와의 관계 이해

문제분석 A는 주로 고기 조산대를 중심으로 분포하고 있으며, 중국이 세계 1위 생산국이므로 석탄이다. B는 서남아시아의 페르시아만(걸프만, 아라비아만)을 중심으로 분포하고 있으며, 북해와 멕시코만 해저에 매장되어 있으므로 석유이다. C는 주로 안정육괴를 중심으로 분포하고 있으며, 오스트레일리아 서부 지역에 세계 최대의 수출 항만이 위치해 있으므로 철광석이다.

정답찾기 ① A는 석탄으로, 고기 조산대에 주로 매장되어 있다.

오답피하기 ② B는 석유이다. 석유는 신기 습곡 산지 주변에 주로 분포한다.

③ C는 철광석이다. 철광석은 시·원생대에 조산 운동을 받은 안정육괴에 주로 매장되어 있다.

④ 석탄(A)은 대체로 고생대에 형성되었으므로 안정육괴에 주로 분포하는 철광석(C)보다 형성 시기가 늦다.

⑤ A는 석탄, B는 석유, C는 철광석이다.

10 세계 주요 산지의 특징 이해

문제분석 A는 옐부르스산(5,642m), B는 킬리만자로산(5,895m), C는 에베레스트산(8,848m), D는 코지어스코산(2,228m), E는 아콩카과산(6,961m)이다. 코지어스코산은 오스트레일리아에서 가장 높은 산이며, 오세아니아에서 가장 높은 산은 파푸아뉴기니의 빌헬름산(4,509m)이다.

정답찾기 ③ 에베레스트산은 세계에서 해발 고도가 가장 높은 산이다.

오답피하기 ① 옐부르스산은 알프스 – 히말라야 조산대의 일부에 해당한다.

② 킬리만자로산은 동아프리카 지구대에 위치한 산으로, 판이 갈라지는 경계에서 만들어진 화산이다.

④ 코지어스코산은 오스트레일리아 동부 고기 조산대인 그레이트디바이딩산맥의 일부로, 화산 활동이 일어나지 않는다.

⑤ 아콩카과산은 환태평양 조산대의 일부로, 판이 충돌하는 경계에 위치한다.

11 화산 지형의 형성 과정 이해

문제분석 인도네시아와 필리핀은 환태평양 조산대에 속하는 국가로, 화산 활동이 활발하다. 화산 폭발로 화구가 함몰되면 칼데라가 만들어지는데, 여기에 물이 고여 만들어진 호수를 칼데라호라고 한다. 인도네시아의 토바호, 필리핀의 타알호는 모두 화산 활동에 의한 칼데라호이다.

정답찾기 ㄱ. 토바호는 인도네시아 토바 화산 활동 이후 형성된 칼데라호이다.

ㄷ. 필리핀의 타알호는 토바호와 마찬가지로 화산 활동 이후 형성된 칼데라호이다.

ㄹ. 토바호와 타알호 안의 섬은 칼데라호가 만들어지고 난 이후의 화산 활동으로 만들어진 새로운 화산체에 해당한다.

오답피하기 ㄴ. 칼데라호인 토바호(㉠)가 형성된 이후 용암 돔에 해당하는 사모서섬(㉡)이 형성된 것이다.

12 북아메리카의 대지형 분포 이해

문제분석 자료에서 (가)에 해당하는 지점은 로키산맥이 지나는 신기 조산대이며, (나)는 북아메리카 중앙 평원에 해당하는 안정육괴이다. (다)는 애팔래치아산맥이 지나는 고기 조산대이다.

정답찾기 ① 형성 시기가 가장 이르며, 북아메리카 내 해당 면적이 가장 넓고, 지각의 불안정도가 가장 낮은 B는 안정육괴이다. 형성 시기가 늦고 지각의 불안정도가 가장 높은 A는 신기 조산대이다. 북아메리카 내 해당 면적이 가장 좁은 C는 고기 조산대이다. 따라서 (가)는 A, (나)는 B, (다)는 C에 해당한다.

01 세계 주요 종교의 기원과 전파 특징 파악

문제분석 지도는 세 보편 종교의 기원지와 전파 경로를 나타낸 것이다. A는 서남아시아의 팔레스타인 지역에서 발생하여 유럽 전역으로 전파된 크리스트교이다. 크리스트교(A)는 로마 제국의 국교가 되면서 유럽 전역으로 빠르게 확산되었고, 지리상의 발견 이후 선교사들의 적극적인 선교 활동과 유럽의 식민지 개척 과정에서 아메리카, 아프리카, 오세아니아 등 세계 각 지역으로 전파되었다. 크리스트교(A) 중 가톨릭교는 주로 라틴 아메리카와 필리핀 등으로 전파되었으며, 개신교는 주로 앵글로아메리카와 오세아니아 등으로 전파되었다. B는 서남아시아의 사우디아라비아 메카에서 발생하여 북부 아프리카와 남부 및 동남아시아 등지로 전파된 이슬람교이다. 이슬람교(B)는 군사적 정복 활동과 상인들의 무역 활동에 따라 아시아 및 북부 아프리카 등으로 전파되었다. C는 인도 북동부에서 발생하여 동남아시아 및 동아시아 등지로 전파된 불교이다.

정답찾기 ② 전 세계 신자는 크리스트교(A)>이슬람교(B)>불교(C) 순으로 많고, 발생 시기는 불교(C)(기원전 6세기경), 크리스트교(A)(1세기 초), 이슬람교(B)(7세기 초) 순으로 이르다.

02 세계 주요 종교의 지역(대륙)별 신자 비율 변화 파악

문제분석 A는 (가)에서만 신자 비율이 높게 나타난다. 인도에서 주로 믿는 민족 종교인 힌두교는 아시아·오세아니아 지역에서 신자 비율이 높게 나타나므로 A는 힌두교, (가)는 아시아·오세아니아이다. 아시아·오세아니아(가)에서 힌두교와 함께 신자 비율이 높은 종교는 이슬람교이다. 중앙아시아의 대부분 국가에서 이슬람교를 믿으며, 동남아시아의 인도네시아와 말레이시아, 남부 아시아의 파키스탄, 방글라데시 등에 이슬람교 신자가 많다. 따라서 B는 이슬람교이다. 이슬람교 신자 비율이 압도적으로 높은 (나)는 서남아시아·북부 아프리카이다. 나머지 (다)는 유럽이며, C는 크리스트교이다. 유럽에서는 크리스트교의 신자 비율이 가장 높게 나타난다. 아시아·오세아니아, 유럽에서는 2010년 대비 2050년에 이슬람교 신자 비율이 증가하는 것을 알 수 있다. 이는 이슬람교 신자들의 지속적인 이주와 이들의 높은 출산율로 인해 이슬람교 신자가 증가할 것으로 예측되기 때문이다.

정답찾기 ④ 예루살렘에는 이슬람교(B)와 크리스트교(C)의 성지가 있다. 예루살렘은 예수의 행적이 남아 있는 곳으로, 크리스트교의 성지이다. 또한 이슬람교 신자에게도 예루살렘은 중요한 성지이다. 이밖에 유대 민족의 민족 종교인 유대교의 성지이기도 하다.

오답피하기 ① 아시아·오세아니아(가)는 유럽(다)보다 인구가 많고 이슬람교(B) 신자 비율도 높게 나타나기 때문에 이슬람교(B) 신자가

많다.
② 힌두교(A)는 민족 종교, 이슬람교(B)는 보편 종교에 해당한다.
③ 유럽(다)에서 크리스트교(C) 신자 비율은 2010년에 약 74.5%, 2050년에 약 65.2%로 이슬람교(B) 신자 비율(2010년 약 5.9%, 2050년 약 10.2%)보다 높다.
⑤ 유럽(다)에서 2010년 대비 2050년 신자 비율을 보면 크리스트교(C)는 감소했고, 이슬람교(B)는 증가했다.

03 세계 주요 종교의 신자 수 상위 국가 파악

문제분석 (가)는 미국, 브라질, 멕시코 등 아메리카 국가들의 신자가 많으므로 크리스트교이다. (나)는 타이, 미얀마 등 동남아시아 국가들에서 신자가 많으므로 불교이다. (다)는 인도, 파키스탄, 방글라데시 등에서 신자가 많으므로 이슬람교이다. A는 크리스트교(가)와 이슬람교(다)에서 모두 신자 상위 7개국에 포함된다. 제시된 세 국가 중 크리스트교(가)와 이슬람교(다)의 비율이 모두 높게 나타나는 A는 나이지리아이다. 나이지리아(A)는 인구가 2억 명이 넘는 인구 대국으로 두 종교의 신자가 많아 신자 상위 7개국에 모두 포함된다. B는 불교 신자가 가장 많은 국가이므로 중국이다. 중국의 인구는 14억 명 이상으로 중국(B)에서는 불교 신자 비율은 약 18.3%로 낮은 편이지만 인구가 워낙 많기 때문에 전 세계에서 불교 신자가 가장 많다. C는 이슬람교 신자가 가장 많은 국가이므로 인도네시아이다.

정답찾기 ② 불교(나)는 윤회 사상을 중시하며, 개인의 수양과 해탈을 강조한다.

오답피하기 ① 메카로의 성지 순례를 종교적 의무로 하는 종교는 이슬람교(다)이다.
③ 이슬람교(다)의 대표적인 종교 경관은 모스크와 첨탑이다. 불상과 불탑은 불교(나)의 대표적인 종교 경관이다.
④ 나이지리아(A)의 남부 지역은 크리스트교(가), 북부 지역은 이슬람교(다)의 비율이 상대적으로 높게 나타난다.
⑤ 중국(B)에서 불교(나)가 차지하는 비율(약 18.3%)은 인도네시아(C)에서 이슬람교(다)가 차지하는 비율(약 87.0%)보다 낮다. 인도네시아(C)는 이슬람교 신자 비율이 높게 나타나는 국가이며, 중국(B)은 불교보다 무종교 및 전통 종교의 비율이 높은 국가이다.

04 세계 주요 종교의 건축물 특징 이해

문제분석 (가)는 크리스트교, (나)는 이슬람교이다. 동로마 제국 시대에 축조된 아야 소피아는 원래 크리스트교 사원이었지만 동로마 제국이 물러난 이후 이슬람 세력의 지배를 받으면서 이슬람교 사원으로 개조되었다. 이 과정에서 사원의 모습에 변화가 나타났는데, 첨탑이 새로 축조되었고 제단의 위치가 메카 방향으로 바뀌었다. (다)는 불교이다. 말레이시아는 국가 내에서 이슬람교 신자가 가장 많지만 중국 출신의 화교도 많이 거주하는 국가로, 화교들이 많이 믿는 불교의 종교 사원이 많다. 그중 페낭에 위치한 켁록시 사원은 중국, 타이, 미얀마의 건축 양식이 혼합된 독특한 모습의 불교 사원으로 유명하다.

정답찾기 ④ 서남아시아에 위치한 사우디아라비아에서 신자 비율이 가장 높은 종교 C는 이슬람교이다. 에티오피아는 크리스트교 신자 비율이 가장 높고, 그 다음으로 이슬람교 신자 비율이 높다. 따라서

B는 크리스트교이다. 싱가포르는 중국 화교의 비율이 높은 국가로, A는 불교이다. 따라서 (가)는 B, (나)는 C, (다)는 A와 연결된다.

05 불교와 힌두교의 특징 이해

문제분석 (가)는 여러 신을 숭배하는 종교인 힌두교이다. 힌두교 신자 비율이 높은 네팔에서는 다사인 축제가 열리는데, 다사인 축제는 힌두교의 여러 신 중 두르가 신을 숭배하고 찬양하기 위한 축제이다. 이때 네팔인들은 염료로 이마에 점을 찍으며 축복을 비는 티카 의식을 통해 서로 축복하고 덕담을 나눈다. (나)는 승려, 탁발이란 단어를 통해 불교임을 추론할 수 있다. 제시된 글은 라오스의 승려들이 탁발하는 모습을 나타낸 것으로, 특히 루앙프라방의 탁발 행렬이 유명하다.

정답찾기 ② 힌두교(가) 신자들은 갠지스강을 신성하게 여기며, 강물이 영혼을 정화한다고 믿어 갠지스강에서 목욕과 기도를 행한다.

오답피하기 ① 힌두교(가)는 민족 종교로, 남부 아시아(인도, 네팔 등)에 주로 분포한다. 보편 종교로 상좌부 불교와 대승 불교로 구분되는 종교는 불교(나)이다.
③ 불교(나)의 신자가 가장 많은 국가는 중국이다. 인도네시아는 이슬람교 신자가 가장 많은 국가이다.
④ 힌두교(가)와 불교(나)의 기원지는 모두 남부 아시아(인도)에 있다.
⑤ 힌두교(가) 사원에서는 여러 신의 모습이 조각된 탑을 볼 수 있으며, 불교(나) 사원에서는 불상과 불탑을 볼 수 있다.

06 불교와 이슬람교의 분포와 특징 이해

문제분석 지도는 남부 및 동남아시아에서 불교 및 이슬람교의 신자 비율을 나타낸 것이다. 남부 및 동남아시아는 여러 종교가 다양하게 나타나는 지역이다. 인도와 네팔에서는 힌두교, 파키스탄·방글라데시·말레이시아·인도네시아 등에서는 이슬람교, 스리랑카·미얀마·타이·캄보디아 등에서는 불교, 필리핀에서는 크리스트교의 비율이 높다. 따라서 (가)는 이슬람교, (나)는 불교이다.

정답찾기 ㄱ. 이슬람교(가)는 하나의 신만 인정하는 유일신교이다.
ㄴ. 전 세계 신자는 크리스트교>이슬람교(가)>힌두교>불교(나) 순으로 많다. 따라서 이슬람교(가)는 불교(나)보다 전 세계 신자가 많다.

오답피하기 ㄷ. 이슬람교(가)는 서남아시아에 위치한 사우디아라비아의 메카에서 발생하였다. 불교(나)는 인도 북동부에서 발생하였다.
ㄹ. 필리핀 민다나오섬은 크리스트교와 이슬람교(가)를 믿는 사람들 간의 분쟁이 나타나는 곳이다. 필리핀은 크리스트교 신자의 비율이 높은 국가인데, 민다나오섬에서는 이슬람교(가)를 믿는 모로족이 많이 거주한다.

THEME 07 세계의 인구 변천과 인구 이주

수능 실전 문제

본문 41~44쪽

| 01 ③ | 02 ⑤ | 03 ③ | 04 ① |
| 05 ② | 06 ② | 07 ④ | 08 ③ |

01 인구 변천 모형의 단계별 특징 이해

문제분석 인구 변천 모형은 출생률과 사망률의 변화에 따른 인구 성장을 단계별로 구분한 것으로, 이를 통해 국가의 경제 발전 수준에 따른 인구 성장 과정을 파악할 수 있다. (가)는 고위 정체기인 1단계, (나)는 초기 팽창기인 2단계, (다)는 후기 팽창기인 3단계, (라)는 저위 정체기인 4단계, (마)는 감소기인 5단계에 해당한다.

정답찾기 ③ 출생률이 높은 (가) 단계는 출생률이 감소하는 (다) 단계에 비해 국가(사회) 내 유소년층 인구 비율이 높다.

오답피하기 ① 자료는 국가의 경제 발전 수준에 따른 인구 성장 과정을 파악할 수 있는 인구 변천 모형으로, (가)에서 (마)로 갈수록 경제 발전 수준이 높다.
② ㉡은 4단계인 저위 정체기에 해당하는 국가이다. 현재 대부분의 사하라 이남 아프리카 국가들은 출생률이 높아 저위 정체기에 해당하지 않는다.
④ (마) 단계는 (나) 단계에 비해 출생률이 낮으므로 가구당 평균 인구가 적다.
⑤ 인구의 자연 증가율은 출생률에서 사망률을 뺀 값으로 확인할 수 있다. 따라서 인구의 자연 증가율은 (나) 단계가 (가) 단계보다 높다.

02 지역(대륙)별 주요 인구 지표 파악

문제분석 (가)는 인구가 가장 많이 증가한 대륙인 아시아이다. (나)는 노년층 인구 비율이 가장 많이 증가한 유럽이다. (라)는 노년층 인구 비율 증가가 가장 적으며 유소년층 인구 비율 감소가 가장 적은 아프리카이다. 따라서 (다)는 앵글로아메리카이다.

정답찾기 ⑤ (가)는 아시아로, 유소년층 인구 비율이 크게 감소하였으며 노년층 인구 비율이 다소 증가하였다. 또한 인구가 다른 대륙에 비해 가장 많이 증가하였다. (라)는 아프리카로, 다른 지역(대륙)에 비해서 유소년층 인구 비율 변화가 작다.

오답피하기 ① 아시아(가)는 아프리카(라)보다 지역(대륙) 내 유소년층 인구 비율이 낮다.
② 지역(대륙)별 인구는 아시아>아프리카>유럽>라틴 아메리카>앵글로아메리카>오세아니아 순으로 많다. 따라서 유럽(나)이 앵글로아메리카(다)보다 인구가 많다.
③ 경제 발전 수준이 높은 앵글로아메리카(다)는 아프리카(라)보다 합계 출산율이 낮다.
④ 출산율이 높은 아프리카(라)는 유소년층 인구 비율이 높아 유럽(나)보다 중위 연령이 낮다.

03 선진국과 개발 도상국의 인구 지표 파악

문제분석 (가)에 해당하는 국가는 나이지리아, 시에라리온, 중앙아프리카 공화국, 소말리아, 차드, 레소토, 기니, 남수단, 라이베리아이며, 모두 아프리카에 위치해 있다. (나)에 해당하는 국가는 일본, 이탈리아, 포르투갈, 독일, 그리스, 불가리아, 에스파냐, 크로아티아, 리투아니아이며, 주로 유럽에 위치해 있다.

정답찾기 ③ (가) 국가군에서 대체로 높게 나타나는 인구 지표로는 영아 사망률, 합계 출산율이 있으며, (나) 국가군에서 높게 나타나는 인구 지표로는 노년층 인구 비율, 중위 연령, 기대 수명이 있다.

오답피하기 ①, ② (가) 국가군은 경제 수준이 낮으며 기대 수명이 높지 않다.

④ (나) 국가군은 출생률이 낮은 국가들로 합계 출산율이 낮다.

⑤ (가) 국가군은 합계 출산율이 높은 국가들로 노년층 인구 비율이 낮다.

04 국가별 인구 특징 파악

문제분석 지도에 표시된 국가는 프랑스, 알제리, 사우디아라비아이다. 그래프에서 기대 수명이 가장 높은 (다)는 경제 발전 수준이 가장 높은 프랑스이다. (가)는 석유 개발, 기반 시설 건설에 필요한 외국인 남성 노동력의 유입이 활발하여 남초 현상이 나타나는 사우디아라비아로, 성비가 가장 높다. 따라서 (나)는 알제리이다.

정답찾기 ① 프랑스(다)는 알제리, 모로코 등 아프리카에서의 이주자 비율이 높으며, 사우디아라비아(가)는 인도, 인도네시아, 파키스탄 등 아시아에서의 이주자 비율이 높다.

오답피하기 ② 사우디아라비아(가)는 2022년 기준 세계 1위의 석유 수출국이다.

③ 프랑스(다)는 알제리(나)보다 1인당 국내 총생산이 많다.

④ 프랑스(다)는 크리스트교 신자 비율이 가장 높고, 사우디아라비아(가)는 이슬람교 신자 비율이 가장 높다.

⑤ 사우디아라비아(가)의 성비는 100 이상이므로 남성 인구가 여성 인구보다 많다. 프랑스(다)의 성비는 100 미만이므로 여성 인구가 남성 인구보다 많다.

05 지역(대륙)별 인구 특징 파악

문제분석 (가)는 0~9세 젊은 연령층의 사망자 수 비율이 매우 높게 나타나는 지역(대륙)인 아프리카이다. (나)는 다른 지역(대륙)에 비해 50세 이후의 사망자 수 비율이 높게 나타난다. 이는 기대 수명이 높은 유럽이다. 따라서 (다)는 라틴 아메리카이다.

정답찾기 ② 유럽(나)은 라틴 아메리카(다)보다 저출산, 고령화가 진행되어 지역(대륙) 내 유소년층 인구 비율이 낮다.

오답피하기 ① 2022년 기준 아프리카(가)의 인구는 약 14억 3,000만 명이며, 유럽(나)의 인구는 약 7억 4,000만 명이다.

③ 노령화 지수는 15세 미만의 유소년 인구 100명에 대한 65세 이상 고령 인구의 비율을 말한다. 라틴 아메리카(다)는 아프리카(가)에 비해 노년 사망자 수 비율이 높게 나타나고, 유소년 사망자 수 비율이 낮게 나타난다. 이를 통해 기대 수명이 길다는 것을 알 수 있다. 따라서 노령화 지수가 높다.

④ 라틴 아메리카(다)는 브라질 및 일부 국가를 제외하고는 에스파냐어를 사용한다. 따라서 아프리카(가), 유럽(나)은 라틴 아메리카(다)보다 에스파냐어 사용 인구 비율이 낮다.

⑤ 아프리카는 열악한 보건 환경 및 영양 부족으로 영아 사망률이 높은 편이다. 따라서 젊은 연령층의 사망자 수 비율이 높은 (가)는 아프리카이다. 유럽은 경제 수준이 높고 여성의 사회 참여가 활발하여 출생률이 낮으며, 의료 수준이 높아 기대 수명도 높다. 따라서 고령층의 사망자 수 비율이 높은 (나)가 유럽이다. 나머지 (다)는 라틴 아메리카이다.

06 국가별 인구 이주 특징 파악

문제분석 국제적 인구 이주는 대체로 지리적으로 가까운 국가끼리 이루어지는 경우가 많다. 인구 유출국은 유입국에 비해 경제적 수준이 열악한 경우가 많으며, 전쟁이나 내전, 자연재해 등도 인구 유출의 원인이 된다. (가)는 멕시코와 국경을 맞대고 있는 미국이다. (나)는 아랍 에미리트, 미국, 사우디아라비아로 인구가 유출되며, 방글라데시에서 인구가 유입되는 인도이다. (다)는 국경을 맞대고 있는 카자흐스탄에서 인구가 유입되고 있으며, 최근 우크라이나와의 전쟁으로 인한 인구 이동이 나타난 러시아이다.

정답찾기 ② 2023년 기준 인도(나)는 세계에서 가장 인구가 많은 국가이며, 러시아(다)는 세계에서 가장 넓은 국토 면적을 가진 국가이다. 따라서 인구 밀도는 인도(나)가 러시아(다)보다 높다.

오답피하기 ① 미국(가)은 인도(나)보다 인구가 적다.

③ 미국은 세계 1위의 국내 총생산 국가이다. 따라서 러시아(다)는 미국(가)에 비해 국내 총생산이 적다.

④ 미국(가)은 아메리카, 인도(나)는 아시아에 위치한다.

⑤ (가)의 수도는 워싱턴 D.C., (나)의 수도는 뉴델리, (다)의 수도는 모스크바이다. (가) - (나)의 직선 거리는 약 12,000km이며, (나) - (다)의 직선 거리는 약 4,300km이다.

07 지역(대륙)별 인구 이동 특징 파악

문제분석 라틴 아메리카에서 가장 많이 이주한 지역(대륙)은 앵글로아메리카이므로, (나)는 앵글로아메리카이다. 아프리카에서 가장 많이 이주한 지역은 유럽이므로, (가)는 유럽이다. 나머지 (다)는 오세아니아이다.

정답찾기 ㄱ. 2020년 기준 유럽(가)의 인구는 약 7억 4,000만 명으로 약 3억 7,000만 명인 앵글로아메리카(나)보다 인구가 많다.

ㄴ. 2021년 기준 앵글로아메리카(나)의 인구 밀도는 약 10.0명/km² 으로 오세아니아(다)의 인구 밀도(약 5.2명/km²)보다 높다.

ㄹ. (가)~(다)는 경제 수준이 높은 국가들이 포함된 지역(대륙)으로, 인구 순 유입 지역(대륙)에 해당한다.

오답피하기 ㄷ. 오세아니아(다)는 유럽(가)에 비해 2차 산업 생산액이 적다.

08 지역(대륙)별 인구 이동 특징 파악

문제분석 유럽에서 가장 높은 비율을 차지하는 이주자의 출신 지역인 (나)는 아시아이다. 영국은 인도에서, 독일은 튀르키예(터키)에서 많은 인구가 이주하였다. 그다음으로 높은 비율을 차지하는 (가)는 아프리카이다. 프랑스의 경우 알제리, 모로코 등 아프리카 출신 이주민의 비율이 높다. 앵글로아메리카에서 가장 높은 비율을 차지하는 이주자의 출신 지역인 (다)는 라틴 아메리카이다. 경제적인 이유로 멕시코에서 미국으로의 인구 이동이 활발하게 이루어졌다.

정답찾기 ㄴ. 라틴 아메리카(다)는 대부분 크리스트교를 믿는다. 따라서 아시아(나)는 라틴 아메리카(다)보다 지역 내 이슬람교 신자 비율이 높다.

ㄷ. 라틴 아메리카(다)는 식민 지배를 겪으며 수위 도시를 중심으로 발전하였다. 이러한 영향으로 아프리카(가)보다 도시화율이 높다.

오답피하기 ㄱ. 아프리카(가)는 아시아(나)보다 경제 발전 수준이 낮으며, 1인당 지역(대륙) 내 총생산이 적다.

ㄹ. 총인구는 아시아(나)>아프리카(가)>라틴 아메리카(다) 순으로 많다.

THEME 08 세계의 도시화와 세계 도시 체계

수능실전문제

본문 46~48쪽

01 ③	02 ③	03 ①	04 ①
05 ④	06 ④		

01 지역(대륙)별 도시화 특징 이해

문제분석 (가)는 2020년 도시 인구가 가장 많으므로 인구 규모가 큰 아시아이다. (나)는 1950년, 2020년 모두 도시화율이 가장 낮으므로 아프리카이다. (마)는 1950년, 2020년 모두 도시화율이 가장 높으므로 앵글로아메리카이다. (다)는 (라)보다 1950년에 도시화율이 높고 도시 인구 또한 많으므로 도시화의 역사가 오래된 유럽이고, (라)는 라틴 아메리카이다.

정답찾기 ③ 앵글로아메리카(마)의 경우 2015~2020년에 유럽(다)보다 라틴 아메리카(라)로부터 이주해 온 인구가 많다.

오답피하기 ① 아시아(가)는 앵글로아메리카(마)보다 국가의 수가 많다.

② 아프리카(나)는 유럽(다)보다 경제 발전 수준이 낮으므로 평균 임금 수준이 낮다.

④ 아프리카(나), 라틴 아메리카(라)에는 모두 최상위 계층의 세계 도시가 없다. 최상위 계층의 세계 도시에는 앵글로아메리카의 뉴욕, 유럽의 런던, 아시아의 도쿄가 있다.

⑤ (가)~(마) 중 1950년 촌락 인구는 인구 규모가 가장 큰 아시아(가)가 가장 많다. 아프리카(나)는 아시아(가)보다 도시화율이 낮지만, 아시아가 아프리카보다 인구 규모가 크므로 촌락 인구는 아시아가 아프리카보다 많다.

02 국가별 도시화 특징 파악

문제분석 지도에 표시된 국가는 영국, 니제르, 아랍 에미리트, 파키스탄이다. (가)는 3차 산업 생산액 비율이 가장 높으므로 경제 발전 수준이 높은 영국이다. 영국의 경우 도시화율이 높으므로 A는 촌락 인구, B는 도시 인구이다. (나)는 총인구가 적고 도시화율이 매우 높으므로 아랍 에미리트이다. 총인구가 가장 많고 도시화율이 낮은 (다)는 파키스탄이다. (라)는 도시화율이 가장 낮고, 100%에서 2, 3차 산업 생산액 비율을 뺀 1차 산업 생산액 비율이 가장 높으므로 니제르이다.

정답찾기 ③ 사회 간접 자본 확충에 따른 건설업의 발달로 외국인 남성 노동력의 유입이 많았던 아랍 에미리트(나)는 파키스탄(다)보다 청장년층 인구의 성비가 높다.

오답피하기 ① 지도에 표시된 네 국가 중 사헬 지대에 위치한 국가는 니제르(라)이다.

② 석유 수출량이 많은 아랍 에미리트(나)가 영국(가)보다 2차 산업 내 광업 비율이 높다.

④ 파키스탄(다)은 니제르(라)보다 총인구에서 도시 인구(B)가 차지하는 비율이 높으므로 도시화율이 높다.

⑤ 니제르(라)는 영국(가)보다 국토 면적 대비 총인구 비율이 낮으므로 인구 밀도가 낮다.

03 국가별 도시 및 촌락 인구 변화 파악

문제분석 지도에 표시된 국가는 급속한 도시화가 이루어진 멕시코, 유럽에 위치하며 도시화율이 높은 독일, 상대적으로 도시화율이 낮은 나이지리아이다. 나이지리아는 독일과 멕시코보다 경제 발전 수준이 낮으므로 도시화율이 낮다.
2020년에 (가)~(다) 모두 B가 A보다 수치가 큰 것으로 보아 A는 촌락 인구, B는 도시 인구이고, (가)는 상대적으로 도시화율이 낮은 나이지리아이다. (다)는 (나)보다 1960년에 도시화율이 높으므로 독일이고, (나)는 멕시코이다.

정답찾기 ① 나이지리아(가)는 2020년에 도시 인구(B)보다 촌락 인구(A)가 적다.

오답피하기 ② 지도에 표시된 세 국가 중 사하라 이남 아프리카에 위치한 국가는 나이지리아(가)이다.
③ 나이지리아(가)는 독일(다)보다 2020년에 A, B를 더한 총인구에서 도시 인구(B)가 차지하는 비율이 낮으므로 도시화율이 낮다.
④ 멕시코(나)는 도시화의 역사가 오래된 독일(다)보다 도시화의 가속화 단계에 진입한 시기가 늦다.
⑤ (가)~(다) 중 1960년 대비 2020년 총인구 증가율은 도시와 촌락 인구가 각각 가장 많이 증가한 나이지리아(가)가 가장 높다.

04 국가별 주요 특징 파악

문제분석 (가)는 국토 모양과 애버리지니, 오페라 하우스 등과 관련 있으므로 오스트레일리아이다. (나)는 국토 모양과 에펠 탑 등을 통해 프랑스임을 알 수 있다. (다)는 국토 모양과 사헬 지대, 젠네 모스크 등을 통해 말리임을 알 수 있다.

정답찾기 ① A~C 중 2020년에 도시화율이 가장 낮은 C는 경제 발전 수준이 낮은 말리이다. B는 A보다 2015~2020년에 도시 인구 증가율과 촌락 인구 증가율 모두 낮으므로 유럽에 있는 프랑스이고, A는 오스트레일리아이다. 따라서 (가)(오스트레일리아)는 A, (나)(프랑스)는 B, (다)(말리)는 C이다. 프랑스는 오스트레일리아보다 인구 증가율이 낮으므로, 도시 및 촌락 인구 증가율 모두 낮게 나타난다.

05 주요 세계 도시의 특징 파악

문제분석 (가)는 뉴욕 다음으로 경제, 연구·개발 부문의 세계 도시 순위가 높고, 문화·교류의 세계 도시 순위가 가장 높으며, 관련된 단어 구름에 빅 벤, 템스강 등이 있으므로 런던이다.
(나)는 연구·개발 부문의 세계 도시 순위가 뉴욕, 런던(가) 다음으로 높고, 관련된 단어 구름에 할리우드, 샌안드레아스 단층 등이 있으므로 로스앤젤레스이다.
(다)는 생태 환경 부문의 세계 도시 순위가 가장 높고, 관련된 단어 구름에 스웨덴, 시스타 사이언스 시티, 노벨상 등이 있으므로 유럽의 녹색 수도로 불리는 스톡홀름이다.
(라)는 교통 접근성 부문의 세계 도시 순위가 가장 높고, 관련된 단어 구름에 도시 국가, 믈라카 해협 등이 있으며, 수리적 위치가 적도 부근에 있으므로 싱가포르이다.

정답찾기 ④ 스웨덴에 있는 스톡홀름(다)은 적도 부근에 있는 싱가포르(라)보다 고위도에 위치하므로 연평균 기온이 낮다.

오답피하기 ① 런던(가)은 대서양 혹은 북해 연안에 위치한다. (가)~(라) 중 태평양 연안에 위치한 도시는 로스앤젤레스(나)이다.
② 스톡홀름(다)은 유럽에 위치한다. (가)~(라) 중 로스앤젤레스(나)가 앵글로아메리카에 위치한다.
③ 앵글로아메리카에 있는 로스앤젤레스(나)는 유럽에 있는 런던(가)보다 도시 발달의 역사가 짧다.
⑤ 최상위 계층의 세계 도시인 런던(가)이 싱가포르(라)보다 세계 도시 체계에서 상위 계층에 해당한다.

06 주요 세계 도시의 특징 및 위치 파악

문제분석 (가)는 브로드웨이, 자유의 여신상, 그라운드 제로 등과 관련 있으므로 뉴욕이다. (나)는 코르코바두 예수상, 삼바 축제 등과 관련 있으므로 리우데자네이루이다. (다)는 힌두교, 디왈리 축제, 발리우드 등과 관련 있으므로 뭄바이이다. (라)는 에도 마을, 신주쿠 교엔 등과 관련 있으므로 도쿄이다.
수리적 위치와 총인구를 통해 A는 뉴욕, B는 리우데자네이루, C는 뭄바이, D는 도쿄임을 알 수 있다.

정답찾기 ④ 최상위 계층의 세계 도시인 도쿄(라)는 리우데자네이루(나)보다 세계 500대 다국적 기업의 본사 수가 많다.

오답피하기 ① 뉴욕(가)은 앵글로아메리카에 위치한다.
② 국제 연합(UN) 본부가 있는 곳은 뉴욕(가)이다.
③ 최상위 계층의 세계 도시인 뉴욕(가)이 뭄바이(다)보다 생산자 서비스업 종사자 비율이 높다.
⑤ (가)(뉴욕)는 A, (나)(리우데자네이루)는 B, (다)(뭄바이)는 C, (라)(도쿄)는 D이다.

THEME 09 주요 식량 자원과 국제 이동

본문 51~55쪽

01 ⑤	02 ⑤	03 ③	04 ④
05 ②	06 ④	07 ④	08 ②
09 ②	10 ①		

01 쌀과 옥수수의 특징 이해

문제분석 (가)는 세네갈에서 주식 작물로 이용되는 식량 작물로, 성장기에 고온 다습한 기후 환경을 필요로 하는 작물이다. (나)는 가축에게 사료용으로 가장 많이 소비되는 작물이다. 따라서 (가)는 쌀, (나)는 옥수수이다.

정답찾기 ㄷ. 주요 식량 작물 중 세계 총생산량은 옥수수(나)가 가장 많다. 따라서 쌀(가)은 옥수수(나)보다 세계 총생산량이 적다.

ㄹ. 주로 식용으로 이용되는 쌀(가)에 비해 옥수수(나)는 바이오에탄올의 원료로 이용되는 비율이 높다.

오답피하기 ㄱ. 쌀(가)의 주요 수출국은 아시아의 계절풍 기후 지역에 위치한 국가들인 인도, 타이, 베트남 등이며, 세계 최대 수출국은 인도이다(2021년 기준).

ㄴ. 옥수수(나)는 기후 적응력이 커서 다양한 기후 지역에서 재배된다. 아시아의 계절풍 기후 지역에서 주로 재배되는 것은 성장기에 고온 다습한 조건을 필요로 하는 쌀(가)이다.

02 주요 식량 작물의 특징 이해

문제분석 (가)는 기온이 낮거나 척박한 땅에서도 비교적 잘 재배되는 작물이며, 프랑스의 전통 음식인 크레이프의 주재료로 소개되고 있다. (나)는 멕시코 원주민의 주식 작물이며, 멕시코의 전통 음식인 토르티야의 주재료로 소개되고 있다. (다)는 베트남 남부의 고온 다습한 메콩강 지역에서 많이 생산되는 작물이며, 라이스페이퍼의 주재료로 소개되고 있다. 따라서 (가)는 밀, (나)는 옥수수, (다)는 쌀이다.

정답찾기 ⑤ 단위 면적당 생산량은 생산량을 재배 면적으로 나눈 값으로, 옥수수>쌀>밀 순으로 많다. 따라서 쌀(다)은 밀(가)보다 단위 면적당 생산량이 많다.

오답피하기 ① 밀(가)의 기원지는 서남아시아의 건조 기후 지역이다. 아메리카가 기원지인 것은 옥수수(나)가 있다.

② 쌀(다)의 생산은 대부분 아시아의 계절풍 기후 지역에서 이루어지며, 쌀(다)의 총생산량 중 아시아에서 생산되는 비율은 약 89%, 아메리카에서 생산되는 비율은 약 5% 정도이다.

③ 밀(가)은 옥수수(나)에 비해 가축의 사료로 이용되는 비율이 상대적으로 낮다. 옥수수(나)는 전체 생산량의 절반 이상이 사료용으로 이용된다.

④ 세계 생산량 대비 수출량 비율은 밀>옥수수>쌀 순으로 높다.

03 식량 작물의 생산량 및 지역(대륙)별 재배 면적 특징 이해

문제분석 왼쪽 그래프는 (가)~(다) 작물의 세계 총생산량을 나타낸 것이다. 밀, 쌀, 옥수수 중 세계 총생산량은 옥수수가 가장 많다. 따라서 (가)는 옥수수이다. 오른쪽 그래프는 밀, 쌀, 옥수수의 지역(대륙)별 재배 면적 비율을 나타낸 것이다. 지역(대륙) 내에서 옥수수(가) 재배 면적 비율이 가장 높은 지역(대륙)은 A이다. 따라서 A는 옥수수의 주요 재배지인 미국, 브라질, 아르헨티나 등이 속한 아메리카이다. B는 유럽이며, 유럽(B)에서 재배 면적 비율이 가장 높은 작물인 (다)는 밀이다. (나)는 다른 지역(대륙)에 비해 아시아에서 재배 면적 비율이 높게 나타나므로 쌀이다.

정답찾기 ③ 밀(다)은 비교적 건조한 곳이나 기온이 낮은 곳에서도 잘 자라는 특성이 있어 내한성과 내건성이 큰 편이다. 반면, 쌀(나)은 성장기에 고온 다습한 환경이 필요하다.

오답피하기 ① 옥수수(가)의 주요 수출국은 미국, 아르헨티나, 우크라이나, 브라질 등이며, 그중 최대 수출국은 미국이다(2021년 기준).

② 세계 재배 면적은 밀>옥수수>쌀 순으로 넓다. 따라서 쌀(나)은 밀(다)보다 세계 재배 면적이 넓지 않다.

④ 유럽(B)의 옥수수(가) 재배 면적 비율은 20% 정도이며, 아메리카(A)는 옥수수(가)의 재배 면적 비율이 60% 이상이다. 따라서 유럽(B)은 아메리카(A)보다 옥수수의 생산 비율이 높지 않다.

⑤ A는 아메리카, B는 유럽이다.

04 식량 작물의 주요 생산 국가 분포 이해

문제분석 (가)는 A, B 국가 외에 브라질, 아르헨티나 등 아메리카 국가가 주요 생산국이다. (나)는 B 국가 외에 인도, 방글라데시, 인도네시아, 베트남 등 계절풍이 부는 아시아 국가가 주요 생산국이다. (다)는 A, B 국가 외에 인도, 러시아, 프랑스, 우크라이나, 오스트레일리아 등이 주요 생산국이며, 유럽 국가들이 많다. 따라서 (가)는 옥수수, (나)는 쌀, (다)는 밀이다. 옥수수(가) 생산량이 가장 많고 밀(다)의 주요 생산국인 A는 미국이며, 쌀(나)과 밀(다) 생산량이 가장 많고 옥수수(가)의 주요 생산국인 B는 중국이다.

정답찾기 ㄴ. 열대성 작물인 쌀(나)은 성장기에 고온 다습하고 수확기에 건조한 기후가 재배에 유리하다.

ㄹ. 미국(A)은 아메리카, 중국(B)은 아시아에 위치한다.

오답피하기 ㄱ. 옥수수(가)의 기원지는 아메리카이다. 서남아시아의 건조 기후 지역이 기원지인 작물로는 밀(다)이 있다.

ㄷ. 밀(다)의 세계 최대 수출국은 러시아이다(2021년 기준).

05 지역(대륙)별 식량 작물의 수출량 및 수입량 이해

문제분석 수출량과 수입량 그래프에서 A 지역(대륙)은 수출량이 수입량보다 많고, B 지역(대륙)은 수입량이 수출량보다 많다. 아메리카와 아시아 중 넓은 토지에서 식량의 대량 생산이 이루어지는 아메리카가 수출이 많고 인구가 많은 아시아가 식량의 수입이 많으므로, A는 아메리카, B는 아시아이다. 각 지역(대륙)의 작물별 비율을 보면 아메리카(A)는 (가)의 수출량이 많고, 아시아(B)는 (다)의 수출량이 많으며, 유럽은 (나)의 수출량이 많다. 아시아는 (가), (나) 작물의 수입량이 많다. 특히 (다)의 경우 아시아에서 수출량 및 수입량이 상대적으로 많다. 따라서 (다)는 아시아에서 주로 재배되고 소비되는 쌀이라고 할 수 있다. (가)는 아메리카에서 많이 재배되는 옥수수, (나)는 유럽에서 많이 재배되는 밀이다.

정답찾기 ② 사료용 작물로 많이 이용되는 옥수수(가)는 육류 소비의 증가와 함께 가축 사료로서의 수요가 증가하였다.

오답피하기 ① 유럽의 수출량 그래프에서 밀(나)의 수출량이 가장 많다.
③ 밀(나)은 생산 지역과 소비 지역이 일치하지 않아 국제적 이동이 많은 대표적인 작물이다. 생산지에서 소비되는 비율이 높은 작물로는 쌀(다)이 있다.
④ 수출량 그래프에서 유럽의 (가)~(다) 작물 총수출량은 약 1억 6천만 톤이며, 아시아는 약 5천만 톤이다. 따라서 (가)~(다) 자원 총수출량은 유럽이 아시아보다 많다.
⑤ A는 아메리카, B는 아시아이다.

06 아시아의 지역별 식량 작물 생산 이해

문제분석 그래프는 중앙아시아, 동남아시아, 동아시아의 밀, 쌀, 옥수수 생산량 변화를 나타내고 있다. 중앙아시아는 건조 기후가 널리 나타나 두 지역에 비해 총생산량은 적지만 (다)의 생산량이 가장 많다. 열대 몬순(계절풍) 기후가 널리 나타나는 동남아시아는 세 작물 중 (나)의 생산량이 대부분이며, (가)는 적은 편이지만 (다)는 거의 나타나지 않는다. 계절풍 기후 지역이면서 세계 식량 주요 생산국인 중국이 포함된 동아시아는 세 작물의 생산량이 모두 많은 편이다. 따라서 세 지역에서 모두 재배되며 중국이 주요 생산국인 (가)는 옥수수이고, 여름철에 고온 다습한 기후가 형성되는 동남아시아, 동아시아에서 생산량이 많은 (나)는 쌀이다. 내건성·내한성이 큰 작물인 밀은 (다)에 해당한다. 주요 식량 작물의 재배 면적 및 단위 면적당 생산량 그래프에서 재배 면적은 B가 가장 넓지만, 단위 면적당 생산량은 가장 적다. 반면, A는 재배 면적은 좁지만, 단위 면적당 생산량이 B보다 많다. C는 재배 면적도 넓고, 단위 면적당 생산량이 가장 많다.

정답찾기 ④ (가)는 옥수수, (나)는 쌀, (다)는 밀이다. A는 아시아의 계절풍 기후 지역에서 주로 재배되므로 재배 면적은 상대적으로 좁지만, 단위 면적당 생산량은 많은 쌀이다. B는 기후 적응력이 크고 내건성·내한성이 커 재배 면적이 넓은 편이지만, 단위 면적당 생산량은 적은 밀이다. C도 기후 적응력이 커 재배 면적이 넓고, 단위 면적당 생산량도 많은 옥수수이다. 따라서 (가)는 C, (나)는 A, (다)는 B이다.

07 주요 육류 자원으로서의 가축의 특징 이해

문제분석 제시된 자료는 국가별 문화적 특징에 따라 달라지는 육류 재료에 대한 것이다. 에스파냐는 특정 사육 환경에서 기르는 (가) 가축이 세계적으로 유명하며, (가)로 만들어진 베이컨, 하몬 등의 재료를 사용한다. 따라서 (가)는 돼지이다. 인도는 힌두교에서 신성하게 여기는 (나) 가축으로 만든 재료가 사용되지 않는다고 소개하고 있다. 따라서 (나)는 소이다. 사우디아라비아는 종교적 이유로 돼지(가)를 이용한 재료는 없지만 건조한 지역에서 많이 사육하는 (다)를 이용한 재료가 많다고 하였으므로, (다)는 양이다.

정답찾기 ㄴ. 양(다)의 털은 모직 공업의 주원료로 이용되는 자원이다.

ㄹ. 양(다)은 건조 기후에 적응하는 능력이 좋아 건조 기후 지역에서 주로 유목의 형태로 사육되었다. 돼지(가)는 정착 생활을 하는 지역에서 주로 사육된다.

오답피하기 ㄱ. 젖을 주로 치즈, 버터 등의 유제품 원료로 활용하는 가축으로는 소(나)가 있다.
ㄷ. 돼지, 소, 양의 세계 총 사육 두수는 소(나)>양(다)>돼지(가) 순으로 많다.

08 육류 자원의 수출과 지역(대륙)별 가축 사육 두수 파악

문제분석 (가)~(다)고기의 국가별 수출 비율에서 (가)의 주요 수출국은 브라질, 미국, 오스트레일리아, 아르헨티나, 뉴질랜드 등 아메리카와 오세아니아의 국가들이 많다. (나)의 주요 수출국은 미국, 브라질, 캐나다 등의 아메리카 국가들과 에스파냐, 독일 등의 유럽 국가들이다. (다)의 주요 수출국은 오스트레일리아와 뉴질랜드가 있으며, 두 국가가 수출량의 대부분을 차지한다. 따라서 (가)는 아메리카, 오세아니아에서 많이 사육하여 수출하는 소이며, (나)는 유럽에서 많이 사육하는 돼지이다. (다)는 오세아니아의 비율이 대부분을 차지하는 양이다. 지역(대륙)별 가축 사육 두수 그래프에서 A는 아시아, 아프리카, 아메리카의 사육 두수가 많다. 특히 아메리카는 다른 두 가축에 비해 A의 사육 두수가 매우 많다. B는 모든 지역(대륙)에서 사육되지만, 특히 오세아니아 내에서 세 가축 중 사육 두수가 가장 많다. C는 아시아에서 사육 두수가 많고, 유럽 내에서 가장 많이 사육된다.

정답찾기 ② (가)는 소, (나)는 돼지, (다)는 양이다. A는 아메리카 내에서 가장 많이 사육되는 소이며, B는 오세아니아 내에서 가장 많이 사육되는 양이다. C는 아시아의 사육 두수가 가장 많고 유럽 내에서 가장 많이 사육되는 돼지이다. 따라서 (가)는 A, (나)는 C, (다)는 B이다.

09 국가별 가축 사육 두수 특징 이해

문제분석 지도에 표시된 국가는 아르헨티나, 독일, 튀르키예(터키)이다. 넓은 농경지에서 기업적 방목을 활발히 하는 아르헨티나는 A의 사육 두수 비율이 가장 높고 B가 약 20% 정도이다. 유럽에 위치한 독일은 C의 사육 두수 비율이 가장 높으며, A가 30% 정도이다. 건조 기후가 나타나며 이슬람 문화권인 튀르키예(터키)는 B의 사육 두수 비율이 가장 높고, A가 약 30% 정도이지만 C의 사육 두수 비율은 매우 낮다. 따라서 A는 소, B는 양, C는 돼지이다.

정답찾기 ② 양(B)은 아시아에서는 주로 유목의 형태로, 오스트레일리아와 아메리카 등에서는 주로 기업적 방목의 형태로 사육된다.

오답피하기 ① 소(A)는 힌두교에서 신성하게 여기는 동물로, 소고기를 금기시하는 것은 힌두교이다. 이슬람교 신자들은 종교적인 이유로 돼지고기를 금기시한다.
③ 전통 농경 사회에서 노동력 대체 효과가 높은 가축으로는 소(A)가 있다. 돼지(C)는 전통 농경 사회에서 노동력 대체 효과가 높지 않다.
④ 세계 육류 소비량에서 양(B)고기는 소(A)고기보다 적게 소비된다.
⑤ 돼지(C)는 유목 생활에 적합하지 않아 양(B)에 비해 건조 기후 지역에서 사육하기에 적합하지 않다.

10 아시아 지역 내 가축 사육 두수 특징 이해

문제분석 그래프는 아시아 내 지역별 (가)~(다) 가축의 사육 두수를 나타내고 있다. (가)는 남부 아시아의 사육 두수가 가장 많은 가축이며, 동아시아와 동남아시아 등에서도 사육이 이루어지고 있다. (나)는 동아시아의 사육 두수가 가장 많으며, 동남아시아에서도 사육이 이루어지고 있지만 서남아시아와 중앙아시아에서는 거의 나타나지 않는다. (다)는 동아시아, 남부 아시아에서 사육 두수가 비교적 많은 편이며, 서남아시아와 중앙아시아에서도 사육되고 있음을 알 수 있다. 따라서 (가)는 벼농사 지역의 전통 농경 사회에서 노동력 대체 효과가 높고, 특히 인도가 포함된 남부 아시아에서 사육 두수가 매우 많은 소이다. (나)는 중국이 포함된 동아시아의 사육 두수가 매우 많고, 동남아시아 지역에서도 일부 사육되고 있는 돼지이다. (다)는 여러 지역에서 비교적 고르게 사육되며, 특히 건조 기후가 널리 분포하는 서남아시아와 중앙아시아에서도 사육이 이루어지는 양이다.

정답찾기 ㄱ. 소(가)는 신대륙에서는 주로 기업적 방목 형태로 대규모로 사육된다.

ㄴ. 돼지(나)고기는 이슬람교에서 금기시한다.

오답피하기 ㄷ. 양(다)의 사육 두수는 중국, 인도, 오스트레일리아 등의 국가에서 많은 것으로 나타난다. 브라질은 소를 많이 사육하는 대표적인 국가이다.

ㄹ. 돼지(나)는 주로 정착 생활을 하는 지역에서 사육되며, 양(다)보다 유목 생활에 적합하지 않다.

THEME 10 주요 에너지 자원과 국제 이동

수능 실전 문제

본문 58~61쪽

01 ②	02 ⑤	03 ①	04 ③
05 ③	06 ①	07 ④	08 ③

01 주요 국가의 석유, 석탄, 천연가스 소비량 특징 파악

문제분석 국가별 A~C 에너지 소비량 합의 변화 그래프에서 에너지 소비량이 가장 많은 (가)는 미국이다. 미국은 전 세계에서 중국 다음으로 에너지 소비량이 많은 국가이다. (나)와 (다)는 러시아와 인도 중 하나인데, (다)는 2000년에 비해 2022년에 에너지 소비량이 세 국가 중 가장 많이 증가하였다. 인도와 러시아 중 최근 에너지 소비량이 더 많이 증가한 국가는 인도이다. 따라서 (다)는 인도, (나)는 러시아이다. A~C 에너지 소비량의 국가별 비율 변화 그래프에서 A는 2000년에 비해 2022년에 미국(가)의 소비량 비율은 감소하고, 인도(다)의 소비량 비율이 증가한 것을 알 수 있다. 따라서 A는 석탄이다. B와 C는 모두 미국(가)의 소비량 비율이 세 국가 중 가장 높은데, 상대적으로 러시아(나)의 소비량 비율이 높은 B는 천연가스이고, C는 석유이다.

정답찾기 ② 2022년 에너지 소비량은 인도(다)가 러시아(나)보다 약간 많지만 인구가 월등히 많기 때문에 총에너지 소비량을 인구로 나눈 1인당 에너지 소비량은 러시아(나)가 인도(다)보다 많다.

오답피하기 ① 미국(가)의 석탄 소비 비율은 2000년이 2022년보다 높다. 미국을 포함한 일부 선진국들은 기후 변화로 인해 석탄의 소비량을 줄이고 있다. 석탄 소비량이 감소하고 있다는 것을 통해 미국(가) 내 석탄 소비 비율이 감소했음을 추론할 수 있다.

③ 러시아(나)는 천연가스(B) 생산량이 많은 국가로, 인도(다)보다 천연가스(B) 소비량이 많다. 그래프를 통해서도 러시아(나)가 인도(다)보다 천연가스(B) 소비량이 많은 것을 확인할 수 있다.

④ 연소 시 대기 오염 물질 배출량은 석탄(A)>석유(C)>천연가스(B) 순으로 많다.

⑤ 세계 1차 에너지 소비 구조에서 차지하는 비율은 석유(C)>석탄(A)>천연가스(B) 순으로 높다.

02 석탄, 천연가스의 수출과 용도별 이용 특징 이해

문제분석 (가)는 러시아, 미국, 카타르, 노르웨이, 오스트레일리아, 캐나다 등의 국가에서 순 수출량이 많으므로 천연가스이다. 석유는 사우디아라비아, 이라크, 아랍 에미리트 등 서남아시아 국가들이 순 수출량 상위 국가인데, (가)의 순 수출량 상위 10개국 중 서남아시아 국가는 카타르만 포함되고, 노르웨이, 투르크메니스탄 등의 국가가 포함되어 있어 석유가 아닌 천연가스임을 추론할 수 있다. (나)는 인도네시아, 오스트레일리아, 남아프리카 공화국 등의 국가에서 순 수출량이 많으므로 석탄이다.

정답찾기 ⑤ 주요 화석 에너지의 용도별 소비 비율을 살펴보면 석유는 수송용으로 이용되는 비율이 높고, 석탄은 산업용으로 이용되는 비율이 높다. 천연가스는 산업용으로 이용되는 비율이 가장 높으며, 오염 물질의 배출이 적은 에너지 자원으로 다른 화석 에너지 자원에 비해 가정용, 상업용 등으로 이용되는 비율이 높게 나타난다. 그래프의 A~C 중 수송용으로 이용되는 비율이 가장 높은 A는 석유, 산업용으로 이용되는 비율이 가장 높은 B는 석탄, 산업용·가정용·상업용으로 많이 이용되는 C는 천연가스이다. 따라서 (가)는 C, (나)는 B이다.

03 지역(대륙)별 이산화 탄소 배출량과 석유, 석탄, 천연가스의 지역(대륙)별 생산량 비율 특징 이해

(문제분석) 에너지 소비량이 많을수록 이산화 탄소 배출량이 많다. 특히 대기 오염 물질을 많이 배출하는 석탄의 사용량이 많을수록 이산화 탄소 배출량이 많다. (가)는 1991년에는 (나)에 이어 두 번째로 이산화 탄소 배출량이 많았는데, 2022년에는 다른 지역(대륙)에 비해 압도적으로 이산화 탄소 배출량이 많아졌다. 따라서 (가)는 인구가 가장 많고 지난 30년간 산업화로 에너지 소비량이 많이 증가한 아시아·오세아니아이다. (나)는 1991년에는 이산화 탄소 배출량이 가장 많았지만 2022년에는 이산화 탄소 배출량이 감소한 것으로 보아 최근 화석 에너지 감축 노력을 기울이고 있는 유럽이다. (다)는 이산화 탄소 배출량이 가장 적은 아프리카이다. 아프리카는 산업화가 아직 활발히 진행되지 않아 에너지 소비량이 다른 지역(대륙)에 비해 적다. A는 아시아·오세아니아(가)의 생산량 비율이 다른 지역(대륙)에 비해 월등히 높으므로 석탄이다. 석탄은 중국과 인도, 오스트레일리아 등에서 생산량이 많다. B와 C는 석유와 천연가스 중 하나인데, 천연가스는 러시아에서 생산량이 많고 석유는 사우디아라비아 등 서남아시아에서 생산량이 많기 때문에 상대적으로 유럽(나)에서 생산량 비율이 높은 C가 천연가스, 아시아·오세아니아(가)에서 생산량 비율이 높은 B가 석유이다.

(정답찾기) ① 아시아·오세아니아(가)는 석탄(A) 소비량이 많은 지역(대륙)이고, 유럽(나)은 상대적으로 천연가스(C) 소비량이 많은 지역(대륙)이다. 따라서 지역 내 1차 에너지 총소비량에서 천연가스가 차지하는 비율은 유럽(나)이 아시아·오세아니아(가)보다 높다.

(오답피하기) ② 경제 수준이 높은 유럽(나)이 산업화가 늦고 경제 수준이 낮은 아프리카(다)보다 1차 에너지 총소비량이 많다.
③ 아시아·오세아니아(가)는 유럽(나)보다 1991년 이산화 탄소 배출량이 적다. 하지만 2022년에는 유럽(나)보다 3배 이상 이산화 탄소 배출량이 많아졌다.
④ 석유(B)는 석탄(A)보다 수송용으로 이용되는 비율이 높다.
⑤ 천연가스(C)의 세계 최대 생산 국가는 2022년 기준 미국으로, 미국은 앵글로아메리카에 위치한다.

04 석탄, 원자력, 천연가스의 특징 이해

(문제분석) (가)는 제시된 글에서 프랑스 전력 생산의 약 67% 이상을 차지하고 이산화 탄소 배출 없이 다량의 전기를 생산할 수 있다는 내용, 후쿠시마와 같은 사고 위험과 핵폐기물 문제 등으로 보아 원자력임을 알 수 있다. (나)는 러시아로부터 파이프라인을 통해 공급된다는 내용으로 보아 천연가스이다. (다)는 온실가스 배출량이 많고 화

력 발전의 연료로 사용되는 것으로 보아 석탄이다.

(정답찾기) ㄴ. 중국은 석탄(다)의 전 세계 생산량과 소비량의 절반 이상을 차지하고 있는 국가로, 석탄(다)의 세계 최대 생산국과 소비국은 모두 중국이다.
ㄷ. 원자력(가)은 제2차 세계 대전 이후인 1950년대 이후 상업적으로 이용되기 시작되었으며, 석탄(다)은 18세기 산업 혁명기에 주요 에너지원으로 사용되면서 상업적으로 이용되기 시작하였다. 따라서 원자력(가)은 석탄(다)보다 상업적으로 이용된 시기가 늦다.

(오답피하기) ㄱ. 냉동 액화 기술의 발달로 소비량이 급증한 것은 천연가스(나)이다.
ㄹ. 발전 및 제철용으로 이용되는 비율은 석탄(다)이 천연가스(나)보다 높다.

05 주요 국가의 1차 에너지원별 발전량 이해

(문제분석) 지도에 표시된 세 국가는 남아프리카 공화국, 이란, 캐나다이다. 세 국가 중 1차 에너지 총소비량이 가장 적은 국가는 남아프리카 공화국이다. 산유국인 이란과 경제 수준이 높은 캐나다는 경제 수준이 낮은 편인 남아프리카 공화국에 비해 1차 에너지 총소비량이 많다. 따라서 세 번째 그래프가 남아프리카 공화국이며, 남아프리카 공화국에서 소비량이 많은 (라)는 석탄이다. 남아프리카 공화국은 아프리카에서 석탄 생산량이 가장 많은 국가로, 자국 내 석탄 소비량 비율이 가장 높다. 나머지 두 국가 중 (가)와 (나) 이외의 다른 에너지원의 소비량이 적게 나타나는 두 번째 그래프는 이란이다. 이란은 산유국으로, 천연가스와 석유의 소비량이 높게 나타난다. 이란에서 소비량이 가장 많은 (가)는 천연가스이고, 그다음으로 많은 (나)는 석유이다. 남아프리카 공화국에서도 천연가스(가)에 비해 석유(나)의 소비량이 많은 것을 알 수 있다. 첫 번째 그래프는 캐나다이며, 다른 국가에 비해 캐나다에서 소비량이 많은 (다)는 수력이다.

(정답찾기) ③ 석유(나)는 석탄(라)보다 지역적 편재성이 크다. 지역적 편재성이 큰 석유(나)는 석탄(라)보다 국제 이동량이 많다.

(오답피하기) ① 석유(나)의 세계 최대 소비 국가는 미국이다(2022년 기준).
② 석유(나)는 천연가스(가)보다 수송용으로 이용되는 비율이 높다.
④ 석탄(라)은 전 세계 1차 에너지원별 발전량에서 차지하는 비율이 가장 높은 자원으로, 수력(다)보다 세계 발전량이 많다.
⑤ 세계 1차 에너지 소비 구조에서 차지하는 비율은 석유(나)>석탄(라)>천연가스(가)>수력(다) 순으로 높다.

06 수력, 태양광·태양열의 아프리카 발전량 상위 5개국 특징 파악

(문제분석) 자료를 통해 아프리카 내 수력과 태양광·태양열 발전량 상위 5개국을 파악하고, 이를 통해 아프리카의 신·재생 에너지 잠재력을 이해할 수 있다. (가)는 나일강, 콩고강 등 큰 하천이 흐르는 지역에서 발전량이 많으므로 수력이다. (가) 지도에 표시된 국가는 나일강 유역에 위치한 에티오피아, 이집트와 콩고강 유역에 위치한 콩고 민주 공화국, 잠비아, 앙골라이다. (나)는 사하라 사막, 나미브 사막, 칼라하리 사막 등 일사량이 풍부한 지역에서 발전량이 많으므로 태양광·태양열이다. (나) 지도에 표시된 국가는 사하라 사막이

있는 이집트, 알제리, 모로코와 나미브 사막이 있는 나미비아와 남아 프리카 공화국이다.

(정답찾기) ① A는 중국, 브라질, 캐나다 등에서 발전량 비율이 높으므로 수력이다. 수력은 유량이 풍부하고 낙차가 큰 지역에서 발전이 유리하다. B는 중국, 미국, 일본 등에서 발전량이 많은 태양광·태양열이다. 태양광·태양열은 사막과 같이 일사량이 풍부한 지역에서 발전 잠재력이 높지만, 실제로 태양광·태양열 에너지의 이용이 활발한 지역은 관련 기술이 발달하고 자본이 풍부한 국가들이다. 따라서 건조 기후 지역에 위치한 국가들보다는 미국, 일본, 독일, 이탈리아 등 선진국들의 발전량 비율이 높게 나타난다. 따라서 (가)는 A, (나)는 B에 해당한다.

(오답피하기) C는 중국, 미국과 함께 독일, 영국 등 북서 유럽 국가들의 발전량 비율이 높으므로 풍력이다. 풍력은 바람이 많이 부는 산지나 해안 지역이 발전에 유리하다.

07 수력, 지열의 국가별 발전량 비율과 미국, 브라질, 중국의 1차 에너지원별 발전량 비율 이해

(문제분석) 수력 발전량 비율이 세계에서 가장 높은 국가인 (가)는 중국이다. 수력 발전량 비율이 세계에서 네 번째로 높고, 지열 발전량 비율이 세계에서 가장 높은 (나)는 미국이다. 수력 발전량 비율이 세계 2위인 (다)는 브라질이다. 중국(가)에서 발전량 비율이 가장 높은 B는 석탄이고, 미국(나)에서 발전량 비율이 가장 높은 A는 천연가스, 브라질(다)에서 발전량 비율이 가장 높은 C는 수력이다.

(정답찾기) ④ 석탄(B)은 세계 총발전량에서 차지하는 비율이 가장 높은 에너지이다. 따라서 석탄(B)은 수력(C)보다 세계 총발전량에서 차지하는 비율이 높다.

(오답피하기) ① 중국(가)은 세계에서 수력 발전량이 가장 많은 국가이다. 국가 내 발전량에서 수력이 차지하는 비율은 브라질(다)이 높지만, 수력 발전량은 중국(가)이 브라질(다)보다 많다.
② 미국(나)은 세계에서 1차 에너지 소비량이 중국 다음으로 두 번째로 많은 국가이다. 따라서 미국(나)은 브라질(다)보다 1차 에너지 소비량이 많다.
③ 석탄(B)은 천연가스(A)보다 발전 시 온실가스 배출량이 많다.
⑤ 천연가스(A)는 화석 에너지에 해당하지만, 수력(C)은 화석 에너지에 해당하지 않는다.

08 주요 국가의 신·재생 에너지원별 발전 설비 용량 비율 이해

(문제분석) 지도에 표시된 네 국가는 노르웨이, 덴마크, 이집트, 필리핀이다. 노르웨이는 빙하 지형이 발달한 국가로, 큰 낙차와 빙하호의 풍부한 유량으로 수력 발전에 유리한 조건을 가지고 있다. 따라서 노르웨이에서 발전 설비 용량 비율이 가장 높은 A는 수력이다. 덴마크는 연중 편서풍이 부는 대서양 연안에 위치한 국가로, 풍력 발전에 유리한 조건을 가지고 있다. 따라서 덴마크에서 발전 설비 용량 비율이 가장 높은 B는 풍력이다. 이집트는 건조 기후 지역으로 일사량이 풍부하기 때문에 태양광·태양열 발전에 유리한 조건을 가지고 있다. 따라서 다른 세 국가에 비해 이집트에서 발전 설비 용량 비율이 높은 C는 태양광·태양열이다. 필리핀은 판의 경계부에 위치하여 지열 발전에 유리한 조건을 가진 국가이다. 따라서 필리핀에서 상대적

으로 발전 설비 용량 비율이 높은 D는 지열이다.

(정답찾기) ③ 태양광·태양열(C)은 연간 일사량이 많은 지역에서 생산이 유리하다.

(오답피하기) ① 수력(A)은 풍부한 유량이 필요한 발전으로, 강수량이 많은 열대 기후 지역이 강수량이 적은 건조 기후 지역보다 개발 잠재력이 높다.
② 풍력(B)은 연중 일정한 방향으로 바람이 불어오는 산간 지역이나 해안이 발전에 유리하다.
④ 수력(A)은 태양광·태양열(C)보다 상업적 발전이 시작된 시기가 이르다.
⑤ 2020년 기준 신·재생 에너지원별 세계 발전량은 수력(A)>풍력(B)>태양광·태양열(C)>지열(D) 순으로 많다. 따라서 지열(D)은 수력(A)보다 세계 발전량에서 차지하는 비율이 낮다.

THEME 11 몬순 아시아와 오세아니아 (1)

본문 63~65쪽

| 01 ④ | 02 ④ | 03 ④ | 04 ④ |
| 05 ③ | 06 ① | | |

01 몬순 아시아의 지역별 기후 특색 파악

문제분석 지도에 표시된 지역은 북반구의 온대 겨울 건조 기후 지역인 칭다오, 북반구의 사바나 기후 지역인 콜카타, 남반구의 사바나 기후 지역인 다윈, 남반구의 지중해성 기후 지역인 퍼스이다. 12~2월의 강수 집중률이 높은 (가)는 남반구 사바나 기후 지역인 다윈이다. 다윈은 적도(열대) 수렴대의 영향을 주로 받는 12~2월에 강수 집중률이 높고, 아열대 고압대의 영향을 주로 받는 6~8월에 강수 집중률이 낮다. 다윈에서 A는 B보다 높게 나타나므로 A는 최난월 평균 기온이고, B는 기온의 연교차이다. 상대적으로 저위도에 있는 다윈은 기온의 연교차가 작게 나타난다. (나)는 (다), (라)보다 기온의 연교차가 작고 연 강수량이 많으므로 북반구의 사바나 기후 지역인 콜카타이다. (라)는 (다)보다 기온의 연교차가 크므로 대륙 동안에 있는 칭다오이고, (다)는 퍼스이다.

정답찾기 ④ 7월에 밤 길이는 북극권에서 남극권으로 갈수록 길어진다. 따라서 남반구에 있는 퍼스(다)는 북반구에 있는 칭다오(라)보다 7월에 밤 길이가 길다.

오답피하기 ① A는 열대 기후와 온대 기후가 나타나는 네 지역 모두에서 24℃ 이상이므로 최난월 평균 기온이고, B는 가장 작은 지역이 약 4℃이므로 기온의 연교차이다.
② 다윈(가)은 7월에 아열대 고압대의 영향을 주로 받아 건기가 나타난다.
③ 콜카타(나)는 다윈(가)보다 남회귀선과의 최단 거리가 멀다.
⑤ 최난월 평균 기온(A)에서 기온의 연교차(B)를 빼면 최한월 평균 기온을 파악할 수 있다. 온대 겨울 건조 기후 지역인 칭다오(라)는 사바나 기후 지역인 콜카타(나)보다 최한월 평균 기온이 낮다.

02 몬순 아시아의 주요 하천 이해

문제분석 (가)는 몬순 아시아에서 가장 긴 하천이고 싼샤댐이 있으므로 창장강이다. (나)는 황토 지대, 고대 문명의 발생 등과 관련 있으므로 황허강이다. (다)는 시짱(티베트)고원에서 발원해 인도차이나반도를 지나 남중국해로 흘러들고 하구에 삼각주가 발달해 있으므로 메콩강이다. (라)는 벵골만으로 흘러들고 하천 유역에 힌두교의 성지인 바라나시가 있으므로 갠지스강이다.

정답찾기 ㄴ. 창장강(가) 유역은 황허강(나) 유역보다 연평균 기온이 높고 연 강수량이 많으므로 경지 면적 중 벼농사 면적 비율이 높다.
ㄹ. 갠지스강(라)의 하구는 황허강(나)의 하구보다 저위도에 위치한다.

오답피하기 ㄱ. 힌두교 신자들이 성스럽게 여기는 하천은 갠지스강(라)이다.
ㄷ. 중국만 흐르는 창장강(가)은 중국, 라오스, 베트남, 캄보디아 등

을 흐르는 국제 하천인 메콩강(다)보다 유역에 위치한 국가의 수가 적다.

03 몬순 아시아 네 국가의 작물별 생산 특징 파악

문제분석 지도에 표시된 국가는 스리랑카, 베트남, 인도네시아, 필리핀이다.
(가)는 쌀의 생산량이 가장 많고, (라) 다음으로 커피 생산량 또한 많으므로 인도네시아이며, 커피의 생산량이 가장 많은 (라)는 베트남이다. 차(茶)의 생산량이 가장 많은 (다)는 스리랑카이고, 나머지 (나)는 필리핀이다.

정답찾기 ④ 베트남(라)은 시사 군도를 둘러싼 중국과의 분쟁 당사국이다.

오답피하기 ① 메콩강 삼각주에서 벼농사가 활발하게 이루어지는 곳은 베트남(라)이다.
② 전통 의상에 '아오자이'가 있는 곳은 베트남(라)이다.
③ 환태평양 조산대가 있어 화산 활동이 활발한 곳은 필리핀(나)과 인도네시아(가)이고, 스리랑카(다)는 환태평양 조산대에 위치하지 않는다.
⑤ 필리핀(나)은 스리랑카(다)보다 국가 내 크리스트교 신자 비율이 높고, 스리랑카(다)는 필리핀(나)보다 국가 내 불교 신자 비율이 높다.

04 몬순 아시아의 국가별 주요 특징 파악

문제분석 (가)는 와이탄, 아편전쟁, 자금성, 만리장성 등과 관련 있으므로 중국이다. (나)는 우동, 오키나와, 스시 등과 관련 있으므로 일본이다. (다)는 타지마할, 벵갈루루, 탄두리 치킨 등과 관련 있으므로 인도이다.

정답찾기 ④ 중국(가)은 일본(나)보다 인구 규모가 크고 국내 총생산이 많다. 중국은 2021년 기준 국내 총생산이 미국 다음으로 많다.

오답피하기 ① 전통 의상으로 '사리'와 '도티'가 있는 곳은 인도(다)이고, 중국(가)의 전통 의상에는 '치파오'가 있다.
② 동아시아에 있는 일본(나)은 동남아시아 국가 연합(ASEAN) 회원국이 아니다.
③ 전통 가옥으로 '사합원'이 있는 곳은 중국(가)이다.
⑤ 일본(나)은 태평양에 접해 있지만, 인도(다)는 인도양과 접해 있다.

05 몬순 아시아 세 국가의 주민 생활 및 자연환경 이해

문제분석 (가)는 이동식 가옥인 게르, 전통 음식인 허르헉 등과 관련 있는 곳이므로 몽골이다. (나)는 나시고렝으로 유명한 곳이므로 인도네시아이다. (다)는 전통 축제인 송끄란이 열리고, 똠얌꿍이 유명한 곳이므로 타이이다.

정답찾기 ③ 알프스-히말라야 조산대와 환태평양 조산대가 만나는 인도네시아(나)가 국토 대부분이 고기 습곡 산지와 안정육괴인 몽골(가)보다 화산 활동이 활발하다.

오답피하기 ① 몽골(가)은 중국, 러시아와 국경을 접하고 있는 내륙국이다.
② 인도네시아(나)는 2020년 기준으로 주민의 약 87%가 이슬람교를 믿는데, 총인구가 많아 세계에서 이슬람교 신자가 가장 많다.

④ 국토 대부분이 열대 기후 지역인 인도네시아(나)는 국토 대부분이 건조 기후 지역인 몽골(가)보다 열대 기후를 이용한 플랜테이션이 발달하였다.

⑤ 타이(다)의 수도인 방콕은 열대 기후가 나타나고, 몽골(가)의 수도인 울란바토르는 건조 기후가 나타난다. 따라서 방콕이 울란바토르보다 연 강수량이 많다.

06 몬순 아시아 세 지역의 전통 가옥 특징 이해

문제분석 (가)는 일본 기후현 시라카와촌에서 볼 수 있는 전통 가옥(합장 가옥)으로, 겨울철 지붕에 쌓인 눈이 쉽게 흘러내리도록 지붕의 경사를 급하게 만든 것이 특징이다. (나)는 중국 화북 지방에서 볼 수 있는 전통 가옥(사합원)으로, 겨울 추위에 대비한 'ㅁ'자 형태의 폐쇄적인 가옥 구조가 나타난다. (다)는 타이에서 볼 수 있는 고상 가옥으로, 지열과 해충 등을 피하기 위해 가옥의 바닥을 지면에서 띄우고 많은 강수에 대비해 지붕의 경사를 급하게 만든 것이 특징이다.

정답찾기 갑 – 일본 합장 가옥(가)의 경우 지붕의 경사가 급한 것은 겨울철 대설에 대비해, 지붕에 쌓인 눈이 쉽게 흘러내리도록 한 것이다.

을 – 타이의 고상 가옥(다)은 지면에서 올라오는 열기와 습기, 해충을 차단하기 위해 가옥의 바닥을 지면에서 띄운 것이 특징이다.

오답피하기 병 – 중국의 사합원(나)은 타이의 고상 가옥(다)보다 가옥 구조가 폐쇄적이다.

정 – 타이의 고상 가옥(다)이 분포하는 곳이 일본 합장 가옥(가)이 분포하는 곳보다 저위도에 위치하므로, (가) 분포 지역이 (다) 분포 지역보다 기온의 연교차가 크다.

THEME 12

몬순 아시아와 오세아니아 (2)~(3)

수능 실전 문제

본문 67~69쪽

| 01 ③ | 02 ⑤ | 03 ④ | 04 ⑤ |
| 05 ① | 06 ⑤ | | |

01 몬순 아시아와 오세아니아 세 국가의 주요 특징 파악

문제분석 (가)는 동남아시아 국가 연합 회원국 중 국토 면적이 가장 넓고 이슬람교 신자가 가장 많으므로 인도네시아이다. (나)는 불교 신자가 가장 많으므로 타이, (다)는 몬순 아시아와 오세아니아에서 밀 수출량이 가장 많은 국가이므로 오스트레일리아이다. A는 인도네시아(가)와 오스트레일리아(다)의 수출 비율이 높으므로 석탄이다. B는 오스트레일리아(다)의 수출 비율이 매우 높으므로 철광석이고, C는 타이(나)와 인도네시아(가)의 수출 비율이 높으므로 천연고무이다.

정답찾기 ③ 석탄(A)은 화석 연료로 에너지 자원이고, 철광석(B)은 금속 광물 자원이다.

오답피하기 ① 경제 발전 수준이 높은 오스트레일리아(다)가 인도네시아(가)보다 1인당 육류 소비량이 많다.

② 타이(나)는 인도네시아(가)보다 팜유 생산량이 적다. 인도네시아(가)는 세계에서 팜유 생산량이 가장 많은 국가이다.

④ 타이(나), 인도네시아(가), 베트남, 말레이시아에서 생산 비율이 높은 천연고무(C)는 브라질, 캐나다에서 상대적으로 생산 비율이 높은 철광석(B)보다 세계 생산량에서 아메리카가 차지하는 비율이 낮다.

⑤ 오스트레일리아(다)에서 석탄(A)은 고기 습곡 산지인 그레이트디바이딩산맥이 있는 동부 지역에서 주로 생산되고, 철광석(B)은 안정 육괴인 오스트레일리아 순상지가 있는 서부 지역에서 주로 생산된다.

02 몬순 아시아와 오세아니아 네 국가의 무역 특징 파악

문제분석 (다)는 낙농품과 채소, 과일의 수출액 비율이 높고 오스트레일리아로의 수출액 비율이 특징적으로 높으므로 뉴질랜드이며, 뉴질랜드의 수출 상대국에서 가장 높은 비율을 차지하는 (나)는 중국이다. (라)는 의류와 홍차의 수출액 비율이 높고 지리적으로 인접한 인도로의 수출액 비율이 높으므로 스리랑카이다. 나머지 (가)는 베트남으로, 최근 저렴한 노동력을 바탕으로 제조업이 성장하면서 의류, 신발의 수출액 비율이 (나)보다 높게 나타나고 있다.

정답찾기 ⑤ 뉴질랜드(다)는 남반구, 스리랑카(라)는 북반구에 위치한다.

오답피하기 ① 불교를 주로 믿는 신할리즈족과 힌두교를 주로 믿는 타밀족 간에 종교 갈등이 있는 곳은 스리랑카(라)이다.

② 베트남(가)은 중국(나)보다 2020년에 총무역액이 적다.

③ 제조업 발달이 미약한 뉴질랜드(다)는 중국(나)보다 2020년에 제조업 생산액이 적다.

④ 스리랑카(라)는 경제 발전 수준이 높은 뉴질랜드(다)보다 평균 임금 수준이 낮다.

03 몬순 아시아와 오세아니아 네 국가의 산업 구조 파악

문제분석 지도에 표시된 국가는 인도, 캄보디아, 일본, 오스트레일리아이다. (가), (라)는 1차 산업 생산액 비율이 낮으므로 경제 발전 수준이 높은 일본과 오스트레일리아 중 하나인데, (라)가 (가)보다 국내 총생산이 많으므로 인구 규모가 크고 다양한 산업이 발달한 일본이며, (가)는 오스트레일리아이다. (나)는 (다)보다 국내 총생산이 적고 1차 산업 생산액 비율이 높으므로 캄보디아이고, (다)는 인도이다.

정답찾기 ④ 일본(라)은 지하자원이 풍부해 광업이 발달한 오스트레일리아(가)보다 2차 산업 내 제조업 생산액 비율이 높다.

오답피하기 ① 첨단 산업이 발달한 벵갈루루가 있는 곳은 인도(다)이다.
② 원주민으로 애버리지니가 있는 곳은 오스트레일리아(가)이다.
③ 인도(다)는 경제 발전 수준이 높은 일본(라)보다 도시화율이 낮다.
⑤ 네 국가 중 국가 내 불교 신자 비율은 캄보디아(나)가 가장 높다.

04 몬순 아시아 네 국가의 주요 특징 비교

문제분석 지도에 표시된 국가는 불교 신자 비율이 높은 미얀마와 타이, 크리스트교 신자 비율이 높은 필리핀, 이슬람교 신자 비율이 높은 인도네시아이다. (가), (라)는 모두 C 신자 비율이 높으므로 미얀마와 타이 중 하나인데, (가)가 (라)보다 총 신자가 적고, 2000~2020년에 슬럼 거주 가구 비율의 증가가 높으므로 미얀마이고, (라)는 타이이며, C는 불교이다. (다)는 (나)보다 총 신자가 많으므로 인구 규모가 큰 인도네시아이고, (나)는 필리핀이다. 인도네시아에서 신자 비율이 높은 B는 이슬람교이고, 필리핀에서 신자 비율이 높은 A는 크리스트교이다.

정답찾기 ⑤ 인도네시아(다)는 필리핀(나)보다 2020년에 석탄 수출량이 많다.

오답피하기 ① 그래프를 보면 미얀마(가)는 인도네시아(다)보다 2000년에 슬럼에 거주하는 도시 인구 비율이 낮았다.
② 그래프를 보면 미얀마(가)는 불교(C)보다 이슬람교(B) 신자 비율이 낮다.
③ 매년 송끄란 축제가 열리는 곳은 타이(라)이다.
④ 이슬람교를 주로 믿는 로힝야족에 대한 탄압이 있었던 곳은 미얀마(가)이다.

05 몬순 아시아와 오세아니아 세 국가의 인구 및 상품별 수출 구조 파악

문제분석 (가)는 6개의 주, 캥거루 등과 관련 있으므로 오스트레일리아이다. (나)는 베이징 내성, 톈안먼(천안문) 등과 관련 있으므로 중국이다. (다)는 국기(國旗)와 에베레스트산, 국토 모양 등을 통해 네팔임을 알 수 있다.

정답찾기 ① A는 노년 부양비가 가장 높고 광물 및 에너지 자원 수출액 비율이 높으므로, 지하자원이 풍부하며 경제 발전 수준이 높은 오스트레일리아이다. B는 C보다 노년 부양비가 높고 공업 제품의 수출액 비율이 높으므로 중국이다. C는 유소년 부양비가 높고 농림축수산물의 수출액 비율이 상대적으로 높으므로 개발 도상국인 네팔이다. 따라서 오스트레일리아(가)는 A, 중국(나)은 B, 네팔(다)은 C에 해당한다.

06 몬순 아시아와 오세아니아의 주요 갈등 지역 이해

문제분석 지도의 A는 신장웨이우얼(신장 위구르) 자치구, B는 시짱(티베트) 자치구, C는 카슈미르, D는 로힝야족 분포 지역, E는 스리랑카, F는 민다나오섬이다.

정답찾기 무 – D의 로힝야족과 민다나오섬(F)의 모로족은 모두 이슬람교를 주로 믿는다.

오답피하기 갑 – 불교를 주로 믿는 티베트족의 분리주의 운동이 있는 곳은 시짱(티베트) 자치구(B)이다.
을 – 이슬람교를 주로 믿는 위구르족과 중국 중앙 정부 간에 갈등이 나타나고 있는 곳은 신장웨이우얼(신장 위구르) 자치구(A)이다.
병 – 스리랑카(E)에서는 북부 지역에서 힌두교를 믿는 타밀족과 불교를 믿는 신할리즈족 간에 갈등이 있다.
정 – 카슈미르 지역(C)의 주민과 D의 로힝야족 대부분이 이슬람교를 믿는다. 이슬람교는 보편 종교에 해당한다.

THEME 13 건조 아시아와 북부 아프리카

수능 실전 문제

본문 71~75쪽

01 ①	02 ③	03 ②	04 ③
05 ⑤	06 ②	07 ③	08 ⑤
09 ④	10 ①		

01 건조 아시아와 북부 아프리카의 기후 이해

문제분석 지도에 표시된 세 지역은 각각 지중해성 기후 지역(튀르키예(터키)의 이즈미르), 스텝 기후 지역(이란의 테헤란), 사막 기후 지역(수단의 하르툼) 중 하나이다. A는 지중해 연안에 위치하여 6~8월에는 주로 아열대 고압대의 영향을 받아 강수량이 적고(월 강수 편차 − 값), 12~2월에는 주로 전선대와 편서풍의 영향으로 강수량이 많은(월 강수 편차 + 값) 지중해성 기후 지역이다. B는 6~8월에 주로 아열대 고압대의 영향을 받아 강수량이 적고, 내륙에 위치하여 세 지역 중 기온의 연교차가 가장 큰 스텝 기후 지역이다. C는 저위도에 위치하여 연중 아열대 고압대의 영향을 받아 강수량 편차가 작고, 세 지역 중 기온의 연교차가 가장 작은 사막 기후 지역이다. 따라서 A는 튀르키예(터키)의 이즈미르, B는 이란의 테헤란, C는 수단의 하르툼이다.

정답찾기 ① 지중해성 기후 지역인 이즈미르(A)는 스텝 기후 지역인 테헤란(B)보다 포도, 올리브 등의 수목 농업 발달에 유리하다.

오답피하기 ② 테헤란(B)은 하르툼(C)보다 고위도에 위치해 최한월 평균 기온이 낮다.

③ 사막 기후 지역인 하르툼(C)은 지중해성 기후 지역인 이즈미르(A)보다 연 강수량이 적다.

④ 1월의 낮 길이는 가장 남쪽에 위치한 하르툼(C)이 가장 길다.

⑤ 테헤란(B)은 아시아, 하르툼(C)은 아프리카에 위치한다.

02 세계 유산을 통한 건조 아시아의 자연환경 및 주민 생활 특징 파악

문제분석 이라크의 아흐와르 유적은 티그리스강과 유프라테스강 유역의 메소포타미아 평원에 위치한다. 이란에 위치한 페르시아의 카나트는 이란고원의 눈, 빙하 등이 녹은 물 또는 산지에 내린 강수로 형성된 지하수를 수십 km 떨어진 마을과 농지로 공급하기 위한 지하 관개 수로이다. 카자흐스탄의 사랴르카 초원·호수 지역은 중앙아시아의 북쪽에 위치한 스텝 기후 지역이다.

정답찾기 ㄴ. ㉢은 이란고원으로, 신기 조산대에 해당하는 알프스−히말라야 조산대에 속한다.

ㄷ. 지하수로(㉣)는 건조 기후 지역에서 관개용수가 증발되는 것을 줄이는 효과가 있다.

오답피하기 ㄱ. 티그리스강과 유프라테스강(㉠)은 북서쪽의 튀르키예(터키) 아나톨리아고원에서 발원하여 남동쪽의 페르시아만으로 유입하는 외래 하천이다.

ㄹ. 메소포타미아 평원의 배후 습지(㉡)와 카자흐스탄의 초원(㉤)은

모두 연 강수량이 연 증발량보다 적은 건조 기후 지역에 속한다.

03 건조 아시아와 북부 아프리카의 전통 가옥 특징 이해

문제분석 사막 기후 지역인 (가)에서는 기온의 일교차가 크고 나무를 구하기 어려운 환경에서 벽이 두껍고 창이 작으며 지붕은 평평한 흙벽돌집을 만든다. 스텝 기후 지역인 (나)에서는 초원에서 유목을 하면서 설치와 해체가 용이하도록 나무 뼈대와 가죽이나 천을 이용하여 이동식 가옥을 만든다.

정답찾기 ㄱ. 사막 기후 지역(가)의 전통 의복은 뜨거운 햇볕과 모래바람으로부터 피부를 보호하고 기온이 떨어지는 밤에는 체온을 유지하기 위해 헐렁하게 늘어지는 천으로 온몸을 감싸는 형태이다.

ㄹ. 사막 기후 지역(가)과 스텝 기후 지역(나)은 모두 조리 과정에서 물과 땔감을 적게 사용하는 전통 음식이 발달하였다.

오답피하기 ㄴ. 스텝 기후 지역(나)의 주민들은 주로 양, 염소, 낙타 등의 가축에서 얻은 고기를 소비한다. 돼지는 건조 기후 지역에서 사육하기 어려운 가축이며, 돼지고기는 대부분 이슬람교 신자인 주민들이 금기시한다.

ㄷ. 사막 기후 지역(가)의 흙벽돌집은 스텝 기후 지역(나)의 이동식 가옥보다 유목 생활에 불리하다.

04 건조 아시아와 북부 아프리카의 농업 특징 파악

문제분석 건조 아시아와 북부 아프리카에서 올리브는 주로 지중해성 기후 지역에서 수목 농업으로 재배되고, 대추야자는 주로 건조 기후 지역에서 오아시스 농업이나 관개 농업으로 재배되며, 밀은 주로 외래 하천 주변이나 스텝 기후 지역에서 재배된다. (가)는 사우디아라비아의 생산량이 많은 대추야자, (나)는 사우디아라비아와 카자흐스탄의 생산량이 적은 올리브, (다)는 카자흐스탄의 생산량이 많은 밀이다. A는 네 국가 중 대추야자 생산량이 가장 많고, 올리브의 생산량이 두 번째로 많은 이집트, B는 네 국가 중 올리브와 밀의 생산량이 가장 많은 튀르키예(터키)이다.

정답찾기 ③ 대추야자(가)는 올리브(나)보다 세계 생산량에서 서남아시아 지역이 차지하는 비율이 높다. 2021년 기준 대추야자(가)의 생산량 상위 5개 국가는 이집트, 사우디아라비아, 이란, 알제리, 이라크이고, 올리브(나)의 생산량 상위 5개 국가는 에스파냐, 이탈리아, 튀르키예(터키), 모로코, 포르투갈이다.

오답피하기 ① 대추야자(가)는 주로 말린 과육 형태로 소비된다. 빵의 반죽 재료로 많이 이용되는 것은 밀이다.

② 올리브(나)는 장기간 저장이 어려워 유목민의 주요 식량으로 이용되기 어렵다. 영양이 풍부하고 저장성이 뛰어나 유목민의 주요 식량으로 이용되는 것은 대추야자이다.

④ 이집트(A)는 올리브(나)가 밀(다)보다 생산량이 적다.

⑤ 튀르키예(터키)(B)에서 올리브(나)는 지중해성 기후 지역이 재배에 유리하다. 나일강은 이집트(A)에 있는 외래 하천이다.

05 건조 아시아와 북부 아프리카의 화석 에너지 분포 특징 이해

문제분석 (가)는 A, 카타르, B, 알제리, 투르크메니스탄의 생산량 비율이 높은 천연가스이고, (나)는 B, 이라크, 아랍 에미리트, A, 쿠웨

이트의 생산량 비율이 높은 석유이다. A는 석유에 비해 천연가스 생산량 비율이 높은 이란이고, B는 천연가스에 비해 석유의 생산량 비율이 높은 사우디아라비아이다.

(정답찾기) ⑤ A는 천연가스 생산량 비율이 높은 이란이고, B는 석유 생산량 비율이 높은 사우디아라비아이다.

(오답피하기) ① 그래프에 제시된 국가 중 일부만 석유 수출국 기구(OPEC) 회원국이다. 건조 아시아와 북부 아프리카 국가 중 석유 수출국 기구(OPEC) 회원국(2023년 기준)은 이란, 이라크, 쿠웨이트, 사우디아라비아, 알제리, 리비아, 아랍 에미리트이다.
② 석유(나)의 매장량 비율은 페르시아만이 있는 서남아시아 지역이 카스피해가 있는 중앙아시아 지역보다 높으므로, 매장량은 서남아시아 국가가 중앙아시아 국가보다 많다.
③ 천연가스(가)는 석유(나)보다 세계 생산량에서 건조 아시아와 북부 아프리카가 차지하는 비율이 낮다. 천연가스(가)의 지역(대륙)별 생산량 비율(2022년)은 앵글로아메리카＞유럽＞서남아시아 순으로 높고, 석유(나)의 지역(대륙)별 생산량 비율(2022년)은 서남아시아＞앵글로아메리카＞유럽 순으로 높다.
④ 건조 아시아와 북부 아프리카 국가 중 천연가스(가)의 수출량이 가장 많은 국가는 이란(A)이 아니라 카타르이다. 이란(A)은 권역 내 국가 중 천연가스(가) 생산량 비율이 가장 높지만, 천연가스(가) 수출량은 카타르가 가장 많다.

06 건조 아시아와 북부 아프리카 세 국가의 특징 파악

(문제분석) 세 국가 중 (가)는 총인구가 가장 많고 삼림의 비율이 가장 높은 튀르키예(터키), (나)는 경지와 목장·목초지 비율이 각각 가장 높고 1인당 국민 총소득(GNI)이 가장 적은 튀니지, (다)는 총인구가 가장 적고 경지와 목장·목초지 비율이 각각 가장 낮으며 1인당 국민 총소득(GNI)이 가장 많은 아랍 에미리트이다.

(정답찾기) ㄱ. 튀르키예(터키)(가)의 1인당 국민 총소득(GNI)은 아랍 에미리트(다)의 약 1/4이지만 총인구는 9배 이상이므로, 튀르키예(터키)(가)는 아랍 에미리트(다)보다 국민 총소득(GNI)이 많다.
ㄷ. 아랍 에미리트(다)는 튀니지(나)보다 경제 발전 수준이 높아 사회 기반 시설 확충에 청장년층 남자 노동력의 유입이 많으므로, 청장년층 인구의 성비가 높다.

(오답피하기) ㄴ. 튀니지(나)는 튀르키예(터키)(가)보다 국토 면적이 좁아 경지와 목장·목초지 면적이 좁으므로 농업 생산액이 적다.
ㄹ. 튀르키예(터키)(가)는 아시아, 튀니지(나)는 아프리카에 위치한다.

07 건조 아시아와 북부 아프리카 네 국가의 산업 구조 특징 파악

(문제분석) 지도에 표시된 국가는 알제리, 이집트, 튀르키예(터키), 아랍 에미리트이다. A는 농림축수산물의 수출액 비율이 네 국가 중 가장 높고 총수출액이 500억 달러 미만으로 적은 이집트, B는 공업 제품의 수출액 비율이 가장 높고 총수출액이 네 국가 중 두 번째로 많은 튀르키예(터키)이다. C와 D는 A와 B에 비해 농림축수산물 수출액 비율이 매우 낮고 광물 및 에너지 자원의 수출액 비율이 높으므로 화석 에너지 자원의 생산량이 많은 국가이며, C는 총수출액이 네 국가 중 가장 많고 D는 총수출액이 500억 달러 미만으로 적다. C는 D에

비해 석유 이외 경제 부문 성장을 추진하며 경제 구조의 다변화를 추구하여 공업 제품의 수출액 비율이 높으므로, C는 아랍 에미리트, D는 알제리이다.

(정답찾기) ③ 아랍 에미리트(C)는 알제리(D)보다 1인당 국내 총생산이 많다.

(오답피하기) ① 이집트(A)는 튀르키예(터키)(B)보다 제품 총수출액이 적고 공업 제품의 수출액 비율이 낮아 공업 제품의 수출액이 적다.
② 튀르키예(터키)(B)는 아랍 에미리트(C)보다 화석 에너지 자원의 수출액이 적다.
④ 알제리(D)는 이집트(A)보다 국토 면적은 넓으나 총인구가 적어 인구 밀도가 낮다.
⑤ 이집트(A)와 알제리(D)는 북부 아프리카, 튀르키예(터키)(B)와 아랍 에미리트(C)는 건조 아시아에 위치한다.

08 건조 아시아와 북부 아프리카 두 국가의 경제 구조 다변화 전략 특징 파악

(문제분석) 건조 아시아와 북부 아프리카는 에너지 시장의 변화로 인한 미래 경제 구조의 불확실성 증가로 석유 이외의 경제 부문 성장을 추진하고 지속 가능한 발전의 기틀을 마련하기 위한 노력을 하고 있다. 이를 위해 재정 수입의 다변화, 관광 및 서비스 산업 육성, 제조업 육성, 사회 간접 자본 및 기간산업 육성 등을 추진하고 있다. (가)는 아부다비와 두바이를 중심으로 중계 무역, 관광 산업, 첨단 산업 등으로 경제 구조 다변화를 추진하고 있는 아랍 에미리트이고, (나)는 메카를 중심으로 한 관광 산업, 신도시 개발, 첨단 산업 등으로 경제 구조 다변화를 추진하고 있는 사우디아라비아이다.

(정답찾기) ⑤ 지도의 A는 리비아, B는 이집트, C는 사우디아라비아, D는 아랍 에미리트이다. 따라서 (가)는 D, (나)는 C이다.

09 국장(國章)을 통한 건조 아시아와 북부 아프리카 세 국가의 특징 파악

(문제분석) 국가의 상징 문양인 국장(國章)을 통해 국가의 자연환경 및 인문 환경 특징을 파악할 수 있다. (가)는 메카와 리야드가 위치하고, 대추야자를 많이 재배하는 사우디아라비아이다. (나)는 파미르 고원이 있고, 이곳에서 발원한 아무다리야강을 이용한 관개 농업으로 목화와 밀을 재배하는 타지키스탄이다. (다)는 유대인이 대다수를 이루고, 지중해 연안의 지중해성 기후 지역에서 올리브를 재배하는 이스라엘이다.

(정답찾기) ④ 지도의 A는 이스라엘, B는 사우디아라비아, C는 타지키스탄이다. 따라서 (가)는 B, (나)는 C, (다)는 A이다.

10 건조 아시아와 북부 아프리카의 환경 문제 파악

(문제분석) 건조 아시아와 북부 아프리카의 일부 지역에는 사막화, 관개 농업과 목축업, 댐 건설 등으로 인한 토양 황폐화 문제가 나타난다. 주요 발생 지역은 사헬 지대, 아랄해 연안, 외래 하천이나 지하수를 이용한 관개 농업 지역 등이다. 사헬 지대는 인구 증가로 인한 과도한 방목 및 벌목으로 토양 침식과 초원 황폐화 문제가 발생했다. 피해 국가는 말리, 니제르, 차드, 수단 등이다. 아랄해 연안은 아무다리야강과 시르다리야강 유역의 과도한 관개 농업으로 아랄해의 면

적이 축소되면서 호수 주변의 토양 황폐화 문제가 발생했다. 피해 국가는 카자흐스탄, 우즈베키스탄, 투르크메니스탄 등이다. 사우디아라비아의 내륙 지방에서는 지하수를 이용한 관개 농업으로 인한 지하수 고갈 문제가 있으며, 이집트에서는 나일강에 대규모 댐을 건설하면서 하류 지역의 퇴적물 감소와 토양 황폐화가 나타났다. 지도의 A는 니제르 중남부 지역, B는 이집트의 나일강 삼각주, C는 사우디아라비아의 중부 지역, D는 중앙아시아의 아랄해와 그 주변 지역이다.

정답찾기 갑 – 사헬 지대에 위치한 니제르 남부(A)에서는 인구 증가와 과도한 방목으로 인한 초원 황폐화 문제가 나타난다.

을 – 이집트의 나일강 삼각주(B)는 나일강 상류의 대규모 댐 건설로 인해 하천 퇴적물의 양이 감소하였다.

오답피하기 병 – 사우디아라비아 중부 내륙 지역(C)은 외래 하천이 없다. 이곳은 지하수를 스프링클러로 분사하는 관개 농업이 이루어져 지하수가 고갈되는 문제가 있다.

정 – 아랄해 연안(D)은 지하수를 스프링클러로 분사하는 관개 농업이 이루어지지 않는다. 이곳은 하천 유역의 과도한 관개 농업으로 호수 면적이 축소되어 토양이 황폐화되는 문제가 있다.

THEME 14 유럽과 북부 아메리카

수능 실전 문제
본문 77~82쪽

01 ②	02 ②	03 ②	04 ③
05 ⑤	06 ③	07 ③	08 ⑤
09 ④	10 ④	11 ②	12 ③

01 유럽의 공업 지역 변화 파악

문제분석 제시된 두 지역은 유럽의 공업 도시이다. 독일의 겔젠키르헨(㉠)은 유럽의 초기 산업 발달 지역인 루르 지역에 위치해 있다. 과거 석탄 산업과 철강 산업이 발달한 도시이며, 공업 쇠퇴 이후 재생 에너지 등을 통해 새로운 산업을 발달시키고 있다. 프랑스의 툴루즈(㉡)는 대서양과 지중해를 잇는 운하가 있고, 대학과 연구 기관이 많은 교육 도시이자 항공·우주 산업이 발달한 첨단 산업 도시이기도 하다. A는 영국 중부, 프랑스와 독일 내륙 등지에 분포하며, 과거 석탄 및 철광석 산지 중심으로 발달한 산업화 초기의 공업 지역이다. 이후 시설의 노후화 및 새로운 에너지 자원의 등장 등으로 점차 쇠퇴하였다. 따라서 A는 전통 공업 지역에 해당한다. B는 북해 및 라인강 주변을 따라 주로 분포하는 해운·하운 교통 발달 지역이며, C는 연구 환경과 인프라 여건 등이 좋은 지역을 중심으로 형성된 첨단 산업 지역이다.

정답찾기 ② 겔젠키르헨(㉠)은 산업화 초기 공업 발달 지역인 루르 지방에 위치해 있으므로 전통 공업 지역인 A에 속하며, 툴루즈(㉡)는 항공·우주 산업 등 첨단 산업이 발달한 지역이므로 첨단 산업 지역인 C에 속한다.

02 미국 세 주(州)의 제조업 발달 특징 파악

문제분석 (가)~(다)는 지도에 표시된 미국의 세 주(州)인 캘리포니아주, 텍사스주, 미시간주의 제조업 업종별 생산액을 나타내고 있다. 미국 서부의 캘리포니아주는 첨단 산업, 영화 산업 등이 발달하였다. 멕시코만 연안의 텍사스주는 멕시코만의 풍부한 석유 자원을 바탕으로 석유 화학 산업이 발달하였고, 항공·우주 산업 등 첨단 산업도 입지해 있다. 오대호 연안의 미시간주는 주변의 지하자원과 오대호의 수운을 이용해 중화학 공업이 발달하였다. A는 (가), (나)의 주요 생산 업종이며, 특히 (가)에서 가장 높은 생산액을 보인다. B는 (다)의 주요 생산 업종이지만, 제조업 생산액이 높지 않은 편이다. 따라서 첨단 산업이 입지한 캘리포니아주, 텍사스주가 (가), (나) 중 하나이며, A는 컴퓨터 및 전자 제품이다. 그중 캘리포니아주가 실리콘 밸리를 중심으로 컴퓨터 및 전자 산업이 발달하였으므로, (가)는 캘리포니아주, (나)는 텍사스주이다. 상대적으로 제조업 생산액이 적은 (다)는 중화학 공업이 발달했지만 현재 쇠퇴한 지역인 미시간주이며, B는 중화학 공업 중 하나인 기계류에 해당된다.

정답찾기 ㄱ. 캘리포니아주(가)에는 실리콘 밸리의 일부가 위치한 샌프란시스코가 있고, 영화 산업이 발달한 로스앤젤레스가 있다.

ㄷ. 미국의 공업 지역은 북동부의 러스트 벨트, 남부 및 남서부의 선

벨트로 구분된다. 제시된 지역 중 미시간주(다)는 러스트 벨트, 캘리포니아주(가)와 텍사스주(나)는 선벨트에 해당한다.

오답피하기 ㄴ. 오대호의 수운을 바탕으로 공업이 성장한 지역은 미시간주(다)이다.

ㄹ. A는 컴퓨터 및 전자 제품, B는 기계류에 해당한다.

03 북부 아메리카와 유럽의 공업 지역 특징 파악

문제분석 제시된 글은 유럽과 북부 아메리카의 첨단 산업 발달 지역에 대해 소개하고 있다. (가)는 첨단 산업의 주요 제품인 반도체에 들어가는 재료의 이름과 이 지역의 산타클라라 계곡을 합해 만들어진 지명이 있는 곳이다. 수많은 IT 업체들의 본사가 자리 잡은 이 공업 지역은 미국 서부의 실리콘 밸리이다. (나)는 유럽에 위치한 곳으로 수도에 자리 잡고 있으며, 무선 통신 기술을 개발한 대표적인 첨단 산업 지구인 스웨덴의 시스타 사이언스 시티이다.

정답찾기 ② 지도에 표시된 A는 실리콘 밸리가 포함된 태평양 연안 공업 지역의 일부, B는 중화학 공업이 발달한 오대호 연안 공업 지역의 일부이다. C는 첨단 산업이 발달한 영국 스코틀랜드의 실리콘 글렌이며, D는 스웨덴의 수도 스톡홀름에 위치한 시스타 사이언스 시티이다. 따라서 (가)는 A, (나)는 D에 해당한다.

04 프랑스의 도시 구조 이해

문제분석 제시된 사진은 프랑스 파리의 두 지역을 보여주고 있다. (가)는 고층 빌딩이 즐비한 파리 외곽의 신흥 업무 지구 라 데팡스이며, (나)는 개선문 일대 지역으로 파리의 도심에 해당한다. (가)와 (나)는 개선문으로부터 시작되는 대로로 연결되어 있다.

정답찾기 ㄱ. 라 데팡스(가)는 파리 외곽에 조성된 신흥 업무 지구이다.

ㄴ. 라 데팡스(가)는 도심에 가까운 개선문 일대(나)에 비해 주변 시가지가 형성된 시기가 더 늦다.

오답피하기 ㄷ. 라 데팡스(가)는 도심과 떨어진 주변(외곽) 지역에 세워진 신흥 업무 지구이다. 반면, 개선문 일대(나)는 파리의 도심에 위치해 있다.

05 북부 아메리카의 주요 공업 지역 이해

문제분석 지도의 A는 태평양 연안 공업 지역 중 일부로 멕시코와 인접해 있으며, 영화 산업, 첨단 산업 등이 발달하였다. B는 미국과 국경을 접하는 멕시코의 공업 지역인 마킬라도라 중 일부이다. C는 휴스턴을 주요 도시로 하는 멕시코만 연안 공업 지역이다. D는 풍부한 지하자원과 수운을 바탕으로 발달한 오대호 연안 공업 지역이다. E는 유럽과의 지리적 인접성과 이민자의 저렴한 노동력을 바탕으로 미국의 산업화 초기에 발달한 뉴잉글랜드 공업 지역이다.

정답찾기 ⑤ E는 미국의 산업화 초기에 발달한 공업 지역이며, A는 남부 및 남서부로 공업의 중심이 이동하면서 발달한 지역이다. 따라서 E는 A보다 공업 발달의 역사가 길다.

오답피하기 ① A의 로스앤젤레스에는 할리우드라는 영화 산업 단지가 발달하였다.

② B는 마킬라도라가 입지한 지역 중 하나로, 멕시코의 저렴한 노동력을 이용해 제품을 생산하여 미국 등으로 수출한다.

③ C는 석유가 풍부한 멕시코만 연안에 위치한 공업 지역으로, 석유 화학 및 항공 · 우주 산업이 발달하였다.

④ D는 석탄, 철광석 등의 풍부한 지하자원과 오대호의 수운 교통을 바탕으로 중화학 공업이 발달하였다.

06 뉴욕과 런던의 도시 특징 비교

문제분석 제시된 자료는 두 도시의 건축물을 통해 도시 특징을 설명하고 있다. (가)의 경우, 맨해튼 지역의 격자형 가로망 건설 과정을 설명하면서, 기존의 대각선 방향의 도로인 브로드웨이와의 교차 지점에 만들어진 삼각형의 토지와 건축물에 대해 소개하고 있다. 이를 통해 (가)는 미국의 뉴욕이라는 것을 알 수 있다. (나)의 경우 템스강 북쪽에 위치한 금융 중심 '시티 오브 ○○'에 지어진 고층 건축물을 소개하고 있다. 도심의 대다수 건물이 역사 경관 보호를 위해 저층이라는 것을 제시하면서, 해당 고층 건축물이 이 도시의 주요 랜드마크인 빅 벤, 타워브리지 등과 함께 상징물이 되었다고 소개하고 있다. 이를 통해 (나)가 영국의 런던이라는 것을 알 수 있다.

정답찾기 ③ 지도의 A는 샌프란시스코, B는 뉴욕, C는 런던, D는 파리이다. 따라서 (가)는 B, (나)는 C이다.

07 유럽 연합(EU)과 동남아시아 국가 연합(ASEAN)의 특징 비교

문제분석 (가)는 역내 수출액과 수입액 모두 역외 수출액과 수입액보다 많아 역내에서의 무역이 활발한 경제 블록이라는 것을 알 수 있다. 반면, (나)는 역외 수출액과 수입액 모두 역내 수출액과 수입액보다 많아 역내 무역이 상대적으로 덜 활발함을 알 수 있다. 또한 (가)는 (나)보다 전체 무역액이 많다. 따라서 (가)는 대부분 선진국으로 구성되어 있으며 경제적 통합 수준이 높은 유럽 연합(EU)이고, (나)는 대부분 개발 도상국으로 구성되어 있으며 경제적 통합 수준이 낮은 동남아시아 국가 연합(ASEAN)이다.

정답찾기 ③ 유럽 연합(EU)(가)은 통합 수준이 높아 국경의 제약이 상대적으로 적으며 단일 시장이 형성되어 있어 생산 요소의 자유로운 이동이 가능하다.

오답피하기 ① 동남아시아 국가 연합(ASEAN)(나)은 단일 화폐를 사용하지 않는다. 유럽 연합(EU)(가) 대부분의 국가는 유로화라는 단일 화폐를 사용한다.

② 유럽 연합(EU)(가)은 2021년 기준 27개 회원국이며, 동남아시아 국가 연합(ASEAN)(나)은 10개 회원국으로 구성되어 있다.

④ 단일 시장을 형성하고 있으며 단일 화폐를 사용하는 유럽 연합(EU)(가)의 경제적 통합 수준이 동남아시아 국가 연합(ASEAN)(나)보다 높다.

⑤ 유럽 연합(EU)(가)은 동남아시아 국가 연합(ASEAN)(나)보다 역내 총인구가 적은 반면, 역내 총생산은 많다. 따라서 1인당 역내 총생산은 동남아시아 국가 연합(ASEAN)(나)보다 유럽 연합(EU)(가)이 많다.

08 미국 · 멕시코 · 캐나다 협정(USMCA) 국가들의 인구 이동 특징 파악

문제분석 그래프는 미국 · 멕시코 · 캐나다 협정(USMCA) 소속 국가들인 미국, 멕시코, 캐나다의 유입 인구를 각각 나타낸 것이다.

(가)는 총 유입 인구 및 (다)에서의 유입 인구는 대체로 꾸준히 증가해 왔지만, (나)에서의 유입 인구는 상대적으로 적다. 그리고 2020년 총 유입 인구가 백만 명이 약간 넘는 정도로, 세 국가 중 유입 인구가 가장 적다.

(나)는 총 유입 인구가 지속적으로 증가하지만 (가), (다)에서의 유입 인구가 적다. 그리고 2020년 총 유입 인구가 8백만 명 정도로 (가)보다 많지만, (다)보다 적다.

(다)는 총 유입 인구가 지속적으로 증가하였으며, (나)에서의 유입 인구가 상대적으로 적은 편이지만, (가)에서의 유입 인구는 2020년 1,500만 명 정도로 많다. 그리고 2020년 총 유입 인구가 5천만 명 정도로 세 국가 중 가장 많다. 따라서 (다)는 국내 총생산 1위 국가로 총 유입 인구가 가장 많은 미국이고, (가)는 세 국가 중 총 유입 인구가 가장 적으면서 미국(다)으로의 유출 인구가 많은 멕시코이며, (나)는 캐나다이다.

정답찾기 ⑤ 세계적인 경제 대국인 미국(다)은 개발 도상국인 멕시코(가)보다 1인당 국내 총생산이 많다.

오답피하기 ① 마킬라도라는 외국에서 원료와 원자재를 수입한 후 조립 또는 가공하여 수출하는 공업 지대를 일컫는 말로, 멕시코(가)에 발달하였다.
② 미국(다)은 세계 주요 석유 생산 국가로, 멕시코(가)보다 석유 생산량이 많다.
③ 2020년 미국(다)에서 멕시코(가)로 이동한 인구는 2020년 약 80만 명이며, 멕시코(가)에서 미국(다)으로 이동한 인구는 약 1,100만 명이다. 따라서 미국(다)은 멕시코(가)와의 인구 이동에서 인구 순 유입이 나타나고 있다.
④ 멕시코(가)와 캐나다(나)는 국경을 맞대고 있지 않다.

09 유럽의 주요 국가 특징 파악

문제분석 지도의 A는 영국, B는 노르웨이, C는 벨기에, D는 스위스, E는 이탈리아이다.

정답찾기 ㄱ. 영국(A)의 북부에 위치한 스코틀랜드는 영국에 속해 있는 지역 중 하나이며, 고유한 언어와 문화를 가지고 있어 영국으로부터 분리 독립 움직임을 보였다.
ㄴ. 벨기에(C)에서는 프랑스어, 네덜란드어 및 독일어를 공용어로 사용한다.
ㄹ. 벨기에(C) 북부의 플랑드르 지역은 남부와 다른 언어를 사용하여 언어권 간 갈등이 나타나지만, 경제적 차이도 나타난다. 이탈리아(E) 북부의 파다니아는 남부보다 경제 발전 수준이 높아 이로 인한 지역 갈등이 있다.

오답피하기 ㄷ. 노르웨이(B)와 스위스(D)는 모두 유럽 연합(EU) 회원국이 아니다.

10 유럽의 지역별 분리주의 운동의 특징 파악

문제분석 피레네산맥의 남쪽에 위치하고, 바르셀로나가 주도인 (가)는 카탈루냐이다. 알프스산맥의 평야 지대라는 뜻의 명칭을 갖고 있으며, 이탈리아 남부와의 갈등을 겪고 있는 (나)는 이탈리아 북부 지방에 위치한 파다니아이다.

정답찾기 ㄴ. 카탈루냐(가)에서는 지역의 독자적인 언어인 카탈루냐

어가 사용된다.
ㄹ. 카탈루냐(가)는 에스파냐 내에서 소득 수준이 높은 지역이며, 밀라노, 베네치아 등 이탈리아의 주요 도시가 속해 있는 파다니아(나)도 이탈리아의 남부 지역에 비해 소득 수준이 높다.

오답피하기 ㄱ. (가)는 카탈루냐이다. 바스크도 에스파냐에 속하며 고유의 언어와 문화가 있어 분리주의 운동이 나타나는 지역이지만, 에스파냐의 북부에 위치한다.
ㄷ. 파다니아(나)는 이탈리아 내에서 민족 구성이 다르지 않다.

11 영국, 벨기에, 캐나다의 특징 이해

문제분석 A는 영국, B는 벨기에, C는 캐나다이다. A는 잉글랜드, 스코틀랜드, 웨일스, 북아일랜드로 구성된 국가로, 북아일랜드와 스코틀랜드는 잉글랜드와 문화·역사적으로 달라 분리 독립 움직임이 있다. B는 네덜란드어와 프랑스어를 사용하는 두 개의 지역이 남북으로 나뉘어 있으며, 역시 분리주의 움직임이 있는 곳이다. C의 동부에 위치한 퀘벡주는 과거 프랑스계 주민이 다수 정착하여 프랑스어 사용 인구 비율이 높으며, 분리 독립 움직임을 꾸준히 보여왔다.

정답찾기 ㄱ. 벨기에(B)의 수도인 브뤼셀에는 유럽 연합(EU) 본부가 있다.
ㄹ. 영국(A)은 스코틀랜드와 북아일랜드, 캐나다(C)는 퀘벡 지방의 분리 독립 움직임이 있다.

오답피하기 ㄴ. 벨기에(B)는 네덜란드어를 주로 사용하는 북부 지방과 프랑스어를 주로 사용하는 남부 지방으로 크게 나뉘는데, 평균 소득 수준은 고부가 가치의 지식 산업 등이 발달한 북부 지방이 농업, 광공업 위주의 남부 지방보다 높은 편이다.
ㄷ. 마킬라도라 프로그램은 미국과 멕시코 간 생산 공조를 위해 만든 프로그램이다. 따라서 캐나다(C)와는 관계가 없다.

12 파리와 시카고의 도시 특징 이해

문제분석 (가)는 프랑스에 위치해 있고, 에펠 탑이 도시의 상징물이며, 루브르 박물관, 샹젤리제 거리와 주요 국제기구의 본부가 위치한 도시이므로 프랑스의 파리이다. (나)는 미국에 위치해 있고, 오대호 연안에 자리 잡고 내륙 수운 교통과 함께 성장하였으며, 동심원 모양으로 도시 구조가 형성되어 있는 도시이므로 미국의 시카고이다.

정답찾기 ㄴ. 파리(가)를 비롯한 유럽의 도시들은 도시 발달의 역사가 오래되었다. 반면, 시카고(나)를 비롯한 미국의 도시들은 상대적으로 도시 발달의 역사가 짧다.
ㄷ. 도심에 역사적 건축물이 많은 유럽의 도시들에 비해 미국의 도시들은 도심에 고층 건물이 발달하였다. 따라서 시카고(나)는 파리(가)보다 도심의 건물 평균 층수가 많다.

오답피하기 ㄱ. 세계 도시 계층에서 최상위 계층의 세계 도시에는 일반적으로 미국의 뉴욕, 영국의 런던, 일본의 도쿄가 해당한다.
ㄹ. 파리(가)는 프랑스의 수도이지만, 시카고(나)는 미국의 수도가 아니다. 미국의 수도는 워싱턴 D.C.이다.

사하라 이남 아프리카와 중·남부 아메리카

본문 85~89쪽

01 ④	02 ②	03 ①	04 ⑤
05 ④	06 ④	07 ④	08 ⑤
09 ①	10 ⑤		

01 중·남부 아메리카 대도시 분포 및 주요 국가의 도시화율 이해

문제분석 중·남부 아메리카의 도시화율은 80% 이상으로, 산업화 수준에 비해 도시화율이 높은 편이다. 유럽인의 진출 이후 이촌 향도 현상이 급속히 진행되면서 일부 특정 도시로 과도한 인구가 집중하였고, 이로 인해 과도시화 현상이 발생하여 도시 기반 시설 부족, 주택 부족, 환경 오염 등 도시 문제가 나타나고 있다. 중·남부 아메리카에 분포하는 주요 대도시는 식민 지배의 영향을 받았으며, 고산 지역과 해안 지역을 중심으로 도시가 발달하였다. A는 보고타, B는 부에노스아이레스, C는 리우데자네이루이다. (가), (나) 중 인구가 더 많은 (가)는 브라질, 인구가 (가)보다 적은 (나)는 아르헨티나이다.

정답찾기 ④ 아르헨티나(나)는 인구 천만 명 이상 대도시가 1개 있고, 브라질(가)은 인구 천만 명 이상 대도시가 2개 있다. 브라질에 있는 인구 천만 명 이상 대도시는 상파울루와 리우데자네이루(C)이다.

오답피하기 ① 리우데자네이루(C)에는 불량 주택 지구인 파벨라가 있다.

② 그래프를 보면 부에노스아이레스(B)가 속한 국가인 아르헨티나(나)의 도시화율은 90% 이상으로, 보고타(A)가 속한 국가인 콜롬비아의 도시화율(약 81%)보다 높다.

③ 보고타(A)와 부에노스아이레스(B)는 모두 해당 국가의 수도이다.

⑤ 인구 천만 명 이상 대도시 중 해안 지역에 위치한 도시는 4개(리마, 부에노스아이레스, 상파울루, 리우데자네이루)이고 고산 지역에 위치한 도시는 2개(멕시코시티, 보고타)로, 해안 지역에 위치한 도시가 고산 지역에 위치한 도시보다 많다.

02 중·남부 아메리카 주요 도시의 내부 구조 이해

문제분석 중·남부 아메리카의 도시는 유럽의 식민 지배의 영향을 받아 중앙에 광장이 있고, 광장 주변으로 교회, 관공서 등의 핵심 시설이 입지한다. 또한 사회적 지위에 따른 거주지 분리 현상도 뚜렷하게 나타나는 편이다. (가)는 남북으로 좁고 긴 형태의 국토를 가진 국가의 수도, 지중해성 기후를 통해 칠레의 수도 산티아고임을 알 수 있다. (나)는 라틴 아메리카에서 두 번째로 국토 면적이 넓고 유럽계 비율이 전체 국민의 80% 이상인 국가, 보카, 탱고의 발상지 등을 통해 아르헨티나의 수도인 부에노스아이레스임을 알 수 있다. (다)는 아스테카 문명의 중심 도시를 통해 멕시코시티임을 알 수 있다.

정답찾기 ㄱ. 부에노스아이레스(나)는 아르헨티나의 수위 도시이다. 부에노스아이레스는 광역 도시권의 인구가 약 1,500만 명으로, 광역 도시권 인구 2위인 코르도바(약 150만 명)의 2배가 넘는 종주 도시

이다.

ㄷ. 멕시코시티(다)가 속한 국가인 멕시코가 산티아고(가)가 속한 국가인 칠레보다 총인구가 많다. 2020년 기준으로 멕시코의 인구는 약 12,600만 명, 칠레의 인구는 약 1,930만 명이다.

오답피하기 ㄴ. 멕시코시티(다)는 내륙의 멕시코고원에 위치한 도시이고, 산티아고(가)는 태평양 연안에 위치한 항구 도시이다. 따라서 멕시코시티(다)가 산티아고(가)보다 해발 고도가 높다.

ㄹ. 부에노스아이레스(나)가 속한 국가는 아르헨티나이고, 멕시코시티(다)가 속한 국가는 멕시코이다. 아르헨티나와 멕시코는 국경을 접하고 있지 않다.

03 중·남부 아메리카의 민족(인종) 구성 이해

문제분석 지도에 표시된 세 국가는 멕시코, 페루, 아르헨티나이다. 혼혈의 비율이 국가 내 민족(인종) 구성 중 가장 높은 (나)는 멕시코이다. 페루와 아르헨티나 중 혼혈의 비율이 높은 국가는 페루이므로 (가)는 페루, (다)는 아르헨티나이다. 페루는 국토 대부분이 안데스 고산 지대에 위치하고, 잉카 문명의 중심지였던 곳이기 때문에 원주민의 비율이 높다. 따라서 페루에서 비율이 가장 높은 B는 원주민이다. 아르헨티나에서 비율이 가장 높은 A는 유럽계이다. 아르헨티나는 대체로 기후가 온화하여 유럽인들이 많이 정착하였다.

정답찾기 ① 원주민(B)의 조상들은 잉카, 아스테카 등의 고대 문명을 발달시켰다.

오답피하기 ② 원주민(B)이 유럽계(A)보다 중·남부 아메리카에 정착한 시기가 이르다.

③ 브라질은 유럽계(A)가 약 48%로, 1% 미만인 원주민(B)보다 민족(인종) 구성에서 차지하는 비율이 높다.

④ 페루(가)는 멕시코(나)보다 국가 내 민족(인종) 구성에서 원주민(B)이 차지하는 비율이 높다.

⑤ 멕시코(나)는 북반구, 아르헨티나(다)는 남반구에 위치한다.

04 라파스, 리우데자네이루의 도시 특징 파악

문제분석 (가)는 라파스이며, 안데스산맥에 위치한 '세계에서 가장 높은 곳에 위치한 수도', 도시 내 주요 교통수단이 케이블카라는 것을 통해 추론할 수 있다. 라파스(가)는 볼리비아의 수도로, 고산 도시이다. (나)는 리우데자네이루이며, 세계 3대 미항, 올림픽 개최지, 파벨라 등을 통해 추론할 수 있다. 리우데자네이루(나)는 브라질에 속한 도시로, 대서양 연안에 접한 항구 도시이다.

정답찾기 ⑤ 지도에 표시된 네 도시는 멕시코시티(A), 라파스(B), 부에노스아이레스(C), 리우데자네이루(D)이다. 따라서 (가)는 B, (나)는 D이다.

05 사하라 이남 아프리카의 종교별 구성 비율 이해

문제분석 사하라 이남 아프리카의 종교별 구성 비율을 보면 토속 신앙의 비율이 높았으나 크리스트교와 이슬람교가 전파되면서 토속 신앙의 비율은 점차 낮아지고, 이슬람교와 크리스트교의 비율이 높아졌다. 북부 아프리카는 크리스트교보다 이슬람교 신자 비율이 높은 반면, 사하라 이남 아프리카는 이슬람교보다 크리스트교 신자 비율

이 높게 나타난다. 따라서 (가)는 크리스트교, (나)는 이슬람교이다. 두 종교의 경계 부근에서는 종교 차이에 따른 갈등이 빈번하게 나타나는데, 대표적인 갈등 지역은 나이지리아와 수단·남수단이다. 이들 지역에서도 북쪽은 이슬람교가 우세하며, 남쪽은 크리스트교가 우세하게 나타난다.

(정답찾기) ㄱ. 토속 신앙은 전통 부족 사회의 문화 형성에 큰 영향을 주었다.

ㄷ. 남수단은 이슬람교(나) 신자보다 크리스트교(가) 신자가 많다.

ㄹ. 수단은 사헬 지대에 걸쳐 있는 국가이다.

(오답피하기) ㄴ. 나이지리아의 북부는 이슬람교(나), 남부는 크리스트교(가)가 우세하다.

06 사하라 이남 아프리카의 지역 분쟁 이해

(문제분석) (가), (나)는 국기를 변경한 사하라 이남 아프리카에 위치한 두 국가이다. 두 국가 모두 국가 내 갈등이 있었고, 이 갈등의 극복과 국민의 화합을 위해 국기를 변경하였다. (가)는 내전의 참상을 지우기 위해 이전 국기를 폐지했으며, (나)는 백인의 상징만 있었던 국기를 폐지하였다. (가)는 벨기에의 식민지였으며, 후투족과 투치족 간의 내전이 발생한 르완다이다. (나)는 극심한 인종 차별 정책(아파르트헤이트)이 있었던 남아프리카 공화국이다.

(정답찾기) ④ 지도에 표시된 A는 남수단, B는 르완다, C는 남아프리카 공화국이다. 따라서 (가)는 B, (나)는 C이다.

(오답피하기) 남수단(A)은 수단과 민족, 종교, 자원 등을 이유로 갈등을 겪다가 2011년 독립한 국가이다.

07 나이지리아, 에티오피아, 남아프리카 공화국의 특징 비교

(문제분석) 지도에 표시된 세 국가는 각각 나이지리아, 에티오피아, 남아프리카 공화국이다. 인구 만 명당 의사 수가 가장 많은 (다)는 세 국가 중 경제 수준이 가장 높은 남아프리카 공화국이다. 세 국가 중 총인구가 가장 많은 (나)는 나이지리아이다. 나이지리아(나)는 아프리카에서 총인구가 가장 많은 국가이다. 세 국가 중 농림어업 부가 가치 비율이 가장 높은 (가)는 에티오피아이다. 에티오피아(가)는 다른 산업에 비해 커피, 밀 등 농업이 발달하여 농림어업 부가 가치 비율이 높게 나타난다.

(정답찾기) ④ 나이지리아(나)는 남아프리카 공화국(다)보다 국토 면적이 좁고 총인구가 많으므로, 나이지리아(나)의 인구 밀도가 남아프리카 공화국(다)보다 높다.

(오답피하기) ① 에티오피아(가)는 북반구에 위치한다.

② 나이지리아(나)는 대서양에만 접해 있다. 대서양과 인도양에 모두 접해 있는 국가는 남아프리카 공화국(다)이다.

③ 석유 생산량은 나이지리아(나)가 에티오피아(가)보다 많다.

⑤ 커피 생산량은 커피의 원산지로 잘 알려진 에티오피아(가)가 남아프리카 공화국(다)보다 많다. 커피는 주로 열대 기후 지역에서 재배되는 것으로, 건조 기후와 온대 기후가 주로 분포하는 남아프리카 공화국(다)보다는 열대 기후가 주로 분포하는 에티오피아(가)가 커피 생산량이 많다.

08 중·남부 아메리카 국가의 상품 수출액 및 지리 정보 파악

(문제분석) (가)는 공업 제품의 수출액이 많은 국가로, 세 국가 중 제조업이 가장 발달한 멕시코이다. 멕시코(가)는 미국과의 국경 지역에 조립·가공업체가 집중된 마킬라도라가 형성되어 있다. (나)는 농림축수산물의 수출액이 많은 국가로, 팜파스를 중심으로 밀 농사와 목축업이 발달한 아르헨티나이다. (다)는 연료 및 광물 제품의 수출액이 많은 국가로, 구리 생산량이 많은 칠레이다. A~C는 다양한 지리 정보를 통해 파악할 수 있다. 수도의 위치에서 남반구에 수도가 위치한 A와 B는 각각 아르헨티나, 칠레 중 하나인데, 두 국가 중 국토 면적이 넓은 A가 아르헨티나, B가 칠레이다. 아르헨티나(A)는 중·남부 아메리카에서 브라질 다음으로 국토 면적이 넓은 국가이다. C는 세 국가 중 총인구가 가장 많으며, 수도가 북반구에 위치한 멕시코이다.

(정답찾기) ⑤ 칠레(B)는 전 세계에서 구리 생산량이 가장 많은 국가로, 아르헨티나(A)보다 구리 생산량이 많다.

(오답피하기) ① 멕시코(가)와 칠레(다)는 국경을 접하고 있지 않다.

② 아르헨티나(나)는 국가 내 민족(인종) 구성에서 유럽계가 약 86%로 압도적으로 높으며, 혼혈(약 7%)이 차지하는 비율이 낮다. 멕시코(가)는 국가 내 민족(인종) 구성에서 혼혈이 약 64%를 차지하여 아르헨티나(나)보다 높다.

③ 칠레(다)는 아르헨티나(나)보다 총인구도 적고 도시화율도 낮으므로, 도시 인구가 아르헨티나(나)보다 적다.

④ 아르헨티나(A)는 총 상품 수출액에서 농림축수산물 수출액이 차지하는 비율이 높은 국가로, 공업 제품 수출액이 차지하는 비율은 멕시코(C)보다 낮다.

09 사하라 이남 아프리카와 중·남부 아메리카의 자원 분포 특성 파악

(문제분석) 사하라 이남 아프리카와 중·남부 아메리카 내 생산량 상위 3개국이 페루, 칠레, 콩고 민주 공화국인 (가)는 구리이고, 생산량 상위 3개국이 콜롬비아, 브라질, 에티오피아인 (나)는 커피이며, 생산량 상위 3개국이 브라질, 나이지리아, 앙골라인 (다)는 석유이다.

(정답찾기) ① 구리(가)는 지각이 불안정한 신기 습곡 산지 주변에 주로 분포하는 자원이다.

(오답피하기) ② 수송용으로 많이 이용되는 에너지 자원은 석유(다)이다.

③ 석유(다)의 최대 수출국은 2021년 기준 사우디아라비아로, 아시아에 위치한다.

④ 커피(나)는 열대 기후 지역에서 주로 재배되는 작물로, 기후가 커피 생산에 미치는 영향이 크다. 반면, 구리(가)는 지각이 불안정한 신기 습곡 산지 지역에 풍부하게 매장되어 있으므로, 자원 생산에 기후보다 지형적 요인이 미치는 영향이 크다.

10 중·남부 아메리카 및 사하라 이남 아프리카의 국가별 상품 수출 구조 파악

(문제분석) (가)는 국가 내 총수출액에서 원유의 수출액 비율이 가장 높은 나이지리아이다. (나)는 국가 내 총수출액에서 다이아몬드의 수출액 비율이 가장 높은 보츠와나이다. (다)는 원유, 석탄, 커피의 수

출액 비율이 높은 콜롬비아이다.

(정답찾기) ㄷ. 콜롬비아(다)는 라틴 아메리카에 위치한 국가로, 국민 대부분이 크리스트교를 믿는다. 나이지리아(가)는 총인구의 절반 정도가 이슬람교를 믿는다. 따라서 국가 내 이슬람교 신자 비율은 콜롬비아(다)가 나이지리아(가)보다 낮다.

ㄹ. 보츠와나(나)의 수출액 1위 품목인 다이아몬드의 수출액 비율은 약 88%로, 콜롬비아(다)의 수출액 1위 품목인 원유의 수출액 비율(약 23%)보다 높다.

(오답피하기) ㄱ. 아프리카 최대 인구 대국인 나이지리아(가)가 보츠와나(나)보다 총인구가 많다.

ㄴ. 콜롬비아(다)의 수도 보고타는 안데스산맥의 고산 지대에 위치한 도시로, 칼라하리 사막의 끝자락에 위치한 보츠와나(나)의 수도 가보로네보다 해발 고도가 높다.

THEME 16 평화와 공존의 세계

본문 91~95쪽

수능 실전 문제

01 ⑤	02 ④	03 ②	04 ④
05 ②	06 ①	07 ①	08 ③
09 ③	10 ②		

01 경제의 세계화에 따른 영향 이해

(문제분석) 교통과 통신의 발달 및 국가 간 인적·물적 교류의 증가로 인해 전 세계의 경제적 상호 의존성이 커지고 있다. 국가 간 무역 장벽이 완화되면서 세계가 단일 시장으로 통합되는 경제의 세계화가 나타나고 있으며, 다국적 기업의 성장으로 인해 경제의 세계화는 더욱 가속화되고 있다.

(정답찾기) ㄴ. 경제의 세계화는 교통과 정보 통신 기술의 발달로 인해 촉진되었다. 교통과 정보 통신 기술의 발달로 인해 기업의 제품 판매 시장이 확대되고 소비자의 상품 선택 기회가 늘어나게 된다.

ㄷ. ⓒ은 다국적 기업으로, 국제 분업을 통해 제품을 생산하고 있다.

ㄹ. 선진국에 위치하며 최상위 세계 도시에 해당하는 뉴욕(ⓒ)은 개발 도상국에 위치한 다카(ⓔ)보다 주민의 평균 소득 수준이 높다.

(오답피하기) ㄱ. 경제의 세계화로 인해 국가 간의 경제적 교류가 활발해지고, 국제 무역액은 증가하였다.

02 주요 경제 블록의 특징 이해

(문제분석) (가)는 동남아시아 국가 연합(ASEAN), (나)는 유럽 연합(EU), (다)는 미국·멕시코·캐나다 협정(USMCA)이다.

(정답찾기) ㄴ. 역내 총생산은 미국·멕시코·캐나다 협정(USMCA)이 가장 많고, 동남아시아 국가 연합(ASEAN)이 가장 적다.

ㄹ. 총무역액 중 역내 무역액 비율은 유럽 연합(EU)이 가장 높고, 동남아시아 국가 연합(ASEAN)이 가장 낮다.

(오답피하기) ㄱ. 총인구는 동남아시아 국가 연합(ASEAN)이 가장 많고, 유럽 연합(EU)이 가장 적다.

ㄷ. 총무역액은 유럽 연합(EU)이 가장 많고, 동남아시아 국가 연합(ASEAN)이 가장 적다.

03 주요 경제 블록의 특징 이해

(문제분석) (가)는 유럽 국가 간 협력을 강화하고 통합을 이루기 위해 만들어진 유럽 연합(EU)이다. (나)는 북아메리카 자유 무역 협정(NAFTA)을 개정한 미국·멕시코·캐나다 협정(USMCA)이다.

(정답찾기) ② 유럽 연합(EU)(가)은 역외 무역액보다 역내 무역액이 많고, 역내 생산 요소의 자유로운 이동이 가능하다. 따라서 유럽 연합(EU)(가)의 특징은 A에 해당한다. 미국·멕시코·캐나다 협정(USMCA)(나)은 역외 무역액보다 역내 무역액이 많지 않고, 회원국 간 정치적 통합을 위한 기구가 존재하지 않는다. 따라서 미국·멕시코·캐나다 협정(USMCA)(나)의 특징은 D에 해당한다.

04 환경 문제 해결을 위한 국제 협약 이해

문제분석 (가)는 지구 온난화 문제를 해결하기 위해 2015년 프랑스 파리에서 체결된 파리 협정이다. (나)는 오존층을 보호하기 위해 1987년 캐나다 몬트리올에서 채택된 몬트리올 의정서이다.

정답찾기 ㄱ. 파리 협정(가)은 선진국과 개발 도상국 모두 온실가스 감축에 참여하도록 규정하였다.

ㄷ. 오존층(㉠)은 자외선이 지표에 도달하는 것을 줄여주는 역할을 한다.

ㄹ. 오존층 파괴 물질(㉡)의 대표적인 사례로 과거 냉장고나 에어컨의 냉매제로 사용되었던 염화 플루오린화 탄소(CFCs)를 들 수 있다.

오답피하기 ㄴ. 파리 협정(가)은 2015년에 체결되었고 몬트리올 의정서(나)는 1987년에 체결되었으므로, 파리 협정(가)은 몬트리올 의정서(나)보다 체결된 시기가 늦다.

05 지구 온난화의 영향 이해

문제분석 산업의 발달과 인구의 증가로 인해 화석 연료 사용량이 급격히 늘어나면서 이산화 탄소와 메테인 등 온실가스의 배출량이 증가하였다. 이로 인해 지구의 평균 기온이 상승하는 지구 온난화 현상이 나타나고 있다.

정답찾기 ② 삼림을 조성하게 되면 나무가 광합성을 하는 과정에서 이산화 탄소를 흡수하고 산소를 방출하여 대기 중 이산화 탄소의 양을 줄여주는 효과가 있다.

오답피하기 ① 영구 동토층은 연중 얼어 있는 땅으로, 주로 고위도 지역에 분포한다. 지구 온난화로 인해 지구의 평균 기온이 상승하면 시베리아 영구 동토층의 범위는 줄어들 것이다.

③ 지구 온난화로 인해 빙하가 녹아 바다로 유입되는 물의 양이 많아지면 해수 염도는 낮아질 것이다.

④ 런던 협약은 폐기물의 해양 투기로 인한 해양 오염을 방지하기 위해 체결된 국제 협약이다. 지구 온난화 해결을 위해 체결된 국제 환경 협약으로는 교토 의정서, 파리 협정 등이 있다.

⑤ 지구 온난화가 지속되면 안데스산맥 고산 식물의 평균 분포 고도는 높아질 것이다.

06 세계 주요 환경 문제의 특성 이해

문제분석 환경 문제는 특정 지역을 초월하여 전 지구적 차원에서 발생하고 있으므로 단일 국가의 노력만으로는 해결하기 어렵다. 이에 따라 환경 문제 해결을 위한 국제적인 협력과 규제가 중요해졌으며, 다양한 환경 관련 협약이 체결되었다. 제시된 자료는 플라스틱 폐기물로 인한 오염에 대한 것으로, 이는 다양한 영역에서 생태계에 부정적인 영향을 미치고 있다. 국제 사회는 유해 폐기물의 국가 간 이동 규제를 목적으로 하는 바젤 협약을 개정하여 폐플라스틱을 수출입 통제 대상 폐기물에 추가하였다.

정답찾기 ㄱ. 전 세계적으로 플라스틱 사용이 늘어나면서, 버려진 플라스틱의 상당수가 해양으로 유입되고 있다. 작은 플라스틱 입자는 다양한 생물이 섭취할 수 있으며, 이는 생물들의 건강에 심각한 피해를 준다. 따라서 플라스틱 폐기물(㉠)은 해양 생태계 파괴의 원인이 된다.

ㄴ. 유럽 연합(EU)(㉡) 회원국 간에는 생산 요소의 자유로운 이동이 가능하다.

오답피하기 ㄷ. 경제 협력 개발 기구(OECD)(㉢)는 회원국 간 상호 정책 조정 및 협력을 통해 세계 경제 문제에 공동으로 대처함으로써 발전을 촉진하기 위해 설립된 정부 간 기구이다.

ㄹ. ㉣은 스위스 바젤에서 체결된 바젤 협약으로, 국가 간 유해 폐기물의 이동 규제를 목표로 한다.

07 수단, 남수단의 분쟁 이해

문제분석 (가)와 (나)는 식민 지배 독립 당시에는 한 나라에 속해 있었지만 수십 년간 내전이 이어졌으며, 2011년 (나)가 (가)로부터 분리 독립하였다는 사실을 통해 (가)는 수단, (나)는 남수단임을 알 수 있다. 그러나 이후에도 석유(㉠) 자원의 수송과 이용을 둘러싸고 분쟁이 이어지고 있다.

정답찾기 ㄱ. 수단(가)의 다르푸르 지역에서는 사막화로 인해 민족 간 갈등이 발생하였다.

ㄴ. 남수단(나)은 바다와 접하지 않은 내륙국이다. 따라서 석유의 수송을 둘러싸고 수단(가)과 분쟁이 지속되고 있다.

오답피하기 ㄷ. 아프리카에서 석유(㉠)의 생산량이 가장 많은 국가는 나이지리아이다.

ㄹ. 아프리카 연합(AU)은 아프리카 공동 이익 추구 및 통합과 발전 촉진을 위해 설립된 국제기구이다.

08 세계의 환경 문제와 분쟁 이해

문제분석 지도의 A는 이집트, B는 수단, C는 에티오피아이다. (가)는 여러 국가를 흐르는 국제 하천인 나일강이다.

정답찾기 ㄴ. 수단(B)에서는 과도한 방목 및 개간, 지하수 개발 등으로 인해 사막화 현상이 심화되었다.

ㄷ. 에티오피아(C)는 국제 하천인 나일강(가)의 이용을 둘러싸고 나일강의 중·하류에 위치한 국가들과 갈등을 겪고 있다. 상류에 위치한 국가에서 댐을 건설할 경우, 하류에 위치한 국가에 유입되는 하천 유량이 감소하게 되어 갈등의 원인이 되기도 한다.

오답피하기 ㄱ. 이집트는 국토의 대부분이 건조 기후 지역으로, 플랜테이션이 이루어지면서 열대림 파괴 문제가 발생했다고 보기 어렵다.

ㄹ. 수단(B)로부터 분리 독립한 국가는 남수단이다.

09 쿠르드족의 특징 이해

문제분석 (가)는 '서남아시아의 집시', 인구 규모, 거주 지역 등의 정보를 통해 쿠르드족임을 알 수 있다. 쿠르드족은 고유의 문화를 지닌 민족이지만 세계 최대의 나라 없는 민족으로 불리고 있다.

정답찾기 ㄱ. (가)는 쿠르드족이다.

ㄴ. 튀르키예(터키)(㉠)는 신기 조산대에 위치하여 지진이 자주 발생한다.

ㄷ. 시리아(㉡)에서 발생한 난민이 가장 많이 이주한 국가는 튀르키예(터키)(㉠)이다.

오답피하기 ㄹ. 국제 사면 위원회(국제 앰네스티)는 전 세계에서 인권 보호 활동을 전개하는 단체로, 비정부 기구(NGO)에 해당한다.

10 세계 주요 분쟁 지역 이해

문제분석 지도는 A는 에스파냐의 카탈루냐, B는 이탈리아의 파다니아, C는 시에라리온, D는 스리랑카이다.

정답찾기 ② 카탈루냐(A)는 에스파냐 내의 다른 지역들과 구별되는 고유한 문화와 정체성을 지니고 있다. 또한 산업이 일찍부터 발달하여 다른 지역에 비해 경제적으로 부유한 지역이다. 이러한 문화적 차이와 경제적 격차가 분리 독립 운동의 배경이 되었다.

시에라리온(C)에서는 다이아몬드 광산을 둘러싸고 정부군과 반군 간의 내전이 발생하였다.

오답피하기 파다니아(B)는 이탈리아 내에서 일찍 산업화를 이룬 지역으로, 국가 내 남부 지역과의 경제적 격차가 크다. 언어 및 종교의 차이가 아닌 경제적 격차가 분리 독립 움직임의 주요 원인이다.

이슬람교를 믿는 로힝야족에 대한 정부의 탄압이 발생한 국가는 미얀마이다. 스리랑카(D)에서 발생한 주요 갈등 사례로는 영국의 식민 지배 과정에서 유입된 타밀족과 원주민인 신할리즈족 간의 갈등을 들 수 있다.

실전 모의고사 1회

본문 96~100쪽

1 ⑤	2 ③	3 ①	4 ③	5 ④
6 ⑤	7 ④	8 ⑤	9 ②	10 ⑤
11 ④	12 ④	13 ⑤	14 ②	15 ③
16 ⑤	17 ③	18 ②	19 ②	20 ②

1 지리 정보 시스템의 중첩 분석 원리를 이용한 적합 국가 선정

문제분석 지리 정보 시스템(GIS)의 중첩 분석 원리를 토대로 합산 점수가 가장 높은 국가 중 세계화 지수가 높은 국가를 찾으면 된다. 지도의 A는 스리랑카, B는 방글라데시, C는 타이, D는 캄보디아, E는 베트남이다.

정답찾기 ⑤ 항목별 점수를 산정한 결과는 아래의 표와 같다. 방글라데시와 베트남이 합산 점수가 같은데, 베트남이 방글라데시보다 세계화 지수가 높으므로, 다국적 기업 생산 공장의 입지 국가는 베트남(E)이 된다.

(단위: 점)

국가 \ 항목	월 최저 임금	세계화 지수	청장년층 인구	합계
방글라데시(B)	3	1	3	7
베트남(E)	1	3	3	7
스리랑카(A)	3	2	1	6
캄보디아(D)	1	2	1	4
타이(C)	1	3	2	6

2 지리 정보를 통한 주요 국가의 특성 파악

문제분석 (가)는 수도가 중·남부 아메리카에 위치하고 인구가 2억 명이 넘는 국가이므로 브라질이다. (나)는 국토 모양과 수도의 위치 등을 통해 이탈리아임을 알 수 있다.

정답찾기 ③ 브라질(가)은 이탈리아(나)보다 인구는 많지만, 인구 밀도는 국토 면적이 좁은 이탈리아가 브라질보다 높다.

오답피하기 ① 수도의 위치(ⓒ)는 장소의 위치와 관련된 지리 정보이므로 공간 정보에 해당한다. 인구(ⓒ)는 장소가 가진 인문적 특성과 관련된 지리 정보이므로 속성 정보에 해당한다.

② 이탈리아(나)의 북부 지역인 파다니아는 남부 지역에 비해 지역 내 총생산이 많아 분리주의 운동이 나타난다.

④ 이탈리아(나)는 브라질(가)보다 인구 대비 국내 총생산이 많으므로 1인당 국내 총생산이 많다.

⑤ 브라질(가)은 중·남부 아메리카, 이탈리아(나)는 유럽에 위치한다.

3 열대 및 온대 기후 지역의 특징 파악

문제분석 지도에 표시된 지역은 북반구 서안 해양성 기후 지역인 파리, 북반구 지중해성 기후 지역인 알제, 남반구 사바나 기후 지역인 다르에스살람, 남반구 지중해성 기후 지역인 케이프타운이다.

(가)는 12~2월의 누적 강수량 증가가 적고, 6~8월의 누적 강수량 증가가 많으므로 남반구 지중해성 기후 지역인 케이프타운이다. 케이프타운은 12~2월에 아열대 고압대의 영향으로 기온이 높고 건조하며, 6~8월에는 편서풍과 전선대의 영향으로 온난하고 강수량이

많다. (나)는 월별 누적 강수량의 증가가 대체로 일정하므로 서안 해양성 기후 지역인 파리이다. (다)는 12~2월의 누적 강수량 증가가 많고, 6~8월의 누적 강수량 증가가 적으므로 북반구 지중해성 기후 지역인 알제이다. (라)는 12월의 누적 강수량인 연 강수량이 가장 많고, 12~2월에 우기, 6~8월에 건기가 나타나므로 남반구 사바나 기후 지역인 다르에스살람이다.

A는 1월이 7월보다 태양 에너지가 많고, 두 시기의 태양 에너지 차이가 크므로 남반구에 있는 케이프타운이다. D는 월별 태양 에너지의 차이가 크지 않고 비교적 고르게 나타나므로 적도 부근에 있는 다르에스살람이다. B와 C는 1월보다 7월의 태양 에너지가 많으므로 북반구에 있는 곳인데, C가 B보다 월별 태양 에너지가 많으므로 상대적으로 저위도에 있는 알제이고, B는 파리이다.

정답찾기 ① 남반구에 있는 케이프타운((가), A)은 북반구에 있는 파리((나), B)보다 1월에 태양 에너지를 많이 받는다.

오답피하기 ② 북반구에 있는 알제(다)는 남반구에 있는 다르에스살람(라)보다 7월에 밤 길이가 짧다. 7월에 밤 길이는 남극권에서 북극권으로 갈수록 짧아진다.
③ 케이프타운(A, (가))은 다르에스살람(D, (라))보다 12월의 누적 강수량인 연 강수량이 적다.
④ 파리(B)는 알제(C)보다 고위도에 있으므로 연평균 기온이 낮다.
⑤ 1월에 남반구 지중해성 기후 지역인 케이프타운(가)은 아열대 고압대의 영향을 주로 받고, 남반구 사바나 기후 지역인 다르에스살람(D)은 적도(열대) 수렴대의 영향을 주로 받는다.

4 오세아니아의 다양한 지형 이해

문제분석 A는 사막 기후 지역에 있는 호수이므로 평탄한 저지대(플라야)에 물이 고여 형성된 플라야호이다. B는 석회질의 산호충 유해가 퇴적되어 형성된 대보초 해안이다. C는 후빙기 해수면 상승 이후 연안류에 의해 형성된 사주가 만의 입구를 막으면서 형성된 석호이다. D는 빙식곡(U자곡)이 해수면 상승으로 바닷물에 잠겨 형성된 좁고 깊은 만인 피오르이고, E는 빙하호이다.

정답찾기 ③ 석호(C)는 자연 상태에서 하천에 의한 퇴적 작용으로 인해 면적이 점차 축소된다.

오답피하기 ① 플라야호(A)는 염호이므로 농업용수로 활용할 수 없다.
② 대보초 해안(B)은 대부분 화산섬이 아니라 산호초로 이루어져 있다.
④ 피오르(D)는 빙식곡(U자곡)이 침수되어 형성되었고, V자곡이 침수되어 형성된 해안은 리아스이다.
⑤ 빙하호(E)는 석호(C)보다 물의 평균 염도가 낮다.

5 세계의 대지형 이해

문제분석 세계 일주 여행자가 뽑은 트레킹 구간과 관련해 제시된 내용이 각각 어떠한 세계 대지형과 관련 있는지를 파악해 보도록 한다. ㉡은 잉카 트레일, 마추픽추 등과 관련 있으므로 안데스산맥이다. ㉢은 안나푸르나, 에베레스트 등과 관련 있으므로 히말라야산맥이다. ㉣은 블루마운틴, 대분수산맥, 코알라, 캥거루 등과 관련 있으므로 그레이트디바이딩산맥이다.

정답찾기 ④ 대륙판과 해양판의 수렴으로 형성된 안데스산맥(㉡)이 대륙판과 대륙판의 충돌로 형성된 히말라야산맥(㉢)보다 화산 활동

이 활발하다. 대륙판과 대륙판이 충돌하면 두 판의 밀도 차가 크지 않아 대륙판이 깊게 침강하지 못하여 마그마가 잘 생성되지 않으며, 생성되더라도 두꺼운 지각을 뚫고 올라오기 힘들어 화산 활동이 일어나기 어렵다.

오답피하기 ① 케냐와 탄자니아 국경 부근에 있는 킬리만자로(㉠)는 동아프리카 지구대에 있으므로, 판이 갈라지는 경계 부근에 위치한다.
② 안데스산맥(㉡)은 해양판인 나스카판과 대륙판인 남아메리카판이 수렴하여 형성되었다.
③ 그레이트디바이딩산맥(㉣)은 고생대에 조산 운동으로 형성된 고기 습곡 산지이다.
⑤ 고기 습곡 산지인 그레이트디바이딩산맥(㉣)은 신기 습곡 산지인 히말라야산맥(㉢)보다 평균 해발 고도가 낮다.

6 온대 및 냉·한대 기후 지역의 특징 파악

문제분석 지도에 표시된 지역은 지중해성 기후 지역인 샌프란시스코, 냉대 습윤 기후 지역인 위니펙, 온난 습윤 기후 지역인 뉴욕, 툰드라 기후 지역인 딕슨, 냉대 겨울 건조 기후 지역인 창춘이다.

(가)는 기온의 연교차와 6~8월의 강수 집중률이 가장 낮으므로 지중해성 기후 지역인 샌프란시스코이다. (마)는 최난월 평균 기온이 0~10℃이므로 툰드라 기후 지역인 딕슨이다. (라)는 기온의 연교차가 가장 크고, 6~8월의 강수 집중률이 가장 높으므로 냉대 겨울 건조 기후 지역인 창춘이다. (다)는 최난월 평균 기온에서 기온의 연교차를 뺀 최한월 평균 기온이 약 −16℃이므로 냉대 습윤 기후 지역인 위니펙이며, 나머지 (나)는 온난 습윤 기후 지역인 뉴욕이다.

정답찾기 ⑤ 샌프란시스코(가)와 위니펙(다) 모두 북부 아메리카에 위치한다.

오답피하기 ① 솔리플럭션 현상은 여름에 녹아서 수분을 많이 함유한 활동층이 경사면을 따라 흘러내리는 현상으로, 툰드라 기후 지역인 딕슨(마)에서 주로 나타난다.
② 온난 습윤 기후 지역인 뉴욕(나)은 상대적으로 고위도 내륙에 있는 위니펙(다)보다 최한월 평균 기온이 높다. 최한월 평균 기온은 최난월 평균 기온에서 기온의 연교차를 빼면 알 수 있는데, 뉴욕은 약 1℃, 위니펙은 약 −16℃이다.
③ 위니펙(다)은 딕슨(마)보다 저위도에 위치한다.
④ 겨울이 건조한 창춘(라)은 연중 습윤한 뉴욕(나)보다 겨울 강수량이 적다.

7 건조 기후 지역의 주요 지형 이해

문제분석 ㉠은 대기 대순환에 의한 하강 기류로 형성된 아열대 고압대의 영향으로 형성된 사막이고, ㉡은 버섯바위이다. ㉢은 대륙 서안을 따라 흐르는 한류의 영향을 받아 형성된 사막이다. ㉣은 바람에 날린 모래가 쌓여 형성된 모래 언덕인 사구이다. ㉤은 경암과 연암의 차별적 풍화와 침식 작용으로 형성된 뷰트이다. 뷰트는 수평 지층의 대지나 고원이 침식, 해체되는 과정을 통해 탁자 모양으로 형성된 메사의 정상부가 좁아져 형성된다. ㉥은 주로 건조한 기후 지역의 산지를 흐르던 하천이 평지를 만나면서 하천 운반 물질이 부채 모양으로 퇴적된 지형인 선상지이다.

정답찾기 ④ 하천에 의한 퇴적 작용으로 형성된 선상지(㉥)는 바람에

날린 모래가 퇴적되어 형성된 사구(ⓔ)보다 구성 물질의 평균 입자 크기가 크다.

오답피하기 ① 포상 홍수에 의한 침식으로 형성되는 대표적인 지형은 페디먼트이다. 버섯바위(ⓛ)는 바람에 날린 모래에 바위의 아랫부분이 깎여서 형성된 지형이다.
② 바하다는 선상지(ⓗ)가 연속적으로 분포하는 복합 선상지를 말한다.
③ 뷰트(ⓜ)가 발달한 건조 기후 지역은 강수량이 적고 기온의 일교차가 커서 화학적 풍화 작용보다 물리적 풍화 작용이 활발하다.
⑤ 바하리야 사막(ⓣ)은 아열대 고압대, 나미브 사막(ⓒ)은 한류의 영향을 주로 받아 형성되었다.

8 몬순 아시아와 오세아니아 세 국가의 종교 및 주요 특징 파악

문제분석 (가)는 송끄란, 방콕, 치앙마이 등과 관련 있으므로 타이이다. (나)는 전통 음식으로 나시고렝이 있으므로 인도네시아이고, (다)는 원주민이 마오리족이므로 뉴질랜드이다.
A는 타이(가)에서 신자 비율이 가장 높으므로 불교이고, B는 인도네시아(나)에서 신자 비율이 가장 높으므로 이슬람교이며, C는 뉴질랜드(다)에서 신자 비율이 가장 높으므로 크리스트교이다.

정답찾기 ⑤ 전 세계 신자는 크리스트교(C)>이슬람교(B)>불교(A) 순으로 많다.

오답피하기 ① '불의 고리'로 불리는 환태평양 조산대에 위치한 뉴질랜드(다)는 타이(가)보다 화산 활동이 활발하다.
② 인도네시아(나)가 뉴질랜드(다)보다 2021년에 석탄 수출량이 많다.
③ 라마단 기간 동안 금식하는 것은 이슬람교(B)에 해당한다.
④ 이슬람교(B)는 7세기 초 무함마드에 의해서 서남아시아의 메카에서 발생하였으므로 크리스트교(C)보다 발생 시기가 늦다.

9 국가별 인구 구조와 도시화 특성 파악

문제분석 지도에 표시된 국가는 프랑스, 니제르, 사우디아라비아, 남아프리카 공화국이다.
(가)는 촌락 인구 비율이 가장 높으므로 경제 발전 수준이 낮은 개발도상국인 니제르이다. (라)는 청장년층 인구의 성비가 가장 높으므로 석유 수출에 따른 자본 유입으로 기간 사업에 대한 투자가 늘어나면서 외국인 남성 노동력의 유입이 많았던 사우디아라비아이다. (다)는 (나)보다 촌락 인구 비율이 낮으므로 도시화율이 높고, 65세 이상의 노년층 인구 비율이 높으므로 선진국인 프랑스이다. 나머지 (나)는 남아프리카 공화국이다.

정답찾기 ② 북부 아프리카에 있는 니제르(가)가 크리스트교 신자 비율이 높은 남아프리카 공화국(나)보다 주민 중 이슬람교 신자 비율이 높다.

오답피하기 ① 그래프를 보면 남아프리카 공화국(나)이 프랑스(다)보다 촌락 인구 비율이 높으므로 도시화율이 낮고, 총인구 또한 적으므로 도시 인구가 적다.
③ 남아프리카 공화국(나)은 사우디아라비아(라)보다 2021년에 석유 수출량이 적다.
④ 사헬 지대에 있는 니제르(가)가 프랑스(다)보다 사막화로 인한 문제가 심각하다.
⑤ 프랑스(다)가 사우디아라비아(라)보다 0~14세(유소년층) 인구 대

비 65세 이상(노년층) 인구 비율이 높으므로 중위 연령이 높다.

10 식량 작물별 특징 및 주요 지역(대륙)의 식량 자원별 수출량 파악

문제분석 (가)는 팝콘과 관련 있으므로 옥수수, (나)는 스시와 관련 있으므로 쌀, (다)는 파스타와 관련 있으므로 밀이다.
옥수수(가)의 수출량이 가장 많은 A는 앵글로아메리카이고, 쌀(나)의 수출량이 가장 많은 C는 아시아이며, 밀(다)의 수출량이 가장 많은 B는 유럽이다.

정답찾기 ⑤ 2021년에 1인당 밀(다) 소비량은 빵과 관련된 음식 문화가 발달한 앵글로아메리카(A)가 쌀과 관련된 음식 문화가 발달한 아시아(C)보다 많다.

오답피하기 ① 쌀(나)이 옥수수(가)보다 세계 생산량에서 아시아가 차지하는 비율이 높다.
② 생산지에서 주로 소비되는 쌀(나)은 밀(다)보다 국제 이동량이 적다.
③ 옥수수(가)가 밀(다)보다 단위 면적당 생산량이 많다.
④ 밀(다)의 세계 생산량 1위 국가는 중국이다. 중국은 아시아(C)에 위치한다.

11 국가별 인구 이주 특성 파악

문제분석 인구의 국제 이주는 경제적 목적에 의한 경우가 많다. 경제적 이주는 일자리가 많고 임금이 높은 선진국, 지리적으로 인접하거나 종교적으로 유사한 국가로 이동하는 경우가 많다. 한편, 분쟁이나 내전이 발생한 국가는 인접한 국가로의 인구 이동이 많은데, 주로 난민의 이주이며, 정치적 이주에 해당한다. 제시된 국가 중 남수단은 정치적 요인에 의한 난민 이주가 많았고, 알제리와 필리핀은 경제적 이주가 많았다.
(가)는 프랑스로의 이주 비율이 매우 높으므로 과거 프랑스의 식민 지배를 받았던 알제리이다. (나)는 캐나다, 사우디아라비아, 오스트레일리아 등 경제적 발전 수준이 높은 지역으로 이주 비율이 높으므로 필리핀이며, 필리핀에서 가장 많이 이주한 A는 미국이다. 필리핀은 과거 미국의 식민 지배 영향을 받아 영어를 공용어로 사용하므로 미국으로의 이주 비율이 높았다. (다)는 우간다, 수단, 에티오피아, 케냐 등 인접 국가로의 이주가 많으므로 남수단이다.

정답찾기 ④ (가)~(다) 중 2015년 이후 난민 발생 수는 남수단(다)이 가장 많다.

오답피하기 ① 북부 아프리카에 있는 알제리(가)가 크리스트교 신자 비율이 높은 필리핀(나)보다 주민 중 이슬람교 신자 비율이 높다.
② 필리핀(나)은 난민의 이주가 많은 남수단(다)보다 경제적 요인에 의한 인구 이주가 많다.
③ 우간다, 수단 등으로의 이주 비율이 높은 남수단(다)은 미국, 캐나다 등으로의 이주 비율이 높은 필리핀(나)보다 국경이 맞닿은 국가로의 이주 비율이 높다.
⑤ 미국(A)은 앵글로아메리카, 필리핀(나)은 아시아에 위치한다.

12 국가별 신·재생 에너지 이용 현황 파악

문제분석 영국에서 발전량 비율이 높은 C는 풍력이다. 이탈리아와 튀르키예(터키)에서 발전량 비율이 높은 A는 수력이고, 지중해성 기

후가 나타나는 이탈리아에서 상대적으로 발전량 비율이 높은 B는 태양광이며, 이탈리아와 튀르키예(터키)에서만 이용되는 D는 지열이다.

정답찾기 ④ 풍력(C)은 지열(D)보다 발전 시 기상 조건의 영향을 크게 받는다.

오답피하기 ① 영국은 태양광(B)보다 수력(A)을 이용한 발전량이 적다.

② 이탈리아와 튀르키예(터키)는 풍력(C)을 이용한 발전 비율이 큰 차이가 없지만 튀르키예(터키)가 이탈리아보다 총발전량이 많으므로, 풍력을 이용한 발전량은 튀르키예(터키)가 이탈리아보다 많다.

③ A는 수력이고, 일사량이 풍부한 지역이 발전에 유리한 것은 태양광(B)이다.

⑤ A~D 중 전 세계에서 발전량이 가장 많은 것은 수력(A)이다.

13 몬순 아시아와 오세아니아 네 국가의 산업 구조 파악

문제분석 지도에 표시된 국가는 중국, 일본, 파키스탄, 오스트레일리아이다. (라)는 2차 산업 생산액 비율이 가장 높고, 국내 총생산이 가장 많은 중국이다. (나), (다)는 3차 산업 생산액 비율이 높으므로 일본, 오스트레일리아 중 하나인데, 국내 총생산이 많은 (나)가 일본, (다)는 오스트레일리아이다. (가)는 1차 산업 생산액 비율이 높은 파키스탄이다.

정답찾기 ⑤ 중국(라)은 세계 최대 석탄 생산국이지만 순 수입국으로, 오스트레일리아(다)가 중국(라)보다 석탄 수출량이 많다.

오답피하기 ① 파키스탄(가)은 남부 아시아에 위치한다.

② 원주민으로 애버리지니가 있는 곳은 오스트레일리아(다)이다.

③ 경제 발전 수준이 높은 일본(나)이 파키스탄(가)보다 시간당 평균 임금이 높다.

④ '세계의 공장'으로 불리는 중국(라)이 일본(나)보다 제조업 생산액이 많다.

14 러시아, 미국, 중국의 1차 에너지 소비 구조 및 주요 특징 파악

문제분석 (가)는 일대일로(一帶一路)와 관련 있으므로 중국이고, 중국에서 소비량이 가장 많은 C는 석탄이다. 중국에서 석탄 다음으로 소비량이 많은 A는 석유이고, 그다음으로 많은 B는 천연가스이다. (나)는 (다)보다 1차 에너지 총소비량이 많으므로 미국이고, (다)는 러시아이다.

정답찾기 ② 미국(나)은 중국(가)보다 1차 에너지 총소비량은 적지만, 미국이 중국보다 인구 규모가 작고 경제 발전 수준이 높으므로 1인당 에너지 소비량이 많다.

오답피하기 ① 중국(가)은 미국(나)보다 석유(A) 소비량이 적다.

③ 미국(나)은 세계에서 국내 총생산이 가장 많은 국가로, 러시아(다)보다 국내 총생산이 많다.

④ 산업 혁명 시기부터 본격적으로 이용된 석탄(C)이 석유(A)보다 상용화된 시기가 이르다.

⑤ 전 세계 소비량은 석유(A) > 석탄(C) > 천연가스(B) 순으로 많다.

15 세계 도시의 주요 특징 및 인구 변화 파악

문제분석 (가)는 와이탄, 대한민국 임시 정부 등과 관련 있고 1981~2021년에 인구 증가율이 가장 높으므로 상하이이다. (나)는

빅 벤, 템스강, 타워 브리지 등과 관련 있으므로 런던이다. (다)는 브로드웨이, 센트럴 파크, 타임스 스퀘어 등과 관련 있으므로 뉴욕이다.

정답찾기 ③ 최상위 계층의 세계 도시인 뉴욕(다)은 상하이(가)보다 생산자 서비스업 종사자 비율이 높다.

오답피하기 ① 국제 연합 본부는 뉴욕(다)에 있다.

② 유럽에 있는 런던(나)이 북부 아메리카에 있는 뉴욕(다)보다 도시 발달의 역사가 길다.

④ 런던(나)은 영국의 수도이지만, 뉴욕(다)은 미국의 수도가 아니다. 미국의 수도는 워싱턴 D.C.이다.

⑤ 그래프를 보면 런던(나)은 뉴욕(다)보다 1961~2021년 인구 증가율이 낮다.

16 유럽의 공업 지역 이해

문제분석 지도에 표시된 A는 노르웨이의 수도인 오슬로이고, B는 유럽의 쇠퇴하는 공업 지역에 있는 독일의 에센이며, C는 첨단 기술 산업 지역인 소피아 앙티폴리스이다.

정답찾기 ⑤ (가)는 프랑스의 칸과 니스 사이에 있고, 세계 여러 국가에서 온 연구원과 대학생들이 있는 것으로 보아 첨단 기술 산업 지역인 소피아 앙티폴리스이다. (나)는 과거 탄광 산업 단지였던 곳에서 최근 녹색 도시로 탈바꿈하고 있는 것으로 보아 독일의 전통 공업 지역인 루르 공업 지역에 있는 에센이다. 따라서 (가)(소피아 앙티폴리스)는 지도의 C, (나)(에센)는 B에 해당한다.

17 북부 아메리카 세 국가의 주요 특징 파악

문제분석 (가)와 (나)는 나이아가라 폭포를 사이에 두고 있으므로 미국, 캐나다 중 하나인데, (나)가 (가)보다 총수출액이 많으므로, (나)는 미국, (가)는 캐나다이다. (다)는 마킬라도라 산업이 발달하였으므로 멕시코이다. 마킬라도라의 마킬라는 '곡식을 빻아주고 받는 품삯'이라는 뜻으로, 마킬라도라는 미국과 멕시코가 생산 공조를 위해 1965년부터 시작한 프로그램의 이름이다. 외국에서 원료와 원자재를 멕시코 내로 수입한 후 조립 또는 가공하여 수출하는 공업 지대를 의미하기도 한다.

정답찾기 ③ 멕시코(다)에서는 수위 도시(멕시코시티)의 인구 규모가 2위 도시 인구 규모의 두 배 이상인 종주 도시화 현상이 나타난다.

오답피하기 ① 첨단 산업 단지인 실리콘 밸리가 있는 곳은 미국(나)이다.

② 퀘벡주에서 언어 차이로 인한 갈등이 있는 곳은 캐나다(가)이다.

④ 멕시코(다)의 경우 캐나다(가)보다 지리적으로 인접하고 경제적으로 발전한 미국(나)으로의 인구 이주가 많았다.

⑤ 캐나다(가)는 멕시코(다)보다 수출품 중 공업 제품의 비율이 낮다.

18 건조 아시아와 북부 아프리카 네 국가의 주요 특징 파악

문제분석 지도에 표시된 국가는 알제리, 이집트, 튀르키예(터키), 이란이다.

농업 면적 비율이 가장 높고 올리브 생산량이 가장 많은 (라)는 튀르키예(터키)이고, 대추야자 생산량이 가장 많은 (나)는 이집트이다. (가)는 (다)보다 농업 면적 비율이 낮고 올리브 생산량이 많다. 따라

서 (가)는 국토 대부분이 사막이며 지중해 연안에 위치한 알제리이고, (다)는 이란이다.

(정답찾기) ② 이란(다)에는 지하 관개 수로인 카나트가 있다. 카나트는 산지의 눈, 빙하 등이 녹은 물 또는 산지에 내린 강수로 형성된 지하수를 수십 km 떨어진 마을과 농지로 공급하기 위한 지하 관개 수로이다. 즉, 카나트는 건조 기후 지역의 기후 환경을 극복하기 위한 시설이다.

(오답피하기) ① 여러 국가를 흐르는 국제 하천이자 습윤 지역에서 발원해 건조 지역을 지나는 외래 하천인 나일강이 있는 곳은 이집트(나)이다.
③ 이집트(나)는 제조업이 발달한 튀르키예(터키)(라)보다 2021년에 제조업 생산액이 적다.
④ 튀르키예(터키)(라)는 천연가스 생산량이 많은 이란(다)보다 2021년에 천연가스 수출량이 적다.
⑤ 알제리(가)와 이집트(나)는 모두 북부 아프리카에 위치한다.

19 사하라 이남 아프리카와 중·남부 아메리카 네 국가의 주요 특징 파악

(문제분석) 지도에 표시된 국가는 페루, 베네수엘라 볼리바르, 브라질, 나이지리아이다.
(가)는 열대 우림 기후 지역에서 주로 재배되는 카사바의 생산량이 세계에서 가장 많고 이슬람교와 크리스트교 신자 간 갈등이 있으므로 나이지리아이다. (나)는 잉카 문명의 수도인 쿠스코, 마추픽추 등과 관련 있으므로 페루이다. '○○'은 카리브해에 접해 있고, 정치적·경제적 혼란으로 주변 국가로의 난민 이주가 많으므로 베네수엘라 볼리바르이다. 따라서 (다)는 제시된 자료의 국가를 지도에서 모두 찾아 지우고 남은 국가이므로 브라질이다.

(정답찾기) ② A는 원유와 액화 천연가스의 수출 비율이 매우 높으므로 나이지리아이다. B는 브라질 순상지가 있어 철광석의 수출 비율이 높고, 대두의 수출 비율이 높으므로 브라질이다. C는 구리의 수출 비율이 높으므로 안데스산맥이 있는 페루이다. 따라서 나이지리아(가)는 A, 페루(나)는 C, 브라질(다)는 B이다.

20 주요 경제 블록의 특징 파악

(문제분석) (가), (다)는 1인당 지역 내 총생산이 적으므로 남아메리카 공동 시장과 동남아시아 국가 연합 중 하나인데, (가)가 (다)보다 도시화율이 낮으므로 (가)는 동남아시아 국가 연합(ASEAN), (다)는 남아메리카 공동 시장(MERCOSUR)이다. (나)는 (라)보다 도시화율이 낮으므로 유럽 연합(EU)이고, 1인당 지역 내 총생산이 가장 많으며 도시화율이 높은 (라)는 미국·멕시코·캐나다 협정(USMCA)이다.

(정답찾기) ② 유럽 연합(나)은 미국·멕시코·캐나다 협정(라)보다 정치·경제적 통합 수준이 높으므로 역내 무역액이 많다.

(오답피하기) ① 북아메리카 자유 무역 협정을 개정한 경제 블록은 미국·멕시코·캐나다 협정(라)이다.
③ 남아메리카 공동 시장(다)은 회원국이 브라질, 아르헨티나, 우루과이, 파라과이이고, 동남아시아 국가 연합(가)은 회원국이 동남아시아에 위치한 10개국이다. 따라서 동남아시아 국가 연합(가)이 남아메리카 공동 시장(다)보다 회원국 수가 많다.

④ 미국·멕시코·캐나다 협정(라)은 동남아시아 국가 연합(가)보다 총인구가 적다.
⑤ (가)~(라) 중 정치·경제적 통합 수준은 유럽 연합(나)이 가장 높다.

실전 모의고사 **2회**　　　　본문 101~105쪽

1 ⑤	2 ④	3 ①	4 ⑤	5 ③
6 ①	7 ⑤	8 ③	9 ①	10 ②
11 ④	12 ⑤	13 ④	14 ④	15 ④
16 ④	17 ④	18 ③	19 ②	20 ③

1 고지도의 특성 파악

(문제분석) (가)는 크리스트교 세계관을 반영하여 지도의 위쪽이 대부분 동쪽이며 에덴동산이 표현되어 있는 티오(TO) 지도 형식의 헤리퍼드 세계 지도이고, (나)는 이슬람교 세계관을 반영하여 지도의 위쪽이 남쪽이며 지도의 중심에 메카가 있는 알 이드리시의 세계 지도이다.

(정답찾기) ⑤ ㄱ은 조선 중기 이후 중화사상·도교 사상의 영향을 받아 민간에서 제작된 세계 지도인 천하도이다. ㄴ은 알 이드리시의 세계 지도이다. ㄷ은 티오(TO) 지도 형식을 따른 헤리퍼드 세계 지도이다. 따라서 (가)는 ㄷ, (나)는 ㄴ이다.

2 지역(대륙)별 도시 및 촌락 인구 특징 파악

(문제분석) 네 지역(대륙)은 모두 도시화의 진행으로 도시 인구 비율이 증가하고 있으므로, A는 촌락, B는 도시이다. (가)는 2020년 도시화율이 가장 낮은 아프리카이다. (나)는 2020년 도시화율이 두 번째로 낮고 1980년 이후 도시화율의 증가율이 가장 높은 아시아이다. (다)는 1950년 도시화율이 두 번째로 높았으나 2020년 도시화율이 가장 높은 라틴 아메리카이다. (라)는 1950년 도시화율이 가장 높았으나 2020년 도시화율이 두 번째로 높은 유럽이다.

(정답찾기) ④ 아시아(나)는 라틴 아메리카(다)보다 2020년 도시화율이 낮지만 총인구가 6배 이상 많으므로, 도시(B) 인구가 많다.

(오답피하기) ① 아프리카(가)는 1950~2020년에 촌락(A) 인구 비율은 감소했으나, 인구 증가율이 높아 촌락 인구는 증가하였다.
② 유럽(라)에서 인구가 가장 많은 국가는 러시아이다. 브라질은 라틴 아메리카(다)에서 인구가 가장 많은 국가이다.
③ 아프리카(가)는 라틴 아메리카(다)보다 2020년 도시화율이 낮다.
⑤ 2015~2020년 순 유입 인구가 가장 많은 지역(대륙)은 유럽(라)이다. 아프리카(가), 아시아(나), 라틴 아메리카(다)는 모두 인구 순유출 지역(대륙)이다.

3 열대 기후 지역의 기후 특징 이해

(문제분석) 지도에 표시된 세 지역은 에티오피아의 아디스아바바, 인도네시아의 발릭파판, 오스트레일리아의 다윈이다. (가)는 12~2월에 적도(열대) 수렴대의 영향으로 우기, 6~8월에 아열대 고압대의

영향으로 건기가 나타나는 남반구의 사바나 기후 지역이다. (나)는 일 년 내내 강수량이 많은 열대 우림 기후이다. (다)는 6~8월에 강수량이 많고, 12~2월에 강수량이 적은 북반구의 열대 고산 기후 지역이다. 따라서 (가)는 오스트레일리아의 다윈, (나)는 인도네시아의 발릭파판, (다)는 에티오피아의 아디스아바바이다.

(정답찾기) ① 남반구에 위치한 다윈(가)은 적도 부근에 위치한 발릭파판(나)보다 1월에 정오의 태양 고도가 높다.

(오답피하기) ② 열대 우림 기후 지역인 발릭파판(나)은 열대 고산 기후 지역인 아디스아바바(다)보다 연중 적도(열대) 수렴대의 영향을 받는 기간이 길다.

③ 아디스아바바(다)는 다윈(가)보다 해발 고도가 높아 최난월 평균 기온이 낮다.

④ 다윈(가), 발릭파판(나)은 모두 열대 기후 지역으로 기온의 일교차가 기온의 연교차보다 크다.

⑤ 남회귀선까지의 최단 거리는 다윈(가)＞발릭파판(나)＞아디스아바바(다) 순으로 가깝다.

4 건조 아시아와 북부 아프리카 네 국가의 특징 파악

(문제분석) A는 튀니지, B는 튀르키예(터키), C는 카자흐스탄, D는 사우디아라비아이다.

(정답찾기) ㄷ. 카자흐스탄(C)에는 아무다리야강과 시르다리야강 주변의 과도한 관개 농업으로 면적이 축소된 아랄해의 일부가 있다.

ㄹ. 사우디아라비아(D)는 석유 수출국 기구(OPEC) 회원국이다.

(오답피하기) ㄱ. 튀니지(A)에는 국토를 남북으로 가로지르는 외래 하천이 없다.

ㄴ. 튀르키예(터키)(B)는 자원이 부족한 국가로 3차 산업 비율과 2차 산업 내 제조업 생산액 비율이 높으며, 2021년 광물 및 에너지 자원 수출액이 공업 제품 수출액보다 적다.

5 지리 정보의 특징 이해

(문제분석) 지리 정보는 어떤 장소나 지역에 대한 정보로, 지리 정보를 통해 지역의 특성 및 변화를 파악할 수 있다. 지리 정보의 종류는 공간 정보, 속성 정보, 관계 정보가 있으며, 수집 방법은 직접 조사, 간접 조사, 원격 탐사 등이 있다. 자료는 노르웨이의 국가 정보를 검색한 것이다.

(정답찾기) ㄴ. 수리적(경·위선) 위치(ⓒ)는 공간 정보, 인구 통계(ⓒ)는 속성 정보에 해당한다.

ㄷ. 국내 총생산(ⓔ)은 주로 문헌(통계) 자료를 통해 수집하므로 간접 조사 방법이 적합하다.

(오답피하기) ㄱ. 노르웨이(ⓐ)는 유럽 연합(EU) 미가입국이며, 단일 통화로 유로화를 사용하지 않는다.

ㄹ. 북서 유럽 문화권(ⓜ)은 문화적 지표를 기준으로 권역을 구분한 것이다.

6 세계 3대 식량 작물의 특징 파악

(문제분석) A는 2021년 세 국가에서 모두 생산량 비율이 가장 높으며, 1981~2021년 세 국가에서 모두 생산량 비율이 증가한 옥수수이다. 옥수수 생산량 비율이 가장 낮은 (다)는 밀과 쌀 생산량 비율이 높은

중국이며, B는 1981년과 2021년 모두 세 국가 중 중국의 국가 내 생산량 비율이 가장 높은 쌀이다. C는 중국과 (가)의 생산량 비율이 높은 밀이며, (가)는 미국, 나머지 (나)는 브라질이다.

(정답찾기) ① 미국(가)은 중국(다)보다 2021년 밀(C)의 수출량이 많다. 2021년 기준 밀의 주요 수출국은 러시아, 오스트레일리아, 미국, 캐나다, 우크라이나 등이다.

(오답피하기) ② 브라질(나)은 미국(가)보다 2021년 옥수수(A)의 생산량이 적다. 2021년 기준 옥수수 생산량은 미국＞중국＞브라질 순으로 많다.

③ 2021년 기준 세계 3대 식량 작물의 총수출량이 가장 많은 국가는 미국(가)이다. 중국(다)은 식량 작물의 주요 수입국이다.

④ 쌀(B)은 옥수수(A)보다 가축의 사료로 이용되는 비율이 낮다.

⑤ 밀(C)은 옥수수(A)보다 단위 면적당 생산량이 적다. 단위 면적당 생산량은 옥수수＞쌀＞밀 순으로 많다.

7 온대 기후 지역의 기후 특징 파악

(문제분석) 지도에 표시된 지역은 온대 겨울 건조 기후 지역인 중국의 충칭, 지중해성 기후 지역인 미국의 시애틀, 서안 해양성 기후 지역인 뉴질랜드의 오클랜드이다. 월 강수량의 상댓값 그래프에서 (가) 시기 강수량은 C＞A＞B 순이고, (나) 시기의 강수량은 B＞A＞C 순이므로, A는 강수량의 계절 차이가 작은 서안 해양성 기후 지역인 오클랜드이다. 낮 길이의 상댓값 그래프에서 남반구에 위치한 오클랜드(A)의 낮 길이는 (나) 시기보다 (가) 시기가 짧으므로, (가)는 7월, (나)는 1월이다. 7월에 비해 1월의 강수량이 많은 B는 지중해성 기후 지역인 시애틀, 1월에 비해 7월의 강수량이 많은 C는 온대 겨울 건조 기후 지역인 충칭이다.

(정답찾기) ⑤ 오클랜드(A)는 연중 편서풍의 영향을 받는 서안 해양성 기후이므로, 1월(나)에 편서풍의 영향을 받는다.

(오답피하기) ① 온대 겨울 건조 기후 지역인 충칭(C)에서는 여름이 고온 다습하여 주로 벼농사가 발달한다. 올리브, 오렌지, 포도 등을 재배하는 수목 농업은 지중해성 기후 지역의 농업 방식이다.

② 서안 해양성 기후 지역인 오클랜드(A)는 온대 겨울 건조 기후 지역인 충칭(C)보다 기온의 연교차가 작다.

③ 온대 겨울 건조 기후 지역인 충칭(C)은 여름 강수량이 겨울 강수량보다 많고, 지중해성 기후 지역인 시애틀(B)은 여름 강수량이 겨울 강수량보다 적다. 따라서 충칭(C)은 시애틀(B)보다 겨울 강수 집중률이 낮다.

④ 시애틀(B)은 7월(가)에 계절풍의 영향을 받지 않으며, 주로 아열대 고압대의 영향으로 건기가 나타난다.

8 해안 및 빙하 지형의 특징 이해

(문제분석) A는 빙하의 침식 작용으로 형성된 U자곡이 침수되어 형성된 피오르 해안, B는 빙하의 작용으로 형성된 빙하호, C는 파랑과 연안류에 의해 운반된 모래가 둑처럼 길게 퇴적되어 형성된 사주, D는 후빙기 해수면 상승 이후 파랑과 연안류에 의해 형성된 사주가 만의 입구를 막으면서 만들어진 석호, E는 하천의 침식 작용으로 형성된 V자곡이 침수되어 형성된 리아스 해안이다.

정답찾기 ③ 석호(D)는 해수면 상승 이후 사주(C)의 성장으로 만 입구가 막혀 형성된 호수이다.

오답피하기 ① A는 피오르 해안이다.

② 사주(C)는 파랑 에너지가 분산되는 만에서 잘 발달한다.

④ 리아스 해안(E)은 V자곡에 해수면 상승으로 바닷물이 들어와 형성된 해안이다.

⑤ 빙하호(B)는 바다와 연결되어 해수가 유입되는 석호(D)보다 염분 농도가 낮다.

9 냉대 기후 지역의 기온 및 강수량 특징 파악

문제분석 지도의 세 지역은 캐나다의 몬트리올, 노르웨이의 오슬로, 러시아의 하바롭스크이다. (가)와 (나)는 모두 (다)에 비해 기온의 연교차와 강수량의 계절 차이가 작은 냉대 습윤 기후 지역이다. (가)는 (나)보다 1월 평균 기온이 낮고 7월 평균 기온이 높아 기온의 연교차가 크므로 해양의 영향을 적게 받는다. 따라서 (가)는 몬트리올, (나)는 오슬로이다. (다)는 1월 평균 기온이 가장 낮고 기온의 연교차와 강수량의 계절 차이가 큰 냉대 겨울 건조 기후 지역이며, 유라시아 대륙 동안에 위치한 하바롭스크이다.

정답찾기 ① 지도의 A는 캐나다의 몬트리올, B는 노르웨이의 오슬로, C는 러시아의 하바롭스크이다. 따라서 (가)는 A, (나)는 B, (다)는 C이다.

10 건조 및 냉·한대 기후 지역의 지형 특징 이해

문제분석 건조 기후 지역에서 발달하는 지형 모식도에 연결된 지형은 (가)와 (다), 냉·한대 기후 지역에서 발달하는 빙하 지형의 모식도에 연결된 지형은 (나)와 (라)이다. (가)는 수평 지층이 침식되는 과정을 통해 탁자 모양으로 형성된 메사가 점차 침식·풍화되면서 정상부가 좁아진 뷰트, (나)는 빙하의 침식으로 형성된 산 정상부의 뾰족한 봉우리인 호른, (다)는 바람에 날린 모래가 쌓여 형성된 모래 언덕인 사구이다. (라)는 빙하의 이동에 의해 퇴적된 지형으로, 숟가락을 엎어 놓은 모양의 언덕인 드럼린이다.

정답찾기 ㄱ. 뷰트(가)와 호른(나)에서는 모두 화학적 풍화보다 물리적 풍화가 활발하다. 건조 기후 지역에서는 큰 기온의 일교차로 암석의 팽창과 수축이 활발하게 일어나고, 냉·한대 기후 지역에서는 수분이 동결과 융해를 반복하면서 주변에 힘을 가해 암석에 균열을 발생시켜 물리적 풍화 작용이 활발하다.

ㄹ. 뷰트(가)의 주요 형성 요인은 암석의 차별적 풍화와 침식, 드럼린(라)의 주요 형성 요인은 빙하의 퇴적 작용이다.

오답피하기 ㄴ. 호른(나)은 주로 빙하의 침식 작용, 사구(다)는 주로 바람의 퇴적 작용으로 형성되었다.

ㄷ. 바람에 날린 모래가 쌓인 사구(다)는 자갈, 모래로 구성된 빙하 퇴적물이 쌓인 드럼린(라)보다 구성 물질의 평균 입자 크기가 작다.

11 세 국가의 인구 특성 파악

문제분석 그래프는 세 국가의 합계 출산율과 생산 가능 인구 비율의 변화를 나타낸 것이다. 합계 출산율은 여자 1명이 가임 기간 동안 낳을 것으로 예상되는 평균 자녀 수이고, 생산 가능 인구는 생산 활동

을 할 수 있는 연령층의 인구로 15~64세의 청장년층 인구를 말한다. (가)는 2020년 합계 출산율이 두 번째로 높고 생산 가능 인구 비율이 가장 높은 인도, (나)는 2020년 합계 출산율이 가장 낮고 생산 가능 인구 비율이 두 번째로 높은 이탈리아, (다)는 2020년 합계 출산율이 가장 높고 생산 가능 인구 비율이 가장 낮은 나이지리아이다.

정답찾기 ④ 이탈리아(나)와 나이지리아(다)는 모두 1950년 대비 2020년에 생산 가능 인구 비율이 감소하였으므로, 총부양비는 증가하였다.

오답피하기 ① 이탈리아(나)는 출생률이 지속적으로 감소하면서 1975~2020년에 합계 출산율이 2.1명(대체 출산율) 이하로 낮아졌으므로 2020년에 출산 장려 정책의 필요성이 높다.

② 2020년에는 인도가 나이지리아보다 합계 출산율이 낮아 인구의 자연 증가율은 인도가 나이지리아보다 낮다.

③ 인도(가)는 이탈리아(나)보다 2020년 국가 내 3차 산업 종사자 비율이 낮다.

⑤ 2020년 합계 출산율은 나이지리아(다)가 가장 높지만, 총인구가 가장 많은 인도(가)가 유소년층 인구가 가장 많다.

12 세계 주요 종교의 특징 파악

문제분석 (가)는 예수를 구원자로 믿고 가르침을 실천하며, 예루살렘, 베들레헴 등 예수의 행적이 남아 있는 장소가 성지인 크리스트교이다. (나)는 무함마드의 탄생지인 메카, 묘지가 있는 메디나, 승천한 바위돔이 있는 예루살렘 등이 성지인 이슬람교이다.

정답찾기 ㄷ. 크리스트교(가)는 십자가와 종탑 등이 보편적으로 나타나며, 이슬람교(나)는 돔형 지붕과 주변의 첨탑이 특징인 모스크(마스지드)가 주요 종교 경관이다.

ㄹ. 크리스트교(가), 이슬람교(나)는 모두 유일신교이다.

오답피하기 ㄱ. 유대교를 모체로 서남아시아의 팔레스타인 지역에서 발생한 크리스트교(가)는 7세기 초 무함마드에 의해 서남아시아의 메카에서 발생한 이슬람교(나)보다 기원 시기가 이르다.

ㄴ. 이슬람교(나)는 크리스트교(가)보다 세계에서 신자가 적다. 주요 종교의 전 세계 신자는 크리스트교>이슬람교>힌두교>불교 순으로 많다.

13 지구적 환경 문제의 특징 파악

문제분석 (가)는 화석 에너지 사용량 증가로 인한 이산화 탄소 배출량 증가, 가축 사육 두수 증가에 따른 메테인 증가, 삼림 면적의 감소로 인한 이산화 탄소 흡수력 약화 등으로 인해 발생하는 지구 온난화이다. (나)는 기후 변화로 인한 장기간의 가뭄, 과도한 방목과 개간, 삼림 벌채, 건조 지역의 관개 농업 확대에 따른 토양 염류화 현상 등으로 인해 발생하는 사막화이다.

정답찾기 ㄴ. 지구 온난화(가)로 빙하가 녹아 해수면이 상승하면서 해안 저지대의 침수 피해가 발생한다.

ㄹ. 사막화(나)의 인위적 요인의 사례는 기후 변화로 인한 과도한 방목과 개간, 삼림 벌채 등을 들 수 있다.

오답피하기 ㄱ. 지구 온난화(가)의 주요 원인 물질은 이산화 탄소이다. 염화 플루오린화 탄소(CFCs)는 오존층 파괴의 주요 원인 물질이다.

ㄷ. 사막화(나)의 해결을 위해 국제 사회는 1994년 사막화 방지 협

약을 체결하였다. 사막화 방지 협약은 사막화를 방지하고, 사막화를 겪고 있는 개발 도상국을 재정·기술적으로 지원하는 것을 목적으로 한다. 한편, 람사르 협약은 1971년에 철새 및 물새 서식지로서 국제적으로 중요한 습지의 보호와 지속 가능한 이용을 목적으로 체결하였다.

14 몬순 아시아와 오세아니아의 산업 구조 특징 이해

문제분석 (가)는 몬순 아시아와 오세아니아 권역으로의 수출액 비율이 가장 높으므로 오스트레일리아이다. 오스트레일리아는 수출 품목 중 광물 및 에너지 자원의 비율이 높은데, 지리적으로 인접한 몬순 아시아 국가에 주로 수출한다. 2021년 오스트레일리아의 주요 수출 상대국은 중국(43%), 일본(11%), 대한민국(8.4%)이다. (나)는 몬순 아시아와 오세아니아 권역으로의 수출액 비율이 가장 높고, 유럽과 북부 아메리카 권역으로의 수출액 비율이 두 번째로 높은 일본이다. 일본은 수출 품목 중 공업 제품의 비율이 높은데, 주요 수출 상대국은 공업이 발달한 몬순 아시아, 유럽, 북부 아메리카 등의 국가이다. (다)는 유럽과 북부 아메리카 권역으로의 수출액 비율이 가장 높고, 몬순 아시아와 오세아니아 권역으로의 수출액 비율이 두 번째로 높으며, (가)와 (나) 국가에 비해 건조 아시아와 북부 아프리카, 사하라 이남 아프리카와 중·남부 아메리카 권역으로의 수출액 비율이 높은 인도이다.

정답찾기 ④ 오스트레일리아(가)는 일본(나)보다 철광석 수출량이 많다. 철광석은 철강 등의 기초 소재 원료로 이용되는데, 철광석 생산량이 많은 오스트레일리아는 수출량이 많으며, 제철 공업이 발달한 일본은 철광석 수입량이 많다.

오답피하기 ① 오스트레일리아(가)에는 최상위 계층의 세계 도시가 없으며, 시드니는 하위 세계 도시에 해당한다. 최상위 계층의 세계 도시는 미국의 뉴욕, 영국의 런던, 일본의 도쿄 등이 있다.
② 벵갈루루에 첨단 산업이 발달한 국가는 인도(다)이다. 벵갈루루는 인도의 '실리콘 밸리'로 불리는 도시로, 인도를 대표하는 정보 통신 기술 산업의 중심지이다.
③ 인도(다)는 북반구에 위치한다. 오스트레일리아(가)는 남반구, 일본(나)은 북반구에 위치한다.
⑤ 일본(나)은 인도(다)보다 출생률의 지속적인 감소로 국가 내 유소년층 인구 비율이 낮다.

15 북부 아메리카의 지역 특징 이해

문제분석 A는 미국의 캘리포니아주, B는 미국의 텍사스주, C는 미국의 미시간주, D는 캐나다의 퀘벡주이다.

정답찾기 ㄱ. 기술 집약적인 첨단 산업이 발달한 캘리포니아주(A)는 퀘벡주(D)보다 제조업 생산액이 많다.
ㄴ. 석유 매장량이 많은 멕시코만 연안에 위치한 텍사스주(B)는 캘리포니아주(A)보다 석유 생산량이 많다.
ㄹ. 과거 프랑스계의 정착이 활발했던 퀘벡주(D)는 미시간주(C)보다 지역 내 프랑스어 사용자 비율이 높다.

오답피하기 ㄷ. 히스패닉은 에스파냐어를 사용하는 라틴 아메리카 출신의 미국 이주민과 그 후손으로, 멕시코와의 국경에 가까운 캘리포

니아주(A), 텍사스주(B) 등에 많이 분포한다. 따라서 미시간주(C)는 텍사스주(B)보다 히스패닉 인구가 적다.

16 세계 주요 대지형의 특징 파악

문제분석 남아메리카 단면 A의 서부에는 신기 조산대, 중부 및 동부에는 안정육괴가 분포하며, 신기 조산대에는 해발 고도가 높은 신기 습곡 산맥인 안데스산맥이 있다. 유럽 단면 B의 북부 및 중부에는 고기 조산대와 안정육괴, 남부에는 신기 조산대가 분포한다. B의 고기 조산대에는 해발 고도가 낮은 고기 습곡 산맥인 스칸디나비아산맥이 있고, 신기 조산대에는 해발 고도가 높은 신기 습곡 산맥인 알프스산맥이 있다. 따라서 A의 지형 단면은 (나), B의 지형 단면은 (가)이며, ㉠은 스칸디나비아산맥, ㉡은 알프스산맥, ㉢은 안데스산맥이다.

정답찾기 ④ 안데스산맥(㉢)은 대륙판과 해양판이 수렴하여 형성되었다.

오답피하기 ① (가)는 B의 지형 단면을 나타낸 것이다.
② 스칸디나비아산맥(㉠)은 고생대에 조산 운동으로 형성되어 오랜 기간 침식 작용을 받아 형성된 낮고 완만한 산맥이며, 판의 경계와 거리가 멀고 안정육괴 주변에 위치한다.
③ 알프스산맥(㉡)은 신기 습곡 산맥으로, 신기 조산대인 알프스-히말라야 조산대에 속한다. '불의 고리'는 지진과 화산 활동이 자주 일어나는 환태평양 조산대를 부르는 말이다.
⑤ 중생대 말~신생대에 조산 운동으로 형성된 안데스산맥(㉢)은 고생대에 조산 운동으로 형성된 스칸디나비아산맥(㉠)보다 형성 시기가 늦다.

17 몬순 아시아의 종교 다양성과 갈등 이해

문제분석 지도에 표시된 세 국가는 인도, 스리랑카, 필리핀이다. 국가 내 종교별 신자 비율에서 힌두교의 비율이 가장 높은 (다)는 인도, 두 번째로 높은 (나)는 스리랑카이며, 나머지 (가)는 필리핀이다. 필리핀(가) 내 신자 비율이 가장 높은 A는 크리스트교이고, 스리랑카(나) 내 신자 비율이 가장 높은 B는 불교이며, 인도(다) 내 두 번째로 신자 비율이 높은 C는 이슬람교이다.

정답찾기 ㄱ. 필리핀(가)의 민다나오섬에서는 크리스트교(A) 신자와 이슬람교(C) 신자 간 갈등이 있다. 민다나오섬의 주민 대부분이 이슬람교 신자였는데, 필리핀이 에스파냐와 미국의 식민지가 되면서 크리스트교 신자들이 민다나오섬으로 대거 이주함에 따라 갈등이 발생하기 시작하였다.
ㄴ. 스리랑카(나)의 신할리즈족은 주로 불교(B)를 믿고 인도로부터 유입해 온 타밀족은 주로 힌두교를 믿으므로, 문화적 배경이 다른 두 민족(인종) 간 갈등이 나타나고 있다.
ㄹ. 카슈미르에서는 이슬람교(C) 신자와 힌두교 신자 간의 갈등이 있다. 카슈미르는 주민 대다수가 이슬람교를 믿는 지역이다. 그런데 영국으로부터 인도와 파키스탄이 분리 독립할 때 힌두교 신자인 이 지역의 지도자가 인도 편입을 선언하였고, 이에 주민들이 저항하면서 갈등이 시작되었다.

오답피하기 ㄷ. 로힝야족은 인도(다)와 국경을 접한 미얀마에 주로 거주하는 소수 민족이다. 이들은 주로 이슬람교(C)를 믿고 있으며, 불교(B) 신자가 많은 미얀마에서 정부의 탄압을 받고 있다.

18 사하라 이남 아프리카와 중·남부 아메리카 세 국가의 특징 파악

문제분석 (가)는 도시화율이 가장 낮고, 삼림 비율이 가장 높으며, 수출액 1위 상품이 구리 광석 및 구리 제품인 콩고 민주 공화국이다. (나)는 도시화율이 가장 높고, 경지 비율이 가장 낮으며, 수출액 1위 상품이 구리 광석 및 구리 제품인 칠레이다. (다)는 도시화율이 두 번째로 높고, 목장·목초지 비율이 가장 높으며, 수출액 1위 상품이 백금인 남아프리카 공화국이다.

정답찾기 ③ 지도의 A는 칠레, B는 콩고 민주 공화국, C는 남아프리카 공화국이다. 따라서 (가)는 B, (나)는 A, (다)는 C이다.

19 카르스트 및 화산 지형이 나타나는 국가 파악

문제분석 지형 다큐멘터리 촬영지인 파묵칼레와 옐로스톤 국립 공원은 신기 습곡 산지에 위치하여 온천과 간헐천이 나타나며, 석회암 분포 지역에 위치하여 카르스트 지형인 석회화 단구가 나타난다.

정답찾기 ② 지도의 A는 튀르키예(터키), B는 케냐, C는 베트남, D는 오스트레일리아, E는 미국이다. 파묵칼레는 튀르키예(터키)(A), 옐로스톤 국립 공원은 미국(E)에 위치한다.

20 에너지 자원의 지역(대륙)별 소비 특징 파악

문제분석 서남아시아는 석유와 천연가스의 소비량 비율이 높으므로, (가)는 수력이다. 수력은 아시아 및 오세아니아의 소비량 비율이 높으므로 A는 아시아 및 오세아니아이며, 아시아 및 오세아니아(A)는 천연가스보다 석유의 소비량 비율이 높으므로 (나)는 석유이고, (다)는 천연가스이다. 앵글로아메리카는 라틴 아메리카보다 석유와 천연가스의 소비량 비율이 높으므로 B는 라틴 아메리카이고, C는 앵글로아메리카이다. 따라서 (가)는 수력, (나)는 석유, (다)는 천연가스, A는 아시아 및 오세아니아, B는 라틴 아메리카, C는 앵글로아메리카이다.

정답찾기 ③ 천연가스(다)는 석유(나)보다 세계 발전량이 많다. 천연가스는 산업용(발전용)의 비율이 높고, 석유는 수송용의 비율이 높다.

오답피하기 ① 석유(나)의 세계 최대 생산국은 미국으로, 앵글로아메리카(C)에 위치한다.

② 친환경 에너지인 수력(가)은 화석 에너지인 석유(나)보다 소비 과정에서 배출되는 대기 오염 물질이 적다.

④ 라틴 아메리카(B)는 앵글로아메리카(C)보다 1차 에너지의 총소비량이 적다.

⑤ 아시아 및 오세아니아(A)는 지역(대륙) 내 에너지 소비량 중 석탄과 석유의 소비량 비율이 높아 신·재생 에너지의 비율이 세 지역(대륙) 중 가장 낮다. 반면, 라틴 아메리카(B)는 지역(대륙) 내 에너지 소비량 중 석탄과 석유의 소비량 비율이 다른 지역(대륙)에 비해 낮고 수력의 소비량 비율이 다른 지역에 비해 높아 신·재생 에너지의 비율이 세 지역(대륙) 중 가장 높다.

1 ②	2 ③	3 ②	4 ②	5 ④
6 ②	7 ④	8 ①	9 ①	10 ⑤
11 ③	12 ④	13 ①	14 ②	15 ⑤
16 ⑤	17 ②	18 ①	19 ③	20 ②

1 세계화와 현지화 전략 이해

문제분석 교통·통신의 발달로 지역 간 교류가 증가하면서 세계화가 빠르게 진행되고 있다. 세계화와 더불어 지역화가 함께 이루어지고 있는데, 다국적 기업은 다른 국가에 진출할 때 그 지역의 특성을 고려하여 현지화 전략을 구사하기도 한다.

정답찾기 ② 세계적인 커피 전문점인 ○○ 기업은 세계 각 지역에 진출하면서 지역의 특성을 반영한 매장을 열고, 메뉴를 개발하여 판매하고 있다. 이슬람교를 믿는 사람이 많은 아랍 에미리트에서는 모스크 형태의 매장을 만들고, 중국에서는 붉은색 계열의 색을 활용한 중국 전통 가옥 모양의 매장을 만들어 운영한다. 또한 페루에서는 지역의 특산물인 '루쿠마'라는 과일을 이용한 메뉴를 개발하여 판매하고 있다. 이처럼 ○○ 기업은 진출국의 종교, 문화, 특산물 등 지역의 특성을 고려한 현지화 전략을 구사하고 있다.

2 주요 국가의 가축별 사육 두수 특징 이해

문제분석 에티오피아에서 사육 두수 비율이 가장 높은 B는 소이다. 두 번째로 사육 두수 비율이 높은 A는 양이다. 에티오피아에서 거의 사육되지 않는 C는 돼지이다. 양(A)의 사육 두수 비율이 가장 높은 (가)는 뉴질랜드이고, 돼지(C)의 사육 두수 비율이 가장 높은 (나)는 독일이며, 소(B)의 사육 두수 비율이 가장 높은 (다)는 브라질이다.

정답찾기 ㄷ. 양(A)의 털은 모직 공업의 원료로 이용되고 있다. 따라서 양(A)은 소(B)보다 모직 공업의 원료로 이용되는 비율이 높다.

ㄹ. 세계 육류 생산량은 돼지>소>양 순으로 많다. 따라서 돼지(C)는 양(A)보다 세계 육류 생산량이 많다.

오답피하기 ㄱ. 양(A)의 최대 사육 국가는 중국이다.

ㄴ. 소(B)의 최대 사육 국가로 상대적으로 목축업이 발달한 브라질(다)이 독일(나)보다 돼지, 소, 양의 총 사육 두수가 많다.

3 주요 국가의 석유, 천연가스의 소비량 특징 파악

문제분석 세 국가 중 화석 에너지 소비량이 가장 많은 국가는 중국이다. 따라서 (가)는 중국이다. 중국(가)에서 가장 많이 소비되는 화석 에너지 자원은 석탄인데, A와 B의 소비량 비율의 합이 약 34%이므로 A와 B가 석탄이 아님을 알 수 있다. 러시아와 사우디아라비아 중 화석 에너지 소비량이 많은 국가는 러시아이다. 따라서 (나)는 러시아, (다)는 사우디아라비아이다. 세 국가 중 러시아(나)에서 소비량 비율이 가장 높은 A는 천연가스, 사우디아라비아(다)에서 소비량 비율이 가장 높은 B는 석유이다.

정답찾기 ② 러시아(나)는 사우디아라비아(다)보다 화석 에너지 소비량도 많고 국가 내 화석 에너지 소비량 중 천연가스(A)가 차지하는 비율도 높게 나타나므로, 러시아(나)가 사우디아라비아(다)보다 천연가스(A) 소비량이 많다.

오답피하기 ① 중국(가)은 세계에서 석탄 소비량이 가장 많은 국가로, 러시아(나)보다 국가 내 1차 에너지 소비 구조에서 석탄이 차지하는 비율이 높다.

③ 산업 혁명 초기에 주요 에너지원으로 이용된 자원은 석탄이다.

④ 냉동 액화 기술의 발달로 사용량이 급증한 자원은 천연가스(A)이다.

⑤ 세계에서 소비량이 가장 많은 에너지 자원인 석유(B)가 천연가스(A)보다 세계 1차 에너지 소비 구조에서 차지하는 비율이 높다.

4 사바나 기후 지역과 지중해성 기후 지역의 특징 이해

문제분석 (가)는 북동 무역풍과 남동 무역풍이 만나는 적도(열대) 수렴대가 북반구에 치우쳐 있으므로 7월이고, (나)는 적도(열대) 수렴대가 남반구에 치우쳐 있으므로 1월이다. 지도의 A는 북반구의 사바나 기후 지역인 아비장, B는 남반구의 사바나 기후 지역인 다르에스살람, C는 남반구의 지중해성 기후 지역인 케이프타운이다.

정답찾기 ② 남반구의 지중해성 기후 지역인 케이프타운(C)은 여름인 1월(나)이 건조하고, 겨울인 7월(가)이 습윤하다. 따라서 7월(가)이 1월(나)보다 강수량이 많다.

오답피하기 ① 아비장(A)은 열대 기후 지역으로 최한월 평균 기온이 18℃ 이상이다. 따라서 7월(가) 평균 기온은 18℃ 이상이다.

③ 열대 기후 지역인 아비장(A)은 온대 기후 지역인 케이프타운(C)보다 기온의 연교차가 작다.

④ 북반구 사바나 기후 지역에 해당하는 아비장(A)은 남반구 사바나 기후 지역에 해당하는 다르에스살람(B)보다 7월(가)에 아열대 고압대의 영향을 적게 받는다.

⑤ 1월(나)의 낮 길이는 북극권에서 남극권으로 갈수록 길어진다. 따라서 남반구 중위도에 위치한 케이프타운(C)이 남반구 저위도에 위치한 다르에스살람(B)보다 낮 길이가 길다.

5 오스트레일리아의 지역별 강수 특징 이해

문제분석 지도에 표시된 세 지역은 각각 다윈, 퍼스, 시드니이다. 세 지역 중 가장 저위도에 위치한 다윈은 사바나 기후, 오스트레일리아의 남서쪽 해안에 위치한 퍼스는 지중해성 기후, 오스트레일리아의 남동쪽 해안에 위치한 시드니는 온난 습윤 기후가 나타나는 지역이다. 따라서 누적 강수량이 가장 많고 우기와 건기가 뚜렷한 (가)는 다윈이고, 연 강수량이 고르게 분포하는 (나)는 시드니이며, 여름철(12~2월) 강수량이 적고 겨울철(6~8월) 강수량이 많은 (다)는 퍼스이다.

정답찾기 ㄴ. 포도, 올리브 등을 재배하는 수목 농업이 발달한 지역은 지중해성 기후가 나타나는 퍼스(다)이다.

ㄹ. 여름이 건조하고 겨울이 습윤한 지중해성 기후 지역인 퍼스(다)는 연중 강수량이 고르게 분포하는 온난 습윤 기후 지역인 시드니(나)보다 강수량의 계절 차이가 크다.

오답피하기 ㄱ. 연중 적도(열대) 수렴대의 영향을 받는 지역은 열대 우림 기후 지역이다.

ㄷ. 열대 기후 지역인 다윈(가)은 온대 기후 지역인 퍼스(다)보다 기온의 연교차가 작다.

6 지구적 규모의 주요 환경 문제 파악

문제분석 인도네시아와 말레이시아의 삼림이 팜유 생산을 위한 농장으로 바뀌면서 파괴되고 있다. 이로 인해 오랑우탄과 같은 다양한 생물 종이 멸종 위기에 처해 있다는 내용으로 보아 (가)는 열대림 파괴이다. 지구의 평균 기온이 상승하는 현상인 (나)는 지구 온난화이다. 열대림 파괴(가)로 지구 온난화(나) 현상이 가속화되고 있다.

정답찾기 ㄱ. 열대림 파괴(가)로 인해 토양 침식이 심화된다.

ㄷ. 지구 온난화(나)는 산업화·도시화로 인한 화석 에너지의 사용량 증가가 주요 원인이다.

오답피하기 ㄴ. 몬트리올 의정서는 오존층 파괴 문제를 해결하기 위해 염화 플루오린화 탄소 사용 억제 및 대체 물질 개발을 촉구하는 환경 협약이다. 열대림 파괴(가) 문제를 해결하기 위해 국제 사회는 생물 다양성 협약(1992년)을 체결하였다.

ㄹ. 지구 온난화(나)로 인해 지구의 평균 기온이 상승하면서 그린란드의 빙상 면적이 감소하고 있다.

7 국가별 도시화 특징 이해

문제분석 지도에 표시된 세 국가는 각각 영국, 콩고 민주 공화국, 인도네시아이다. 연평균 도시 인구 증가율과 연평균 촌락 인구 증가율이 모두 세 국가 중 가장 높은 (다)는 아프리카에 위치한 콩고 민주 공화국이다. 연평균 도시 인구 증가율과 연평균 촌락 인구 증가율이 모두 세 국가 중 가장 낮은 (가)는 유럽에 위치한 영국이다. (나)는 인도네시아이다.

정답찾기 ④ 인도네시아(나)는 인구 2억 명이 넘는 인구 대국이며, 현재 산업화가 급속히 진행되어 도시화율이 가속화 단계에 있다. 따라서 인도네시아(나)는 콩고 민주 공화국(다)보다 2020년 인구도 많고, 도시화율도 높게 나타나므로 도시 인구가 많다.

오답피하기 ① 영국(가)은 연평균 도시 인구 증가율이 약 1%, 연평균 촌락 인구 증가율이 약 -1%이다. 영국(가)은 일찍 산업화를 이룬 국가로, 도시화의 종착 단계에 해당한다. 따라서 도시화율이 80% 이상이므로 도시 인구의 증가분이 촌락 인구의 감소분보다 많다. 그러므로 영국(가)은 2015~2020년 총인구가 증가하였다.

② 인도네시아(나)에는 최상위 계층의 세계 도시가 없다. 세 국가 중 최상위 계층의 세계 도시가 있는 국가는 런던이 있는 영국(가)이다.

③ 합계 출산율이 높은 콩고 민주 공화국(다)이 영국(가)보다 인구의 자연 증가율이 높다.

⑤ 인도네시아(나)의 촌락 인구 증가율은 (-)이고 콩고 민주 공화국(다)의 촌락 인구 증가율은 (+)로, 콩고 민주 공화국(다)이 인도네시아(나)보다 2015~2020년 촌락 인구가 많이 증가하였다.

8 노르웨이와 스웨덴의 자연환경 특징 파악

문제분석 첫 번째 글에서 설명하고 있는 국가는 피오르 해안과 빙하호가 발달한 국가임을 알 수 있다. 두 번째 글에서 설명하고 있는 국가는 극야, 백야 현상이 나타나는 것으로 보아 고위도에 위치한 국가임을 알 수 있다.

정답찾기 ① 지도의 A는 노르웨이와 스웨덴, B는 포르투갈과 에스파냐, C는 보츠와나와 남아프리카 공화국, D는 이라크와 이란, E는 미얀마와 타이이다. A~E 중 고위도에 위치한 지역은 A이다. 노르웨이는 피오르 해안과 빙하호가 발달하여 수력 발전 비율이 높은 국가이다. 스웨덴은 고위도에 위치하여 극야 및 백야 현상이 나타나며, 이와 관련된 문화가 발달했다.

9 모스크바, 울란바토르, 부에노스아이레스의 기후 특징 이해

문제분석 지도에 표시된 세 지역은 A는 모스크바, B는 울란바토르, C는 부에노스아이레스이다. 모스크바(A)는 북반구의 냉대 습윤 기후 지역, 울란바토르(B)는 북반구의 스텝 기후 지역, 부에노스아이레스(C)는 남반구의 온난 습윤 기후 지역에 해당한다.

정답찾기 ① 7월 평균 기온의 차이에서 (다)만 (−) 값을 보이고 있다. 따라서 (다)는 남반구에 위치한 부에노스아이레스(C)이다. 1월 강수량이 더 적은 (나)가 울란바토르(B), (가)가 모스크바(A)이다.

10 주요 해안 지형의 특징 이해

문제분석 그림은 일본 돗토리현에서 나타나는 해안 지형의 모습으로, A는 석호, B는 해식애, C는 해안 사구이다.

정답찾기 ㄱ. 석호(A)는 후빙기 해수면 상승으로 형성된 만의 입구에 파랑과 연안류에 의해 형성된 사주가 발달하여 만들어진 호수이다. ㄷ. 해식애(B)는 파랑의 침식을 받아 형성된 해안 절벽으로, 시간이 지날수록 육지 쪽으로 후퇴한다. ㄹ. 해안 사구(C)는 사빈의 모래가 바람에 날려 형성된 지형이다.

오답피하기 ㄴ. 해식애(B)는 파랑 에너지가 집중되는 곳에서 잘 발달한다.

11 세계 주요 종교의 특징 이해

문제분석 (가)는 부처상, 법당을 통해 불교임을 알 수 있다. 자료의 동전은 불교(가) 신자 비율이 높은 타이의 동전이다. (나)는 카바 신전, 아브라함, 메카 등을 통해 이슬람교임을 알 수 있다. 자료의 지폐는 메카가 위치한 사우디아라비아의 지폐이다.

정답찾기 ③ 불교(가)는 기원전 6세기경 인도 북동부에서 발생하였고, 이슬람교(나)는 7세기 초 사우디아라비아의 메카에서 발생하였다. 따라서 불교(가)는 이슬람교(나)보다 발생 시기가 이르다.

오답피하기 ① 불교(가)의 주요 종파에는 대승 불교, 상좌부 불교 등이 있다. 수니파와 시아파가 주요 종파인 종교는 이슬람교(나)이다.
② 이슬람교(나)는 하나의 신을 섬기는 유일신교이다. 여러 신을 섬기는 대표적인 종교로는 힌두교가 있다.
④ 주요 종교의 전 세계 신자는 크리스트교>이슬람교>힌두교>불교 순으로 많다. 따라서 이슬람교(나)는 불교(가)보다 전 세계 신자가 많다.
⑤ 불교(가)와 이슬람교(나)는 모두 보편 종교에 해당한다.

12 세계 주요 산맥의 특징 이해

문제분석 (가)는 유럽과 아시아의 자연 경계로 알려진 우랄산맥이다. 우랄산맥(가)은 고기 조산대에 해당하여 최고봉의 높이가 나머지 세 산맥에 비해 낮은 편이다. (나)는 세계의 지붕, 인더스강과 갠지스강의 발원지를 통해 히말라야산맥임을 알 수 있다. 히말라야산맥(나)은 두 대륙판이 충돌하는 경계에 위치한 신기 조산대에 해당한다.

(다)는 유럽에 위치, 마터호른, 융프라우 등을 통해 알프스산맥임을 알 수 있다. 알프스산맥(다)은 두 대륙판이 충돌하는 경계에 위치한 신기 조산대에 해당한다. (라)는 키토, 보고타, 라파스 등의 고산 도시, 아르헨티나 등을 통해 안데스산맥임을 알 수 있다. 안데스산맥(라)은 대륙판과 해양판이 충돌하는 경계에 위치한 신기 조산대에 해당한다.

정답찾기 ④ 대륙판과 대륙판의 충돌로 형성된 히말라야산맥(나)은 지각이 두꺼워 화산 활동이 활발하지 않다. 안데스산맥(라)은 해양판이 대륙판 밑으로 밀려 들어가면서 지각이 녹아 형성된 마그마가 분출하여 화산 활동이 활발하다. 따라서 안데스산맥(라)은 히말라야산맥(나)보다 화산 활동이 활발하다.

오답피하기 ① 히말라야산맥(나)은 알프스−히말라야 조산대에 속한다.
② 우랄산맥(가)은 고기 조산대, 안데스산맥(라)은 신기 조산대에 해당한다. 고기 조산대는 신기 조산대보다 조산 운동의 시기가 이르기 때문에 조산 운동을 받은 후 오랜 기간 침식을 받아 평균 해발 고도가 낮다.
③ 알프스산맥(다)은 주로 신생대에 조산 운동을 받은 신기 조산대에 해당하며, 우랄산맥(가)은 주로 고생대에 조산 운동을 받은 고기 조산대에 해당한다. 따라서 알프스산맥(다)은 우랄산맥(가)보다 산맥의 형성 시기가 늦다.
⑤ 히말라야산맥(나)과 알프스산맥(다)은 모두 대륙판과 대륙판이 충돌하는 경계에 위치한 산맥이다. 대륙판과 해양판이 충돌하는 경계에 위치한 산맥은 안데스산맥(라)이다.

13 건조 및 냉·한대 기후 지역의 지형 특징 이해

문제분석 질문 (가)의 모레인은 빙하의 말단부에서 자갈, 모래, 점토 등이 퇴적되어 형성된 지형이며, 바르한은 바람에 날린 모래가 초승달 모양으로 퇴적되어 형성된 사구의 일종으로 주로 한 방향에서 탁월한 바람이 불 때 잘 형성된다. 질문 (나)의 플라야호는 건조 분지의 평탄한 저지대(플라야)에 일시적으로 물이 고여 형성된 염호이고, 빙하호는 빙하가 녹은 물이 고여 형성된 호수이다. 질문 (다)의 버섯바위는 바람에 날린 모래가 바위의 아랫부분을 깎아서 형성된 버섯 모양의 바위이고, 삼릉석은 바람에 날린 모래의 침식을 받아 여러 개의 평평한 면과 모서리가 생긴 돌이다.

정답찾기 ① 첫 번째 칸에 들어갈 알파벳은 질문 (가)에서 모레인은 바르한보다 퇴적 물질의 분급이 불량하므로 '예'로 이동한 'A'이다. 두 번째 칸에 들어갈 알파벳은 건조 분지의 염호인 플라야호가 빙하가 녹은 물이 고여 형성된 빙하호보다 물의 염도가 높으므로 '예'로 이동한 'C'이다. 세 번째 칸에 들어갈 알파벳은 버섯바위와 삼릉석 모두 바람에 날린 모래의 침식으로 형성되었기 때문에 '예'로 이동한 'E'이다. 세 알파벳을 조합해 보면 'ACE'가 된다.

14 미국의 주(州)별 인구 변화와 제조업 특징 분석

문제분석 지도에 표시된 세 주(州)는 각각 워싱턴주, 캘리포니아주, 텍사스주이다. 워싱턴주는 시애틀을 중심으로 항공·우주 산업이 발달한 지역이며, 캘리포니아주는 실리콘 밸리를 중심으로 첨단 산업이 발달한 지역이다. 텍사스주는 휴스턴을 중심으로 석유 화학 공업이 발달한 지역이다. 따라서 제조업 생산액 비율 그래프에서 1위 품목을 통해 (가)는 캘리포니아주, (나)는 텍사스주, (다)는 워싱턴주임을 알 수 있다. 세 주의 인구 변화를 보면 워싱턴주는 세 주 중 인구가 가장 적은 (다)이며, 가장 인구가 많은 (가)는 캘리포니아주이고, (나)는 텍사스주이다. 선벨트에 위치하고 첨단 산업이 발달한 캘리포니아주와 텍사스주의 인구는 1960년대 이후로 급증한 것을 알 수 있다.

(정답찾기) ② 캘리포니아주(가)에는 첨단 산업 단지인 실리콘 밸리가 위치해 있다.

(오답피하기) ① 캘리포니아주(가)는 텍사스주(나)보다 2020년 인구가 많다.

③ 텍사스주(나)는 선벨트에 해당한다.

④ 워싱턴주(다)는 시애틀을 중심으로 항공·우주 산업이 발달하였다. 휴스턴을 중심으로 석유 화학 공업이 발달한 곳은 텍사스주(나)이다.

⑤ 멕시코와 국경을 접하고 있는 지역은 캘리포니아주(가)와 텍사스주(나)이다. 워싱턴주(다)는 캐나다와 국경을 접하고 있다.

15 베트남의 전통 의복 특징 이해

(문제분석) 아오자이가 전통 의복인 (가)는 베트남이다.

(정답찾기) ⑤ 메콩강은 중국의 시짱(티베트)고원에서 발원하여 미얀마, 라오스, 타이, 캄보디아, 베트남을 거쳐 바다로 흘러 들어가는 국제 하천이다. 베트남(가)은 메콩강 하구에 위치한 국가로, 제시된 글에서 E에 해당한다. 메콩강 하구에는 하천 퇴적 지형인 삼각주가 발달해 있다. 메콩강 삼각주에서는 벼농사가 대규모로 이루어진다.

(오답피하기) A는 시짱(티베트)고원이 위치한 중국이다. 메콩강이 국경의 일부인 국가로는 타이와 라오스, 미얀마와 라오스 등이 있는데, C는 내륙 국가이면서 수도가 비엔티안인 라오스이며, B는 타이이다. D는 앙코르와트가 있고 수도가 프놈펜인 캄보디아이다.

16 건조 아시아와 북부 아프리카 주요 국가의 특징 파악

(문제분석) 지도에 표시된 세 국가는 각각 튀르키예(터키), 이집트, 사우디아라비아이다. 세 국가의 인구 구조 그래프에서 (다)는 15~64세의 청장년층에서 남성이 여성보다 월등히 많아 남초 현상이 심하게 나타나는 것을 알 수 있다. 따라서 (다)는 사우디아라비아이다. 사우디아라비아(다)는 도로, 항만 등 기반 시설 건설과 석유 개발 등에 필요한 남성 외국인 노동자가 많이 유입되었다. (가)와 (나) 중 0~14세의 유소년층 인구 비율이 높고, 65세 이상 노년층 인구 비율이 더 낮은 (가)는 이집트이다. 아프리카에 위치한 이집트(가)는 세 국가 중 합계 출산율이 가장 높은 국가로, 유소년층의 인구 비율이 높다. (나)는 튀르키예(터키)이다.

(정답찾기) ⑤ 사우디아라비아(다)는 세계적인 석유 생산국으로, 이집트(가)보다 석유 생산량이 많다.

(오답피하기) ① 나일강 유역을 중심으로 관개 농업이 활발한 국가는 이집트(가)이다. 튀르키예(터키)(나)의 동부 고원 지역은 유프라테스강과 티그리스강의 발원지이다.

② 사우디아라비아(다)는 아시아에 위치한다.

③ 이집트(가)는 나일강 유역의 밀 농사와 지중해 연안의 과수 재배가 활발하여 상대적으로 농산물의 수출액 비율이 높다. 또한 석유,

천연가스 등 다양한 천연자원이 매장되어 있어 광물 및 에너지 자원의 수출액 비율도 높은 편이다. 튀르키예(터키)(나)는 상대적으로 공업 제품의 수출액 비율이 높다. 유럽과의 지리적인 인접성, 저렴한 인건비 등을 활용하여 자동차와 가전제품 등의 제조업이 발달하였다. 실제로 2021년 기준 튀르키예(터키)(나)의 공업 제품 수출액 비율은 약 62.6%, 이집트(가)의 공업 제품 수출액 비율은 약 45.5%이다.

④ 사우디아라비아(다)는 국토의 대부분이 사막으로, 해안 지역을 중심으로 지중해성 기후가 나타나는 튀르키예(터키)(나)보다 국토 면적 중 사막이 차지하는 비율이 높다.

17 사하라 이남 아프리카와 중·남부 아메리카의 주요 자원 생산량 비율 파악

(문제분석) 사하라 이남 아프리카와 중·남부 아메리카에는 많은 자원이 매장되어 있다. 다이아몬드, 구리, 코발트, 금과 같은 광물 자원이 풍부하며, 일부 국가에서는 석유 매장량도 많다. 이 지역은 광업이 매우 중요한 산업이며, 대부분의 국가에서는 광물 자원과 에너지 자원 수출이 국가 총수출액에서 차지하는 비율이 높다.

(정답찾기) ② (가)는 칠레, 페루, 콩고 민주 공화국에서 생산량 비율이 높으므로 구리이다. 특히 칠레는 2021년 기준 세계 구리 생산량의 약 26%를 차지하는 세계적인 구리 생산국이다. 칠레와 인접한 페루에서도 구리 생산량이 많다. 사하라 이남 아프리카에서는 코퍼 벨트에 위치한 콩고 민주 공화국, 잠비아에서 구리 생산량이 많다. (나)는 보츠와나, 콩고 민주 공화국, 남아프리카 공화국에서 생산량 비율이 높은 다이아몬드이다. 특히 보츠와나는 전 세계에서 러시아 다음으로 다이아몬드 생산량이 많으며, 2021년 기준 전 세계 생산량의 약 19%를 차지한다. (다)는 콩고 민주 공화국이 전 세계 생산량의 약 71%를 차지하고 있는 코발트이다.

18 유럽 연합(EU)의 형성 과정 이해

(문제분석) 제2차 세계 대전 이후 유럽에서는 전쟁으로 폐허가 된 삶의 터전을 복구하고 국가 간 적대 요인을 해소하기 위해 결속과 통합의 필요성이 대두되었다. 1952년 프랑스, 독일(당시 서독), 이탈리아, 벨기에, 네덜란드, 룩셈부르크가 함께 유럽 석탄 철강 공동체(ECSC)를 설립하였고, 1958년에 유럽 경제 공동체(EEC)와 유럽 원자력 공동체(EURATOM)가 조직되었다. 이후 1967년 이 세 공동체가 유럽 공동체(EC)로 통합하여 출범하였고, 1993년 유럽 연합(EU)이라는 경제 및 정치 공동체로 발전하였다.

유럽 연합의 본부가 위치한 지역은 벨기에의 브뤼셀이다. 따라서 (가)는 벨기에이다. 2020년 유럽 연합을 탈퇴한 (나)는 영국이다. 독일, 프랑스, 이탈리아 등과 국경을 접하고 있고 유럽 연합 미가입국인 (다)는 스위스이다.

(정답찾기) ① 벨기에(가)는 프랑스어, 네덜란드어, 독일어 등 복수의 공용어를 사용하는 국가이다. 벨기에(가)는 네덜란드어를 주로 사용하는 플랑드르 지역과 프랑스어를 주로 사용하는 왈로니아 지역 간 경제 격차와 언어 차이로 인한 갈등이 나타나고 있다.

(오답피하기) ② 영국(나)은 유로화를 단일 통화로 사용하지 않는다.

③ 스코틀랜드에서 분리 독립 움직임이 있는 국가는 영국(나)이다. 영국의 스코틀랜드에서는 분리 독립을 위한 주민 투표가 실시되기도

하였다.

④ 벨기에(가)와 스위스(다)는 국경을 접하고 있지 않다.

⑤ (가)~(다) 중 유럽 석탄 철강 공동체 회원국은 벨기에(가)이다. 유럽 석탄 철강 공동체는 이후 유럽 공동체를 거쳐 유럽 연합으로 발전하게 되었다. 이를 통해 유럽 연합 비회원국인 스위스(다)는 유럽 석탄 철강 공동체 회원국이 아니었음을 추론할 수 있다. 그리고 영국(나)은 1973년 유럽 공동체에 가입하였다. 따라서 영국(나)도 초기의 유럽 석탄 철강 공동체 회원국이 아니었다.

19 지역(대륙)별 인구 특성 파악

문제분석 인구의 자연 증가율은 합계 출산율이 높은 아프리카에서 높게 나타나고, 합계 출산율이 낮은 앵글로아메리카에서 낮게 나타난다. 순 이동률은 경제 수준이 높은 앵글로아메리카에서 높게 나타나고, 경제 수준이 낮은 라틴 아메리카, 아프리카에서 낮게 나타난다. 세 지역(대륙) 중 인구의 자연 증가율이 가장 높고, 순 이동률이 (-)로 인구 순 유출이 나타나는 (가)는 아프리카이다. 인구의 자연 증가율이 세 지역(대륙) 중 가장 낮고, 순 이동률이 (+)로 인구 순 유입이 나타나는 (다)는 앵글로아메리카이다. (나)는 라틴 아메리카이다. 라틴 아메리카(나)는 인구의 자연 증가율이 감소하고 있고, 순 이동률은 (-)로 인구 순 유출이 나타난다.

정답찾기 ㄷ. 노년층 인구 비율이 높은 앵글로아메리카(다)는 유소년층 인구 비율이 높은 아프리카(가)보다 노령화 지수가 높다.

ㄹ. 2020년 기준 총인구는 아프리카(가)>라틴 아메리카(나)>앵글로아메리카(다) 순으로 많다.

오답피하기 ㄱ. 도시화율은 라틴 아메리카(나)가 아프리카(가)보다 높다. 2020년 기준 라틴 아메리카(나)의 도시화율은 약 81%, 아프리카(가)의 도시화율은 약 43%이다. 라틴 아메리카는 경제 수준에 비해 도시화율이 높게 나타나는 것이 특징이다.

ㄴ. 경제 수준이 높은 앵글로아메리카(다)는 라틴 아메리카(나)보다 지역 내 3차 산업 종사자 비율이 높다.

20 문화권의 점이 지대 특징 파악

문제분석 제시된 글은 문화권의 경계에 위치한 점이 지대와 관련된 내용으로, 건조 문화권과 유럽 문화권의 경계에 위치한 국가에 대한 것이다. (가)는 국토의 약 40%가 사막이고 주로 아랍어가 사용되는 등 건조 문화권의 특징이 나타나지만, 해안의 일부 지역에서 지중해성 기후가 나타나고 유럽의 식민 지배 경험으로 유럽 문화권의 특성이 공존하는 국가이다.

정답찾기 ② 사막 기후와 지중해성 기후가 나타나고 유럽의 영향을 받은 국가는 튀니지(B)이다.

오답피하기 A는 에스파냐, C는 루마니아, D는 튀르키예(터키), E는 카자흐스탄이다. 에스파냐(A)와 루마니아(C)는 유럽에 위치한 국가이고, 튀르키예(터키)(D)는 사막이 넓게 분포하지 않는다. 카자흐스탄(E)은 지중해성 기후가 거의 나타나지 않는다.

1 ②	2 ⑤	3 ①	4 ①	5 ③
6 ③	7 ④	8 ④	9 ①	10 ③
11 ⑤	12 ④	13 ③	14 ⑤	15 ③
16 ②	17 ⑤	18 ②	19 ⑤	20 ⑤

1 메르카토르의 세계 지도와 곤여만국전도의 특징 파악

문제분석 (가)는 1569년에 제작되었으며, 아메리카 대륙이 표현되어 있는 메르카토르의 세계 지도이다. (나)는 1602년에 중국에서 제작되었으며, 경·위도를 사용하였고, 아시아, 아프리카, 유럽과 아메리카 대륙이 표현되어 있는 곤여만국전도이다.

정답찾기 ㄱ. 메르카토르의 세계 지도(가)는 경선 간격이 고정되어 있고 위선 간격이 고위도로 갈수록 커져 고위도 지역으로 갈수록 면적이 실제보다 지나치게 확대된다.

ㄷ. 메르카토르의 세계 지도(가)와 곤여만국전도(나)는 모두 경·위선을 사용해 제작된 지도이다.

오답피하기 ㄴ. 곤여만국전도(나)는 태평양이 지도 한가운데에 표현되어 있으며, 태평양을 중심으로 대륙이 배치되어 있다.

ㄹ. 메르카토르의 세계 지도(가)는 서양에서 제작되었으며, 곤여만국전도(나)는 동양에서 제작되었다.

2 여러 기후 지역의 특징 파악

문제분석 그래프의 (가)~(다)는 각각 러시아의 수도인 모스크바, 사우디아라비아의 수도인 리야드, 타이의 수도인 방콕의 기후 값을 나타낸 것이다. (가)는 기온의 연교차가 26℃ 정도로 크며, 1월과 7월의 강수량이 60mm 내외로 나타나므로, 위도가 높으며 연중 강수가 고른 냉대 습윤 기후 지역에 해당한다. (나)는 기온의 연교차가 22℃ 정도로 크고 1월과 7월의 강수량이 매우 적으므로, 강수량이 적은 사막 기후 지역에 해당한다. (다)는 기온의 연교차가 3.4℃ 정도로 작으며 1월 강수량은 60mm 미만으로 적지만 7월 강수량은 매우 많으므로, 건기와 우기가 나타나는 사바나 기후 지역에 해당한다. 따라서 (가)는 모스크바, (나)는 리야드, (다)는 방콕이다.

정답찾기 ⑤ 방콕(다)은 계절풍 기후 지역에 속하며, 이의 영향으로 바다 쪽에서 바람이 부는 여름철에 우기, 육지 쪽에서 바람이 부는 겨울철에 건기가 나타난다. 리야드(나)는 북회귀선 부근에 위치해 연중 아열대 고압대의 영향을 받아 건조하다. 따라서 방콕(다)은 리야드(나)보다 계절풍의 영향을 더 많이 받는다.

오답피하기 ① 모스크바(가)는 냉대 습윤 기후로, 연 강수량보다 연 증발량이 많지 않다. 연 강수량보다 연 증발량이 많은 기후로는 건조 기후가 있다.

② 모스크바(가)는 리야드(나)보다 고위도에 위치하므로 연평균 기온이 낮다.

③ 리야드(나)는 모스크바(가)보다 저위도에 위치한다. 7월에는 북반구 고위도로 갈수록 낮 길이가 길어지므로 모스크바(가)의 7월 낮 길이가 리야드(나)보다 더 길다.

④ 방콕(다)은 우기와 건기가 나타나는 사바나 기후 지역이며, 모스

크바(가)는 연중 강수가 고른 냉대 습윤 기후 지역이다. 따라서 모스크바(가)가 방콕(다)보다 연중 강수가 더 고르게 나타난다.

3 열대 기후 지역의 특징 파악

문제분석 지도에 표시된 세 지역은 각각 열대 몬순(계절풍) 기후가 나타나는 양곤, 열대 우림 기후가 나타나는 싱가포르, 사바나 기후가 나타나는 브라질리아이다. (가)는 강수 편차 값이 (+)로 나타나는 B 시기에 우기이며, 세 지역 중 7월 1일의 낮 길이가 가장 길어 세 지역 중 북반구에 위치한 지역임을 알 수 있다. (나)는 강수 편차 값이 (+)로 나타나는 A 시기에 우기이며, 세 지역 중 7월 1일의 낮 길이가 가장 짧아 세 지역 중 남반구에 위치한 지역임을 알 수 있다. 따라서 A 시기는 1월, B 시기는 7월이며, (가)는 열대 몬순(계절풍) 기후가 나타나는 양곤, (나)는 사바나 기후가 나타나는 브라질리아이다. (다)는 (가)~(다) 중 A 시기와 B 시기의 기온 차와 강수 편차가 가장 작고, 7월 1일의 낮 길이가 세 지역 중 두 번째로 길다. 따라서 (다)는 적도 부근에 위치한 싱가포르이다.

정답찾기 ① 적도(열대) 수렴대는 대기 대순환의 시기별 이동에 따라 7월에 북반구로 올라온다. 따라서 북반구에 위치한 양곤(가)은 브라질리아(나)보다 7월에 적도(열대) 수렴대의 영향을 많이 받는다.

오답피하기 ② 양곤(가)은 싱가포르(다)보다 고위도에 위치해 있다. 그래프에서도 (가)의 A 시기(1월)와 B 시기(7월)의 기온 차이가 더 크게 나타난다. 따라서 기온의 연교차는 양곤(가)이 싱가포르(다)보다 크다.
③ 브라질리아(나)는 남반구에 위치하므로 대기 대순환의 시기별 이동에 의해 1월에 적도(열대) 수렴대의 영향을 받는다. 적도(열대) 수렴대의 영향을 받으면 우기가 나타난다. 반면, 양곤(가)은 1월에 건기로 강수량이 적다. 따라서 브라질리아(나)는 양곤(가)보다 1월 강수량이 많다.
④ 브라질리아(나)는 건기와 우기가 나타나는 사바나 기후가 나타나며, 싱가포르(다)는 연중 기온이 높고 강수량이 많은 열대 우림 기후가 나타난다. 열대 우림 기후는 적도에 걸쳐 분포하며, 사바나 기후는 그 주변으로 분포한다. 따라서 적도와의 최단 거리가 더 가까운 것은 싱가포르(다)이다.
⑤ 양곤(가)은 미얀마의 도시로 북반구에 위치하며, 브라질리아(나)는 브라질의 도시로 남반구에 위치한다.

4 국가별 종교 분포 및 종교별 특징 파악

문제분석 지도에 표시된 네 국가는 각각 스리랑카, 말레이시아, 캄보디아, 필리핀이다. 캄보디아는 국가 내 불교 신자의 비율이 가장 높으므로, D는 불교이다. (나)는 불교 신자 비율이 높은데 남은 세 국가 중 불교 신자가 많은 국가는 스리랑카이므로, (나)는 스리랑카이다. 남은 두 국가 중 말레이시아는 이슬람교 신자 비율이 가장 높으며, 불교, 힌두교 신자도 분포한다. 필리핀은 크리스트교 신자 비율이 높은 국가이며, 국가의 남부 지역에 이슬람교를 믿는 지역이 일부 있다. 따라서 (다)는 필리핀이며, (다)에서 신자 비율이 가장 높은 A는 크리스트교이다. (가)는 말레이시아이며, (가)에서 신자 비율이 가장 높은 B는 이슬람교이고, C는 힌두교이다.

정답찾기 ① 아시아 지역에서는 이슬람교 신자가 크리스트교 신자에

비해 상대적으로 많다.

오답피하기 ② 이슬람교(B)는 7세기 초 서남아시아의 메카에서 발생하였고, 불교(D)는 기원전 6세기경 인도 북동부 지역에서 발생하였다.
③ 힌두교(C)는 민족 종교, 불교(D)는 보편 종교로 구분된다.
④ 필리핀(다)은 섬으로 이루어진 국가로, 인도차이나반도에 위치하지 않는다.
⑤ 동남아시아에 위치한 말레이시아(가)는 동남아시아 국가 연합(ASEAN) 회원국이지만, 남부 아시아에 위치한 스리랑카(나)는 동남아시아 국가 연합(ASEAN) 회원국이 아니다.

5 열대 기후와 온대 기후의 특징 비교

문제분석 지도에 표시된 네 지역은 각각 온난 습윤 기후가 나타나는 우한, 사바나 기후가 나타나는 케언스, 지중해성 기후가 나타나는 퍼스, 서안 해양성 기후가 나타나는 크라이스트처치이다. 그래프는 각 지역의 월별 강수량을 나타내고 있다. (가)는 네 지역 중 연 강수량이 가장 많고 1월에 우기, 7월에 건기가 나타나는 지역이다. (나)와 (다)는 1월에 강수량이 적고 6~8월에 강수량이 집중되는 강수 패턴을 보이는 지역이며, (다)의 경우 연 강수량이 (나)에 비해 적게 나타난다. (라)는 연중 강수량이 고르게 분포하는 지역이다.

정답찾기 ③ (가)는 네 지역 중 연 강수량이 가장 많고 1월에 우기, 7월에 건기가 나타나므로 남반구에 위치한 사바나 기후 지역인 케언스(C)이다. (나)와 (다)는 7월에 강수량이 집중되고 있지만 연 강수량이 더 많은 (나)는 북반구에 위치한 온난 습윤 기후 지역인 우한(A)이고, (다)는 남반구에 위치한 지중해성 기후 지역인 퍼스(B)이다. 연중 강수가 고른 (라)는 서안 해양성 기후가 나타나는 크라이스트처치(D)이다. 따라서 (가)는 C, (나)는 A, (다)는 B, (라)는 D이다.

6 세계화 시대의 지역화 전략 이해

문제분석 (가)의 사례는 미국 뉴욕이 지역의 이미지 개선을 위해 만든 캠페인의 로고인 'I Love New York'에 대한 것이다. 이 로고로 뉴욕은 부정적 이미지를 크게 개선하였고, 관광 수입도 증가하였다. (나)의 사례는 이탈리아 그라냐노 지역의 건조 파스타가 고유의 지리적 특성을 이용해 만들어진 것을 인정받아 유럽 연합(EU)의 인증을 받았다는 내용이다.

정답찾기 ③ (가)는 지역 브랜드화, (나)는 지리적 표시제가 들어갈 수 있다.

오답피하기 국제적 분업은 다국적 기업의 본사, 연구소, 생산 공장이 국제적으로 각각 유리한 조건을 갖춘 곳에 입지하는 것을 의미한다.

7 세계의 대지형 이해

문제분석 지도에 표시된 산맥은 각각 아프리카 남단의 드라켄즈버그산맥, 인도와 네팔에 분포하는 히말라야산맥, 미국 동부에 분포하는 애팔래치아산맥, 남아메리카 서쪽에 남북으로 길게 분포하는 안데스산맥이다. (가)의 최고봉의 위치는 남반구이면서 서경 70° 정도에 위치해 있으므로, (가)는 안데스산맥이다. (나)의 최고봉의 위치는 북반구이면서 동경 86° 정도에 위치해 있으므로, (나)는 히말라야산맥이다. (다)의 최고봉의 위치는 북반구이면서 서경 82° 정도에 위치해 있으

므로, (다)는 애팔래치아산맥이다. (라)의 최고봉의 위치는 남반구이면서 동경 29° 정도에 위치하므로, (라)는 드라켄즈버그산맥이다.

정답찾기 ④ 안데스산맥(가)은 대륙판과 해양판이 충돌한 경계에 형성되어 있으며 환태평양 조산대에 속하여, 고생대에 형성된 애팔래치아산맥(다)보다 지진과 화산 활동이 활발하다.

오답피하기 ① 안데스산맥(가)은 신생대 조산 운동을 받아 형성되었다.
② 히말라야산맥(나)은 대륙판과 대륙판의 충돌로 형성되었다.
③ 애팔래치아산맥(다)은 환태평양 조산대에 속하지 않는다.
⑤ 고생대에 형성된 드라켄즈버그산맥(라)은 신생대에 형성된 히말라야산맥(나)보다 평균 해발 고도가 높지 않다.

8 화산 지형과 카르스트 지형 이해

문제분석 (가)는 인도네시아 탐보라 화산의 칼데라이며, (나)는 베트남 할롱 베이의 카르스트 지형인 탑 카르스트이다. (다)는 아이슬란드 호프소스에 발달한 주상 절리이며, (라)는 슬로베니아 포스토이나 동굴로 기반암이 용식 작용을 받아 형성된 석회 동굴이다.

정답찾기 ④ 석회 동굴은 기반암인 석회암이 땅속으로 스며든 빗물이나 지표수에 의해 용식 작용을 받아 형성된 지형으로, 용식 작용은 화학적 풍화 작용에 해당한다.

오답피하기 ① (가)는 화산 폭발 후 화구가 함몰되어 형성된 지형인 칼데라이다.
② (나)는 탑 카르스트로, 기반암인 석회암이 용식 및 침식되고 남은 탑 모양의 지형이다.
③ (다)는 주상 절리로, 주로 점성이 작은 용암이 분출하여 급격히 식으면서 형성된 지형이다.
⑤ 칼데라(가)는 화산 활동으로 형성되며, 탑 카르스트(나)는 기반암인 석회암의 용식 작용으로 형성된다.

9 다양한 지형 이해

문제분석 프랑스와 오스트레일리아 등에서 관찰할 수 있는 다양한 해안 지형, 빙하 지형, 대지형 등이 제시되어 있다. ㉠, ㉣, ㉥은 해안 지형이며, ㉡과 ㉤은 세계의 주요 대지형이고, ㉢은 빙하 지형이다.

정답찾기 ① 해안 사구는 사빈의 모래가 바람에 날려 쌓인 모래 언덕이다. 주로 파랑과 연안류의 퇴적 작용으로 형성된 지형으로는 사빈, 사주 등이 있다.

오답피하기 ② 호른은 빙하의 침식으로 형성된 산 정상부의 뾰족한 봉우리이다.
③ 시 스택은 해식애가 침식으로 후퇴할 때 차별 침식의 결과로 단단한 암석 부분이 남아 형성된 바위 기둥이다.
④ 오스트레일리아의 대보초 해안은 석회질의 산호충 유해가 퇴적되어 형성된 산호초 해안이다.
⑤ 알프스산맥은 신생대에 형성되었으며, 그레이트디바이딩산맥은 고생대에 형성되었다.

10 온대 기후 지역의 주민 생활과 특징 파악

문제분석 (가)는 프랑스 파리로, 서안 해양성 기후(Cfb)가 나타난다.

흐린 날이 많다는 사실에서 연중 비가 고르게 오는 이 기후 지역의 특성을 볼 수 있다. (나)는 미국 서부 캘리포니아 지역으로, 지중해성 기후(Cs)가 나타난다. 구름 없이 강한 태양빛과 포도밭이 나타난다는 정보를 통해 지중해성 기후 지역의 특성을 볼 수 있다. (다)는 모로코의 마라케시로, 북부 아프리카에 위치한 모로코는 사막 기후(BW)가 널리 나타난다. 낙타 체험, 건조한 사막이라는 정보를 통해 사막 기후 지역의 특성을 확인할 수 있다.

정답찾기 ③ (가)는 서안 해양성 기후 지역으로 연중 강수량이 고르다. 반면, (나)는 지중해성 기후 지역으로 여름철과 겨울철의 강수 편차가 나타난다. 따라서 하천의 유량 변동은 연중 강수량이 고른 (가)가 (나)에 비해 더 적어 수운 교통 발달에 유리하다.

오답피하기 ① 프랑스의 파리는 유라시아 대륙의 서안에 위치한다.
② 지중해성 기후 지역에서 대표적으로 행해지는 농업의 형태는 수목 농업이다. 혼합 농업은 서안 해양성 기후 지역에서 널리 행해진다.
④ (나)는 지중해성 기후가 나타나 여름철에 아열대 고압대의 영향을 많이 받으며, (다)는 사막 기후로 연중 아열대 고압대의 영향을 받는다.
⑤ 두 지역 모두 북반구에 위치하지만 (다)는 아프리카 북부로 (가)보다 저위도에 위치하며, (가)는 북위 50° 정도로 북반구 고위도에 위치한다. 따라서 위도가 더 높은 (가)의 연평균 기온이 더 낮다.

11 아시아의 국가별 특징 파악

문제분석 (가)는 쌀로 만든 국수인 '퍼', 세계 2위의 커피 생산국에서 만든 연유 커피라는 지리 정보가 제시되어 있다. 따라서 (가)는 베트남이다. (나)는 초원에서 유목으로 길러진 양, '허르헉'이라는 전통 음식, 유목민의 이동식 가옥인 게르라는 지리 정보가 제시되어 있다. 따라서 (나)는 몽골이다. (다)는 고온 다습한 바람에 의해 형성되는 많은 강수량과 이를 이용해 재배되는 차, 향신료 및 커리, '난'이라는 음식이 지리 정보로 제시되어 있다. 따라서 (다)는 인도이다.

정답찾기 ⑤ 지도의 A는 인도, B는 몽골, C는 베트남이다. 따라서 (가)는 C, (나)는 B, (다)는 A이다.

12 지역(대륙)별 도시화 특징 파악

문제분석 그래프는 1950~2020년 라틴 아메리카, 아프리카, 유럽의 도시 및 촌락 인구 변화를 10년 단위로 나타낸 것이다. (가)는 도시와 촌락 인구 모두 꾸준히 증가하고 있으며, 기간 내내 촌락 인구가 많다. 이는 도시화율이 50% 미만이라는 의미로, (가)는 아프리카에 해당한다. (나)는 1950년에 촌락 인구가 도시 인구보다 많았지만 이후 도시 인구의 급격한 성장이 나타났으며, 촌락 인구는 크게 증가하지 않고 있다. 급격한 도시화율의 성장을 보이고 있는 (나)는 라틴 아메리카이다. (다)는 모든 시기에 도시 인구가 촌락 인구보다 많아 일찍부터 도시화된 지역이라고 할 수 있고, 도시 인구는 꾸준히 성장하지만 (나)에 비해 상대적으로 완만한 성장을 보이며, 촌락 인구는 꾸준히 감소하고 있다. 따라서 (다)는 유럽이다.

정답찾기 ④ 유럽(다)은 18세기부터 산업 혁명이 시작되었으며, 아프리카(가)는 20세기 중반 독립 이후부터 산업화가 시작된 국가가 많다. 따라서 유럽(다)이 아프리카(가)보다 산업화의 시작 시기가 이르다.

ㄴ. 전통 농업 사회의 벼농사 지역에서 노동력 대체 효과가 큰 가축은 소(가)이다.

15 국가별 1차 에너지 자원 소비 구조 파악

문제분석 지도에 표시된 네 국가는 각각 독일, 러시아, 중국, 브라질이다. 러시아는 천연가스의 주요 생산국으로, 러시아의 1차 에너지 소비 구조에서 가장 높은 비율을 차지하는 B는 천연가스이다. 중국은 세계 최대의 석탄 생산국이지만 동시에 세계 최대의 석탄 소비국이기도 하다. 따라서 C는 석탄이다. 독일과 브라질의 1차 에너지 소비 구조에서 가장 높은 비율을 차지하는 에너지 자원이자 러시아와 중국에서 두 번째로 높은 소비 비율을 차지하는 에너지 자원인 A는 세계 에너지 소비 구조에서 가장 높은 비율을 차지하는 석유이다.

정답찾기 ③ 석탄(C)은 천연가스(B)보다 연소 시 대기 오염 물질 배출량이 많다.

오답피하기 ① 냉동 액화 기술이 발달하면서 운반과 사용이 편리해져 수요가 급증한 1차 에너지 자원은 천연가스(B)이다.
② 세계 1차 에너지 소비 구조에서 차지하는 비율이 가장 높은 자원은 석유(A)이다.
④ 국가별 1차 에너지 소비 구조에서 석유가 차지하는 비율은 독일 33.1%, 중국 19.4%이지만, 1차 에너지 총소비량은 중국이 독일의 10배 이상이다. 따라서 독일의 석유 소비량은 중국의 석유 소비량보다 적다.
⑤ 브라질의 석탄 소비 비율은 5.7%, 러시아의 석탄 소비 비율은 10.9%로, 국가 내에서 석탄 소비 비율이 더 높은 국가는 러시아이다.

16 국가별 인구 특성 파악

문제분석 (가)는 노년층 인구 비율이 24% 정도, 유소년층 인구 비율이 13% 정도이며, 총인구 규모가 6천만 명 정도인 국가로, 이탈리아이다. (나)는 노년층 인구 비율이 3% 정도, 유소년층 인구 비율은 26% 정도, 청장년층 인구 비율이 약 71%로 높은 비율을 보이며, 총인구는 3,500만 명 정도인 국가로, 사우디아라비아이다. (다)는 노년층 인구 비율이 3% 정도, 유소년층 인구 비율은 41% 정도로 높으며, 총인구는 4,500만 명 정도인 국가로, 수단이다.

정답찾기 ② 노령화 지수는 유소년층 인구 비율 대비 노년층 인구의 비율이다. 노년층 인구 비율이 유소년층 인구 비율보다 높은 이탈리아(가)는 사우디아라비아(나)보다 노령화 지수가 높다.

오답피하기 ① 이탈리아(가)는 노년층 인구 비율이 높고 유소년층 인구 비율이 낮으므로 피라미드형 인구 구조가 나타나지 않는다. 피라미드형 인구 구조는 유소년층 인구 비율이 높고 노년층 인구 비율이 낮은 인구 구조에서 나타난다.
③ 사우디아라비아(나)는 여성 인구에 비해 남성 인구가 많다. 반면, 수단(다)은 여성 인구와 남성 인구가 비슷하다. 따라서 여성 인구 100명당 남성 인구를 나타내는 성비는 사우디아라비아(나)가 수단(다)보다 더 높다.
④ 수단(다)은 유소년층 인구 비율이 41% 정도이며, 청장년층 인구 비율은 전체에서 유소년층 인구 비율과 노년층 인구 비율을 뺀 57% 정도이다. 이탈리아(가)는 유소년층 인구 비율이 13% 정도이지만 청장년층 인구 비율은 64% 정도이다. 따라서 수단(다)의 유소년 부양

오답피하기 ① 도시화율은 전체 인구 중 도시 인구의 비율로, 아프리카(가)는 1950~2020년의 모든 시기에 촌락 인구가 도시 인구보다 많다. 따라서 1950년 아프리카(가)의 도시화율은 50% 미만임을 알 수 있다.
② 라틴 아메리카(나)에는 세계 도시 체계에서 최상위 계층의 세계 도시가 분포하지 않는다. 최상위 계층의 세계 도시는 뉴욕, 런던, 도쿄이다.
③ 특정 시기의 총인구는 해당 시기의 도시 인구와 촌락 인구를 더한 값이다. 2020년 라틴 아메리카(나)는 도시 인구가 약 580만 명이며, 촌락 인구는 약 180만 명이다. 반면, 아프리카(가)는 도시 인구가 약 600만 명, 촌락 인구가 약 800만 명이다. 따라서 2020년 총인구는 아프리카(가)가 라틴 아메리카(나)보다 더 많다.
⑤ (나)는 라틴 아메리카, (다)는 유럽이다.

13 국가별 식량 작물 재배 특징 파악

문제분석 러시아에서 가장 생산 비율이 높은 식량 작물은 C이며, 밀에 해당한다. 또한 국토 대부분이 냉량한 기후 지역에 해당하므로 두 번째로 높은 A는 기후 적응력이 좋은 작물인 옥수수이다. B는 쌀이다. 옥수수(A)의 생산 비율이 높은 (다)는 미국이다. (가)는 세 작물의 생산 비율이 비슷하고 총생산량이 가장 많으며, (나)는 B의 비율이 높게 나타나며 상대적으로 옥수수 생산 비율은 적은 국가이다. 따라서 (나)는 쌀의 주요 생산국이자 수출국인 인도이며, (가)는 세 식량 작물의 생산량이 많은 중국이다.

정답찾기 ③ 쌀(B)은 열대성 작물로 성장기에 높은 기온과 많은 강수량을 필요로 하는 작물이지만, 밀(C)은 상대적으로 낮은 기온과 건조한 곳에서도 잘 자라는 특성이 있다.

오답피하기 ① 밀(C)은 기후 적응력이 큰 작물로 다양한 기후 지역에서 재배된다. 아시아의 계절풍 기후 지역에서 주로 재배되는 것은 쌀(B)이다.
② 옥수수(A)는 밀, 쌀, 옥수수 중 세계 총생산량이 가장 많은 작물이다.
④ 2021년 기준 옥수수(A)의 세계 최대 생산국은 미국(다)이다.
⑤ (가)는 중국, (다)는 미국이다.

14 국가별 가축 사육 현황 및 주요 특징 파악

문제분석 표는 주요 가축인 돼지, 소, 양의 주요 사육 국가를 나타낸 것이다. (가)는 브라질, 인도 등에서 많이 사육하는 소이다. (나)는 중국, 인도 및 오스트레일리아와 이슬람교 신자가 많은 나이지리아, 이란 등에서 많이 사육하는 양이다. (다)는 중국의 사육 두수가 다른 국가에 비해 매우 많고, 미국, 브라질, 에스파냐 등에서 사육하는 돼지이다.

정답찾기 ㄷ. 돼지, 소, 양 중 전 세계 사육 두수는 소(가) > 양(나) > 돼지(다) 순으로 많다.
ㄹ. 양(나)은 건조한 기후 환경에서도 잘 자라 건조 기후 지역에서 유목의 주요 가축으로 많이 길러졌다. 돼지(다)는 상대적으로 유목 생활에는 적합하지 않아 주로 정착 생활 지역에서 많이 길러졌다.

오답피하기 ㄱ. 이슬람교 신자들이 종교적으로 금기시하는 고기는 돼지(다)고기이다. 소(가)는 힌두교 신자들이 소를 신성시 여기므로 먹지 않는다.

비가 이탈리아(가)보다 더 높다.
⑤ 이탈리아(가)는 유럽, 수단(다)은 아프리카에 위치한다.

17 건조 아시아와 북부 아프리카의 국가별 무역 구조 및 특징 파악

문제분석 그래프는 지도에 표시된 국가인 아랍 에미리트, 이집트, 튀르키예(터키), 파키스탄의 품목별 수출액 비율을 나타낸 것이다. (가)는 네 국가 중 광물 및 에너지 자원의 수출액이 가장 많으므로, 석유 자원이 풍부한 아랍 에미리트이다. (다)는 농림축수산물 비율이 다른 나라에 비해 높은 편이며, 석유와 천연가스 개발 등으로 광물 및 에너지 자원의 비율이 비교적 높게 나타나는 이집트이다. (나)와 (라)는 둘 다 공업 제품의 비율이 높지만 (나)의 경우 농림축수산물의 비율이 (라)보다 낮게 나타나므로 (나)는 튀르키예(터키)이고, (라)는 파키스탄이다. A는 이집트, B는 튀르키예(터키), C는 아랍 에미리트, D는 파키스탄이다.

정답찾기 ⑤ 그래프를 통해 네 국가 중 아랍 에미리트(가)의 광물 및 에너지 자원의 수출 비율이 가장 높다는 것을 알 수 있다.

오답피하기 ① 외래 하천인 나일강이 흐르는 국가는 이집트(다)이다. ② 힌두교와 이슬람교의 갈등으로 영역 갈등이 나타나는 곳은 카슈미르 지방이 포함되어 있는 파키스탄(라)이다. ③ 이집트(다)는 아프리카, 파키스탄(라)은 아시아에 위치한다. ④ 이집트((다), A)는 튀르키예(터키)((나), B)보다 수출품 중 공업 제품이 차지하는 비율이 낮다.

18 다양한 지리 정보를 통한 국가별 특징 파악

문제분석 (가)는 수도가 대략 북위 19°, 서경 99° 정도에 위치하는 국가이며, 민족(인종) 구성 중 혼혈의 비율이 국가 내에서 가장 높으므로 멕시코이다. (나)는 수도가 대략 남위 35°, 서경 56° 정도에 위치하는 국가이며, 민족(인종) 구성 중 유럽계의 비율이 매우 높으므로 우루과이이다. (다)는 수도가 남위 16°, 서경 48° 정도로 (나)보다 저위도에 위치하며, 유럽계의 비율이 높지만 혼혈 비율도 높게 나타나는 브라질이다.

정답찾기 ㄱ. 멕시코(가)는 급격한 도시화 과정에서 많은 인구가 수도인 멕시코시티에 집중되면서 2위 도시 인구보다 두 배 이상의 인구 규모를 가지게 되었다. 이처럼 멕시코는 1위 도시 인구가 2위 도시 인구의 두 배 이상인 종주 도시화 현상이 나타난다. ㄷ. 브라질(다)의 대도시에는 불량 주택 지구가 곳곳에 분포하는데, 이곳은 '파벨라'라고 불린다.

오답피하기 ㄴ. 우루과이(나)는 대서양에 접해 있다. ㄹ. 멕시코(가)는 에스파냐어, 브라질(다)은 포르투갈어를 각각 주요 언어로 사용한다.

19 사하라 이남 아프리카 국가들의 특징 파악

문제분석 A~D는 모두 사하라 이남 아프리카 국가들이다. A는 나이지리아, B는 콩고 민주 공화국, C는 케냐, D는 남아프리카 공화국이다.

정답찾기 ⑤ 남아프리카 공화국(D)은 주민 대부분이 크리스트교를 믿는 반면, 나이지리아(A)는 이슬람교 신자와 크리스트교 신자 비율

이 거의 비슷하지만 이슬람교 신자가 가장 많다.

오답피하기 ① 나이지리아(A)는 기니만 연안에 위치해 석유 자원이 풍부하며, 원유 및 석유 제품의 수출액 비율이 총수출액의 70% 이상을 차지한다. ② 콩고 민주 공화국(B)에는 열대 우림 기후가 널리 분포하며, 열대 우림이 나타난다. ③ 케냐(C)는 차 플랜테이션이 발달하여 차 재배가 활발하다. ④ 남아프리카 공화국(D)은 과거 흑인을 차별하는 정책인 아파르트헤이트가 시행되었으며, 현재는 폐지되었다.

20 지구적 환경 문제의 원인과 영향 이해

문제분석 지구적 환경 문제인 오존층 파괴 문제와 기후 변화 문제 및 관련 협약에 대해 파악하는 문항이다. ⓒ은 오존층 파괴 물질 규제에 관한 협약인 몬트리올 의정서이며, ⓔ은 기후 변화에 대응하여 2015년에 맺어진 협약인 파리 협정이다.

정답찾기 ㄱ. 오존 농도 감소로 인해 오존층이 파괴되면 자외선 유입이 증가해 피부암, 백내장 등의 질병 발생에 영향을 미친다. ㄷ. 기후 변화는 대체로 지구 온난화 현상으로 나타나므로, 고산 지역의 평균 기온이 상승하면서 추운 곳에서 자라는 고산 식물의 분포 범위도 축소된다. ㄹ. 파리 협정(ⓔ)은 주로 선진국 중심으로 온실가스 감축을 실시한 교토 의정서에 비해, 선진국과 개발 도상국 모두 온실가스 감축을 포함한 포괄적인 대응에 동참하도록 규정하였다.

오답피하기 ㄴ. ⓒ에는 몬트리올 의정서가 들어갈 수 있다.

실전 모의고사 5회				본문 116~120쪽
1 ④	2 ③	3 ⑤	4 ④	5 ②
6 ①	7 ①	8 ②	9 ⑤	10 ①
11 ③	12 ⑤	13 ②	14 ④	15 ③
16 ①	17 ③	18 ②	19 ②	20 ⑤

1 세계화와 지역화의 특징 이해

문제분석 제시된 글은 세계화로 인한 기업의 전략을 나타낸 것이다. 세계적 햄버거 체인점 M사는 B버거의 품질을 표준화시키는 한편, 지역의 고유한 특성을 반영하여 제품을 차별화하고 있다. 이를 글로컬라이제이션이라고도 하는데, 이는 세계화와 지역화를 합성한 용어로 세계화를 추구하면서도 각 지역의 고유한 의식, 문화, 기호, 행동 양식 등을 존중하는 전략이다. 따라서 글로컬라이제이션을 통해 세계화와 지역화의 효과를 동시에 높일 수 있다.

정답찾기 ㄱ. 햄버거 체인점이 전 세계에 널리 퍼져 있는 사회 현상은 문화의 세계화 사례 중 하나에 해당한다. ㄴ. M사는 세계를 단일 시장으로 인식하고 제품의 품질과 서비스를 동일하게 유지하는 전략을 취하고 있다. ㄹ. 해당 지역에서 생산되는 특산물의 판로가 확보되어 경제 활성화에 기여할 수 있다.

오답피하기 ㄷ. ⓒ의 내용은 기업의 현지화 전략에 대한 것이다. 현지화 전략은 세계 시장을 대상으로 한 전략에 해당하지 않는다.

2 세계의 연 강수량 분포 이해

문제분석 지도는 연 강수량 분포를 나타낸 것이다. 연 강수량은 적도 및 중위도 지역, 해안 지역, 바람받이 지역, 난류 연안 지역에서 대체로 많으며, 위도 20°~30° 부근, 극지방, 대륙 내부, 비그늘 지역, 한류 연안 지역에서 대체로 적다.

정답찾기 ③ C는 아프리카의 나미브 사막으로, 한류인 벵겔라 해류의 영향을 받아 연 강수량이 적다.

오답피하기 ① A는 스칸디나비아산맥 서쪽에 위치하며 편서풍의 바람받이에 해당하여 지형성 강수가 빈번하다.
② B는 사하라 사막으로, 아열대 고압대의 영향을 받아 사막이 형성되었다.
④ D는 타커라마간(타클라마칸) 사막으로, 대륙의 내부에 위치하여 연 강수량이 적다.
⑤ E는 적도가 지나는 곳으로, 적도(열대) 수렴대의 영향으로 대류성 강수가 빈번하다.

3 지리 정보의 종류 및 수집 방법 이해

문제분석 제시된 글은 에콰도르의 다양한 지리 정보에 대한 것이다. 지리 정보는 장소나 현상의 위치·형태에 대한 정보인 공간 정보, 장소나 현상의 인문적·자연적 특성을 나타내는 정보인 속성 정보 등이 있다. 지리 정보는 조사 지역을 방문하여 직접 조사하는 직접 조사와 지도·문헌 등을 통한 간접 조사, 인공위성·항공기 등을 이용한 원격 탐사를 통해 수집할 수 있다.

정답찾기 ㄷ. 국가의 면적, 지형, 식생 등의 정보는 인공위성, 항공기 등을 이용한 원격 탐사로 수집 가능하다.
ㄹ. 훔볼트는 직접 라틴 아메리카를 답사하여 지리 정보를 수집하였다.

오답피하기 ㄱ. 위도, 경도는 장소나 현상의 위치를 나타내는 정보이므로 공간 정보에 해당한다.
ㄴ. 에콰도르의 공용어는 장소나 현상의 인문적 특성을 나타내는 정보이므로 속성 정보에 해당한다.

4 대륙별 기후 지역의 분포 및 특성 이해

문제분석 북아메리카와 유라시아에서 가장 비율이 높은 (라)는 냉대 기후이다. 남아메리카에서 가장 비율이 높은 (가)는 열대 기후이다. 오세아니아와 아프리카에서 가장 비율이 높은 (나)는 건조 기후이다. 따라서 (다)는 온대 기후이다.

정답찾기 ④ 열대 기후(가)는 온대 기후(다)보다 연평균 기온이 높다.

오답피하기 ① 연 강수량보다 연 증발량이 많은 기후는 건조 기후(나)이다.
② 건조 기후(나)는 나무가 자라기 어려운 기후에 해당한다. 상록 활엽수림이 넓게 분포하는 기후는 열대 기후(가)이다.
③ 온대 기후(다)는 주로 중위도에 분포한다. 적도 부근에 분포하는 기후는 열대 기후(가)이다.
⑤ 건조 기후(나)는 냉대 기후(라)보다 연 강수량이 적다.

5 온대 기후 지역의 주민 생활 이해

문제분석 ㉠은 에스파냐 남부에 위치한 도시로, 여름이 덥고 건조한 지중해성 기후가 나타난다. ㉡은 네덜란드에 위치한 도시로, 연중 강수량이 일정하며 겨울이 상대적으로 온화한 서안 해양성 기후가 나타난다.

정답찾기 ② B는 여름에 강수량이 적고, 겨울에 강수량이 상대적으로 많다. 따라서 B는 지중해성 기후이며, ㉠에 해당한다.
D는 1월 기온이 영상으로 비교적 온화하며, 강수량이 연중 큰 차이를 보이지 않는다. 따라서 D는 서안 해양성 기후이며, ㉡에 해당한다.

오답피하기 A는 최난월이 1월이므로 남반구에 위치해 있는 지역이다. 따라서 ㉠, ㉡에 해당하지 않는다.
C는 최한월 평균 기온이 −3℃ 미만, 최난월 평균 기온 10℃ 이상으로 냉대 기후에 해당한다. 따라서 ㉠, ㉡에 해당하지 않는다.

6 판의 경계 유형 이해

문제분석 1964년 알래스카 지진은 한 판이 다른 판 밑으로 들어가는 경계(수렴 경계)에서 발생한 것으로, 당시 미국 지질 조사국(USGS) 소속 지질학자인 조지 플래프커가 이 사실을 규명하였다. 앵커리지는 환태평양 조산대에 속하는 지역으로, 해양판과 대륙판의 충돌에 따른 화산 활동과 지진이 활발하다.

정답찾기 ㄱ. 캘리포니아의 샌안드레아스 단층은 두 판이 어긋나서 미끄러지는 경계(보존 경계)에 해당한다.
ㄴ. 앵커리지는 '불의 고리'라고도 불리는 환태평양 조산대에 위치해 있다.

오답피하기 ㄷ. 해양 지각이 대륙 지각 밑으로 들어가는 과정을 섭입이라고 한다. 섭입이 이루어지는 곳에서는 해구, 호상열도, 습곡 산맥 등이 만들어진다.
ㄹ. 해양 지각이 대륙 지각 아래로 들어가는 과정에서 화산 활동이 활발하게 일어난다. 샌안드레아스 단층에서는 화산 활동보다는 지진이 많이 일어난다.

7 지구 온난화에 따른 환경 변화 이해

문제분석 자료는 영구 동토층 분포 한계선의 변화를 나타낸 것이다. 지구 온난화가 진행되면 현재의 영구 동토층은 녹아 점차 면적이 축소될 것이다. 따라서 영구 동토층 분포의 남한계선이 점차 북상할 것으로 예상된다.

정답찾기 ① 빙하가 녹으면서 북극해에 담수가 유입되므로 북극해의 염도는 낮아질 것이다.

오답피하기 ② 빙하가 녹으면서 해수의 양이 증가하며, 기온의 상승으로 해수의 부피가 커져 해수면이 상승하게 된다. 그 결과 태평양 일대 섬들의 해안 저지대가 침수된다.
③ 북극의 빙하와 유빙이 녹는 기간이 늘어나면서 북극항로의 운항 가능 기간이 늘어난다.
④ 기온이 높아지면 알프스산맥의 냉대림은 보다 고도가 높은 지역이 적합한 환경이 된다. 따라서 냉대림 분포 고도 하한선은 높아진다.
⑤ 기온이 높아지면서 온대 기후 지역이 아열대 및 열대 환경으로 바뀌게 되면 열대성 질병 발병률이 증가한다.

8 세계 각 지역의 기후 특성 비교

문제분석 지도에 표시된 세 지역은 모스크바, 카스(카슈가르), 선양이다. 대륙 서안의 모스크바는 냉대 습윤 기후가 나타나며, 대륙 내부에 위치한 카스(카슈가르)는 사막 기후가 나타난다. 대륙 동안에 위치한 선양은 냉대 겨울 건조 기후가 나타난다.
(다)는 강수량이 가장 적으므로 카스(카슈가르)이다. (나)는 겨울(12~2월) 강수량의 비율이 높으며 기온의 연교차가 작으므로 대륙 서안의 모스크바이다. 따라서 (가)는 선양이다.

정답찾기 ② 모스크바(나)는 냉대 습윤 기후가 나타나며, 포드졸이 분포한다.

오답피하기 ① 선양(가)은 냉대 겨울 건조 기후가 나타난다. 남아메리카에서는 냉대 겨울 건조 기후가 넓게 분포하지 않는다.
③ 카스(카슈가르)(다)는 사막 기후로, 나무가 자라기 어려운 기후 지역이다.
④ 최한월 평균 기온은 최난월 평균 기온에서 기온의 연교차를 뺀 값으로 계산할 수 있다. 선양(가)은 카스(카슈가르)(다)보다 최한월 평균 기온이 낮다.
⑤ 모스크바(나)는 겨울 강수 비율이 높은 편으로 선양(가)보다 여름(6~8월) 강수 비율이 낮다.

9 독특하고 특수한 지형이 나타나는 국가 파악

문제분석 제시된 상황은 피오르 해안과 화산 지형 관광 여행지를 선정하는 장면이다. 아이슬란드, 뉴질랜드, 칠레는 과거 빙하의 영향을 받아 피오르 해안이 나타나며, 판의 경계에 위치해 있어 화산 지형이 존재하는 국가이다. 남아프리카 공화국은 피오르 해안이 나타나지 않는다.

정답찾기 ⑤ 갑은 여행을 1월로 희망했으므로 얇고 간편한 여름옷을 입고 여행하기를 원하는 을의 희망을 고려한다면 아이슬란드(A)는 여행 국가에서 제외된다. 갑은 피오르 해안 감상을 원했으므로 피오르 해안이 없는 남아프리카 공화국(B)은 여행 국가에서 제외된다. 따라서 친구들의 기준을 모두 만족하는 여행 국가는 뉴질랜드(C)와 칠레(D)이다.

10 지역(대륙)별 도시 인구 증가 양상 파악

문제분석 가로축은 도시 인구 증가율로, 산업화가 늦게 시작된 지역(대륙)일수록 도시 인구 증가율이 높은 경향을 보인다. 도시 인구 증가율은 아프리카, 아시아, 라틴 아메리카, 오세아니아, 앵글로아메리카, 유럽 순으로 높다. 세로축은 도시화율로, 앵글로아메리카, 라틴 아메리카, 유럽이 높게 나타난다.

정답찾기 ① (다)는 도시 인구 증가율이 가장 높으며 도시화율이 가장 낮은 지역(대륙)인 아프리카이다. (가)는 도시 인구 증가율이 가장 낮은 지역(대륙)으로, 산업화와 도시화가 가장 먼저 시작된 유럽이다. (나)는 도시화율이 높으며 도시 인구 증가율도 비교적 높은 지역(대륙)인 라틴 아메리카이다.

11 국가별 인구 특징 파악

문제분석 지도에 표시된 세 국가는 독일, 튀르키예(터키), 아랍 에미

리트이다. 성비가 가장 높은 (나)는 아랍 에미리트이다. 석유 개발, 기반 시설 건설에 필요한 외국인 남성 노동력의 유입이 활발하게 일어났기 때문이다. 인구 순 유입이 많은 (다)는 경제 발전 수준이 높은 독일이다. 따라서 (가)는 튀르키예(터키)이다.

정답찾기 ③ 청장년층의 인구 유입이 활발하게 이루어진 아랍 에미리트(나)는 튀르키예(터키)(가)보다 노년층 인구 비율이 낮다.

오답피하기 ① 아랍 에미리트(나)는 아시아에 위치한 국가이다.
② 아랍 에미리트(나)는 산유국으로, 튀르키예(터키)(가)보다 연료 및 광물 제품의 수출 비율이 높다.
④ 독일(다)은 크리스트교 문화권에 속한 국가로, 아랍 에미리트(나)보다 국가 내 이슬람교 신자 비율이 낮다.
⑤ 제2차 세계 대전 이후 독일 도시의 재건을 위해 튀르키예(터키)(가)인이 외국인 노동자로 많이 유입되었다. 이 때문에 독일(다)에는 튀르키예(터키)(가) 출신 이민자들과 그 후손들이 많이 거주하고 있다.

12 세계 주요 종교의 특징 이해

문제분석 불교의 구성 비율이 높은 지역(대륙)은 아시아·오세아니아이므로, B는 아시아·오세아니아이다. 아시아·오세아니아의 구성 비율이 높은 (가)는 힌두교이다. (나)는 앵글로아메리카와 라틴 아메리카의 비율이 낮고, 아시아·오세아니아의 비율이 높다. 따라서 (나)는 이슬람교이고, A는 서남아시아 및 북부 아프리카이다. (다)는 앵글로아메리카, 라틴 아메리카, 유럽의 비율이 50%를 넘는다. 따라서 (다)는 크리스트교이다.

정답찾기 ⑤ (나)는 이슬람교이다. (나)에서 A는 서남아시아 및 북부 아프리카로, 이슬람교를 주로 믿는다. (나)에서 B는 아시아·오세아니아로, 파키스탄, 방글라데시, 말레이시아, 인도네시아 등의 국가가 이슬람교를 주로 믿는다.

오답피하기 ① 힌두교(가)는 남부 아시아에서 기원하였다.
② 소를 신성하게 여겨 소고기 섭취를 금기시하는 종교는 힌두교(가)이다.
③ 모스크와 첨탑은 이슬람교(나)의 대표적 종교 경관이다.
④ 전 세계 신자 수는 크리스트교(다) > 이슬람교(나) > 힌두교(가) > 불교 순으로 많다.

13 주요 가축의 국가별 사육 현황 및 특징 파악

문제분석 A는 브라질, 인도, 미국 등에서 사육 두수가 많은 소이다. B는 중국, 인도, 오스트레일리아 등에서 사육 두수가 많은 양이다. C는 중국, 미국, 브라질 등에서 사육 두수가 많은 돼지이다.

정답찾기 ㄱ. 소(A)는 전통적인 벼농사 지대인 아시아 계절풍 지대에서 노동력을 제공해왔다.
ㄷ. 돼지(C)는 양(B)보다 건조 기후에 대한 적응력이 낮아 건조 기후 지역에서 사육이 어렵다.

오답피하기 ㄴ. 이슬람교 신자들이 종교적 이유로 금기시하는 것은 돼지(C)의 고기이다.
ㄹ. 주요 가축의 세계 사육 두수는 소(A) > 양(B) > 돼지(C) 순으로 많다.

14 몬순 아시아 국가의 자연환경 이해

문제분석 여행기에 나온 지붕의 경사가 급한 전통 가옥의 모습을 통

해 이 지역이 강수량이 많은 지역임을 파악할 수 있다. 또한 세계에서 이슬람교 신자가 가장 많은 국가에 해당한다.

(정답찾기) ④ 인도네시아(D)는 적도가 지나는 국가로 강수량이 많으며, 인구가 많고 이슬람교 신자 비율도 높아 세계 최대의 이슬람 국가이기도 하다.

(오답피하기) ① 스리랑카(A)는 불교를 주로 믿는 국가이다.

② 방글라데시(B)는 이슬람교를 믿는 국가에 해당되지만, 1월은 우기에 해당하지 않는다.

③ 타이(C)는 불교를 주로 믿는 국가이다.

⑤ 필리핀(E)은 크리스트교를 주로 믿는 국가이다.

15 석유와 천연가스의 특징과 주요 수출국 파악

(문제분석) (가)는 사우디아라비아, 러시아, 이라크 등이 포함되어 있으므로 석유이고, (나)는 러시아, 미국, 카타르 등이 포함되어 있으므로 천연가스이다.

(정답찾기) ③ 석유(가)는 수송용으로 이용되는 비율이 높다. 천연가스(나)는 산업용 및 가정용으로 이용되는 비율이 높다. 산업용은 주로 발전, 가정용은 주로 난방에 이용된다.

(오답피하기) ① 냉동 액화 기술의 개발로 사용량이 급증한 자원은 천연가스(나)이다.

② 세계 1차 에너지 소비 구조에서 차지하는 비율이 가장 높은 자원은 석유(가)이다.

④ 석유(가)는 천연가스(나)보다 연소 시 대기 오염 물질 배출량이 많다.

⑤ 석유(가), 천연가스(나) 모두 세계 최대 생산국은 미국이다.

16 세계 주요 식량 작물의 지역(대륙)별 재배 면적 파악

(문제분석) 제시된 글에서 (가)는 라틴 아메리카가 원산지로, 지리상의 발견 시대 이후 전 세계로 전파된 작물이다. 따라서 (가)는 옥수수이다. (나)는 아시아의 계절풍 지대에서 주로 재배되는 작물이므로 쌀이다.

(정답찾기) ① 오세아니아에서 가장 많은 재배 면적 비율을 차지하는 C는 밀이다. 아메리카에서 가장 많은 재배 면적 비율을 차지하는 A는 옥수수이다. 아시아에서 가장 많은 재배 면적 비율을 차지하는 B는 쌀이다. 따라서 (가)는 A, (나)는 B이다.

17 오스트레일리아의 무역 특징 이해

(문제분석) 오스트레일리아의 주요 수출 품목 중 가장 비율이 높은 것은 철광석이고, 그다음으로는 석탄이다. 따라서 (가)는 철광석, (나)는 석탄이다. 오스트레일리아의 무역 상대국 중 가장 큰 비율을 차지하는 국가는 중국(A)이며, 그다음으로는 일본(B)이다.

(정답찾기) ③ 철광석(가)의 최대 생산국은 오스트레일리아, 석탄(나)의 최대 생산국은 중국이다.

(오답피하기) ① 철광석(가)은 광물 자원, 석탄(나)은 에너지 자원에 해당한다.

② 철광석(가)은 안정육괴, 석탄(나)은 고기 습곡 산지 주변에 매장되어 있다.

④ 중국(A)은 일본(B)보다 국가 내 3차 산업 종사자 비율이 낮다.

⑤ 일본(B)은 중국(A)보다 석탄 생산량이 적다.

18 건조 기후 지역의 주민 생활 이해

(문제분석) 지도는 카나트의 분포 지역을 나타낸 것이다. 카나트는 산지의 빙하나 눈이 녹은 물 또는 산지에 내린 강수를 농지와 마을로 공급하기 위해 만든 지하 관개 수로로, 건조 기후 지역에 분포한다.

(정답찾기) ② 건조 기후 지역은 연 강수량보다 연 증발량이 많은 지역이다.

(오답피하기) ① 돼지는 건조한 환경에 대한 적응력이 약한 가축이다. 건조 기후 지역에서는 양, 염소 등을 주로 사육한다.

③ 외래 하천이 통과하는 지역에서는 카나트와 같은 시설을 만들 필요가 없다.

④ 연중 적도(열대) 수렴대의 영향을 받는 지역은 강수량이 많은 열대 우림 기후 지역이다.

⑤ 종교적 관습에 따라 소고기를 금기시하는 곳은 힌두교 신자들이 거주하는 지역에 대한 설명이다.

19 유럽의 주요 공업 지역 특징 이해

(문제분석) (가) 공업 지역은 영국의 랭커셔·요크셔 지방, 독일의 루르·자르 지방, 프랑스의 로렌 지방 등이 속해 있는 전통 공업 지역이다. (나) 공업 지역은 영국의 카디프와 미들즈브러, 프랑스의 르아브르와 됭케르크, 네덜란드의 로테르담이 속해 있는 해운·하운 교통 발달 지역이다.

(정답찾기) ② (나) 공업 지역은 (가) 공업 지역에 비해 형성 시기가 늦고(B, C, E), 수운 교통의 영향력이 크며(A, B, C), 원료의 해외 의존도가 높다(A, B, D). 따라서 모든 조건을 만족하는 B가 정답이다.

20 중·남부 아메리카 주요 국가의 민족(인종) 구성 비율 특성 파악

(문제분석) 지도에 표시된 세 국가는 멕시코, 도미니카 공화국, 아르헨티나이다. 아르헨티나는 유럽계의 비율이 매우 높게 나타나는 국가이다. 따라서 B는 유럽계이며, (나)는 아르헨티나이다. 아르헨티나는 아프리카계 비율이 없으므로 C는 아프리카계이다. 아프리카계의 비율이 높게 나타나는 (다)는 도미니카 공화국이다. 따라서 (가)는 멕시코이다. 멕시코는 혼혈의 비율이 높은 국가이다. 그러므로 A는 혼혈이며, D는 원주민이다.

(정답찾기) ⑤ 중·남부 아메리카에서 브라질을 제외한 대부분의 국가에서는 에스파냐어를 주로 사용한다.

(오답피하기) ① 혼혈(A)은 유럽계(B)보다 중·남부 아메리카에서 대체로 사회·경제적 지위가 낮은 편이다.

② 아프리카계(C)는 유럽계(B)가 진출한 이후에 유입되었으며, 원주민(D)은 유럽계(B)가 진출하기 이전부터 중·남부 아메리카에 거주하고 있었다.

③ 멕시코(가)의 수도는 고산 도시인 멕시코시티(2,250m)이며, 아르헨티나(나)의 수도는 해안 도시인 부에노스아이레스(25m)이다.

④ 도미니카 공화국(다)은 국가 내에서 혼혈(A)의 비율이 가장 높다. 아르헨티나(나)는 국가 내에서 유럽계(B)의 비율이 가장 높고, 혼혈(A)의 비율은 도미니카 공화국(다)보다 낮다.

인용 사진 출처

서울대학교 규장각 한국학연구원 6쪽 3번 (가)(지구전후도)

서울대학교 규장각 한국학연구원 6쪽 4번 (가)(혼일강리역대국도지도)

Library of Congress, Geography and Map Division 6쪽 4번 (나)(화이도)

서울대학교 규장각 한국학연구원 6쪽 4번 (다), 111쪽 1번 (나)(곤여만국전도)

GRANGER – Historical Picture Archive / Alamy Stock Photo 25쪽 6번 (라), 103쪽 10번 (라)(드럼린)

Shayne Tang / Alamy Stock Photoo 30쪽 3번 위(베트남 20만동 화폐)

Art Directors & TRIP / Alamy Stock Photo 30쪽 3번 아래(중국 5위안 화폐)

Corbin17 / Alamy Stock Photo 97쪽 7번 아래 오른쪽(데스밸리 선상지)

North Wind Picture Archives / Alamy Stock Photo 101쪽 1번 ㄷ(헤리퍼드 세계 지도)

Tamer Adel / Alamy Stock Photo 108쪽 11번 오른쪽(사우디아라비아 500리알 화폐)

KNU 강원대학교

수시 원서접수
2024. 9. 9.(월) - 9. 13.(금)

원서접수 방법
인터넷원서접수(유웨이어플라이)

강원대학교 입시 상담

전 화	춘천 : (교과) 033-250-6041~5 (종합) 7979 삼척 : (도계포함) 033-570-6555
카카오채널	http://pf.kakao.com/_Lbqxks/chat
홈 페 이 지	http://www.kangwon.ac.kr/admission/

카카오채널

입학홈페이지

※ 본 교재 광고의 수익금은 콘텐츠 품질 개선과 공익사업에 사용됩니다.

※ 모두의 요강(mdipsi.com)을 통해 강원대학교의 입시정보를 확인할 수 있습니다.

adiga
ADmission Information Guide for All

www.adiga.kr | m.adiga.kr

차세대 대입정보포털의 새로운 기준,
어디가(adiga)를 통해
대학 입시의 모든것을 빠르고 정확하게 찾아보세요!
어디가(adiga)와 함께할 대입 네컷 준비 되셨나요?

#모바일에서도 이용가능 #대학어디가 #성적분석 #대입상담 #대교협 #합격

🖥 대학/학과/전형정보
- 대학별 경쟁률 및 전년도 입시결과 제공
- 교육목표, 교육과정, 대학정보공시 자료 등 다양한 대학 관련 정보 제공

🔍 진로정보
- 커리어넷 및 워크넷 연계를 통한 다양한 직업정보 제공
- 커리어넷 및 워크넷에서 제공하는 직업 심리검사를 통해 적성에 맞는 진로탐색

📈 성적분석
- 대학별 수시 및 정시 성적분석 서비스 제공
- 학생부 및 수능/모의고사 성적분석을 통한 대입전략 수립 용이
- 간편해진 성적입력으로 편리한 성적분석 서비스 제공

👩‍🏫 대입상담
- 진학지도 경력 10년 이상의 현직 진로진학 교사로 구성된 '대입상담교사단'의 상담전문위원이 1:1 무료 상담 진행
- 온라인 대입 및 전공상담 게시판을 통한 실시간 전문상담 제공
- 전화상담(1600-1615)을 통한 유선상담 동시 제공

학생

선생님

학부모

합격

[대입네컷]

※ 본 교재 광고의 수익금은 콘텐츠 품질개선과 공익사업에 사용됩니다

2025 대구가톨릭대학교

DCU UNIV

대구·경북 대형사립대학 중
취업률 1위, 10년 연속

110 대구가톨릭대학교 개교 110주년

✓ **초역세권 대학**
대구도시철도 1호선으로 대구가톨릭대까지~!
하양대구가톨릭대역, 2024년 개통

✓ **최고 수준의 학생복지**
중앙도서관, 체력증진센터, 푸드스퀘어, 학생원스톱지원센터 등
ALL 리뉴얼, 우수한 교육환경~!

✓ **의료보건 특성화**
대구가톨릭대학교병원 '세계최고병원' 선정
지방대학병원 유일, 앞서가는 대구가톨릭대학교~!

▶ 입학처 홈페이지 바로가기
입학문의 ☎ 053-850-2580

DCU 대구가톨릭대학교
DAEGU CATHOLIC UNIVERSITY

본 교재 광고의 수익금은 콘텐츠 품질 개선과 공익사업에 사용됩니다. 모두의 요강(mdipsi.com)을 통해 대구가톨릭대학교의 입시정보를 확인할 수 있습니다.

명쾌하고, 명백하게,

명지롭다

명지대학교
MYONGJI UNIVERSITY

설립정신 | 하나님을 믿고 부모님께 효성하며 사람을 내 몸같이 사랑하고 자연을 애호 개발하는 기독교의 깊은 진리로 학생들을 교육하여 민족문화와 국민경제발전에 공헌케 하며 나아가 세계평화와 인류문화 발전에 기여하는 성실 유능한 인재를 양성하는 것이 학교법인 명지학원의 설립목적이며 설립정신이다. **주후** 1956년 1월 23일 **설립자** 유상근

본 교재 광고의 수익금은 콘텐츠 품질 개선과 공익사업에 사용됩니다. 모두의 요강(mdipsi.com)을 통해 명지대학교의 입시정보를 확인할 수 있습니다.